Poświęcam tę książkę Ann White Braun.
Nasza przyjaźń, trwająca od dzieciństwa,
zacieśniła się jeszcze bardziej, gdy stałyśmy się kobietami.
Zawsze z głębokim wzruszeniem będę wspominać minione lata
i czekać na to, co nam przyniosą następne.

ADRIENNE BASSO

Miłosny odwet

Przekład
Agnieszka Dębska

AMBER

Redakcja stylistyczna
Barbara Walicka

Korekta
Jolanta Gomółka
Hanna Lachowska

Projekt graficzny okładki
Małgorzata Cebo-Foniok

Zdjęcie na okładce
Copyright © Zbigniew Foniok

Druk
Wojskowa Drukarnia w Łodzi Sp. z o.o.

Tytuł oryginału
A Little Bit Sinful

ISBN 978-83-241-4190-6

Warszawa 2012. Wydanie I

Wydawnictwo AMBER Sp. z o.o.
02-952 Warszawa, ul. Wiertnicza 63
tel. 620 40 13, 620 81 62

www.wydawnictwoamber.pl

1

Zbliżcie się wszyscy.

Głos pastora, głęboki i uroczysty, rozległ się wśród grupy odświętnie ubranych ludzi, przerywając ciszę. Sebastian Dodd, wicehrabia Benton, wystąpił do przodu, zaciskając zęby. Oczy miał suche. Drgnął lekko, kiedy na moment oślepiło go jaskrawe słońce. Stojący za nim nieliczni żałobnicy również podeszli bliżej, zachowując jednak pełen szacunku dystans.

Wszystko jest na opak, uznał Sebastian i przesunął się nieco, by uniknąć rażącego blasku. Powinno być zimno, wilgotno i ponuro, najlepiej gdyby teraz deszcz zacinał mu prosto w twarz, a pod stopami miał rozmiękłą i błotnistą ziemią. Tymczasem dzień był ciepły, pogodny, niebo miało kolor niezapominajek, a w gęstej zielonej trawie rosło mnóstwo barwnych kwiatów polnych.

Choć stał w pewnej odległości, wyczuwał za plecami obecność ludzi. Było wśród nich kilkoro dalekich krewnych, których wolałby tu raczej nie widzieć, i garstka przyjaciół, którym był szczerze wdzięczny za przybycie.

– Hrabina Marchdale była kobietą szlachetną, o silnym charakterze i miłosiernym sercu, prawdziwą podporą społeczeństwa, istotą subtelną i łagodną – mówił pastor. – W niebie z pewnością zostanie przyjęta z otwartymi ramionami.

Sebastian z trudem powstrzymał uśmiech. Babka była osobą energiczną, upartą i drażliwą, zwłaszcza w ostatnich latach życia. Gdyby mogła słyszeć słowa pastora, najpierw wybuchłaby śmiechem, a potem skarciła go ostro za te pochlebstwa. Nie ścierpiałaby fałszywych pochwał. Nawet na własnym pogrzebie!

Sebastian nie miał też pewności, czy pójdzie prosto do nieba, jeśli takie miejsce w ogóle istniało. Za życia nie przypominała anioła i nie była zbyt pobożna. Korzystała w pełni z wszelkich przywilejów, jakie jej zapewniała wysoka pozycja społeczna i zamożność, nie stroniła też od ekscesów, a również – jak podejrzewał – od uciech cielesnych. W końcu pogrzebała aż trzech mężów, wszystkich młodszych od siebie.

Gdyby jednak jakimś cudem udało się jej przekroczyć wrota strzeżone przez świętego Piotra, natychmiast zaczęłaby głośno mówić, co na tamtym świecie należy poprawić. A także i na tym.

– Módlmy się za nią – rzekł pastor.

Za plecami Sebastiana odezwał się chór przyciszonych głosów. Wicehrabia dołączył do niego, zdziwiony, że bez trudu przypomina sobie właściwe słowa, choć od bardzo dawna się nie modlił. Potem uniósł głowę i po raz pierwszy spojrzał w głęboki dół wykopany w ziemi.

Przeszedł go dreszcz. Wydało mu się rzeczą niemożliwą, aby babka na całą wieczność spoczęła w tych ciemnościach, pozbawiona wszystkiego, co niegdyś kochała.

Na skinienie pastora czterech krzepkich mężczyzn zaczęło opuszczać trumnę do grobu. Sebastian pożegnał ją w milczeniu, ale gdy już sądził, że jest po wszystkim, ogarnęła go nagle fala przygniatającego smutku. A przecież nigdy łatwo nie poddawał się wzruszeniom. Ciężkie doświadczenia nauczyły go, że prawdziwe uczucia lepiej tłumić i powściągać.

Śmierć hrabiny nie była czymś nieoczekiwanym. Sędziwa dama, zwykle odporna, tej zimy uległa uporczywej chorobie. Na dzień przed zgonem oznajmiła Sebastianowi, że żal jej dawnego, pełnego rozmachu stylu życia, jest więc gotowa pożegnać się z tym światem.

Sebastian westchnął głęboko. Może babka była gotowa odejść, ale on nie mógł pogodzić się z jej utratą. Upominała go i despotycznie nim rządziła przez całe jego dorosłe życie, decydując o wszystkim, od posiłków do stroju, od sposobu wydawania pieniędzy aż po jego towarzystwo. Zawsze bez ogródek wypominała mu błędy, a jeszcze chętniej jawnie dawała wyraz swemu niezadowoleniu.

Ale też okazywała swemu jedynemu wnukowi iście macierzyńską troskę, z wielkim oddaniem i miłością. Ciężko mu było pogodzić się z jej odejściem i z ogromnym trudem znosił widok trumny znikającej powoli w ziemi. Zdawało mu się, że trwa to bez końca.

Usłyszał za sobą czyjś szloch, a potem głośne wycieranie nosa. Któraś z żałobnic płakała, prawdopodobnie Sara, kuzynka babki. Była, zdaniem hrabiny, jedną z tych afektowanych kobiet, które nigdy nie tracą sposobności, by ukazać swoją wrażliwą naturę. Zapewne często bywała na pogrzebach, które stanowiły znakomitą okazję do tego typu demonstracji.

Szloch stawał się coraz głośniejszy i choć Sebastian dobrze wiedział, że jest nieszczery, poczuł mocny ucisk w gardle. Czuł zarówno żal, jak i chęć jego stłumienia. Rozpaczliwie pragnął odwrócić się i odejść, ale to byłoby niewybaczalne. Powinien się zachowywać z godnością i przyzwoicie, tak jak babka, która nie jeden raz z wielkim żalem wytykała mu brak tych zalet.

Gdy starał się nad sobą zapanować, poczuł, że ktoś staje tuż za nim. Widocznie podszedł któryś z żałobników. Kto się ośmielił? O Boże, byle nie kuzynka Sara!

Sebastian westchnął głęboko i zacisnął zęby. Nim jednak zdołał odwrócić się, żeby zobaczyć, kto to jest, czyjeś palce delikatnie dotknęły jego dłoni przez rękawiczkę. I zaraz poczuł świeży, cytrynowy zapach. Emma. Ucisk w gardle zelżał.

Kochana Emma. Jakaż była współczująca! Pewnie podczas całego nabożeństwa wpatrywała się w niego, spodziewając się jego załamania, zawsze gotowa wesprzeć go w trudnej chwili, gdy najbardziej tego potrzebował. Nie dbając o dobre maniery, przyjął tę pociechę i uścisnął rękę Emmy.

Dziwne, że mała, słaba dłoń mogła mu dodać tyle wewnętrznej siły. Tym gestem Emma okazywała, że nie jest zupełnie osamotniony. Przynajmniej w tym momencie.

Łkanie Sary raptownie ucichło, a zamiast siąkania usłyszał pełne zgorszenia westchnienie. Najwidoczniej to, że ostentacyjnie ujął za rękę pannę, z którą nie był zaręczony, okazało się tak szokujące, że smutek kuzynki zamienił się w zgrozę. Sebastian poczuł, że Emma raptownie drgnęła, i zrozumiał, że ona też usłyszała ten pełen dezaprobaty odgłos.

Z obawy, by Emma się od niego nie odsunęła, mocniej ścisnął jej palce, a ona bez wahania odwzajemniła ów gest. Odetchnął ze spokojem, czując wielką ulgę, że nie dała się onieśmielić sztywnym regułom towarzyskim.

Razem z pastorem odmówiono jeszcze jedną modlitwę i ceremonia wreszcie się skończyła. Sebastian zwrócił się do żałobników, nie puszczając dłoni Emmy.

– Pragnę wszystkim podziękować za przybycie na tę smutną uroczystość. Hrabina z pewnością czułaby się wzruszona tym dowodem szacunku i przywiązania, a ci z nas, którzy znali ją i kochali, dobrze o tym wiedzą. – Sebastian na chwilę przerwał, walcząc z uciskiem w gardle. – Kucharka przygotowała obfitą stypę. Wróćmy więc do dworu, żeby wspólnie zasiąść do stołu.

Żałobnicy zgodnie ruszyli do powozów. Rodzinny grób, gdzie spoczęło ciało hrabiny, znajdował się w malowniczym zakątku, na skraju lasu otaczającego posiadłość. Wprawdzie Sebastian wolałby drogę do pałacu przejść pieszo, nie mógł tego jednak zrobić ze względu na starszych krewnych.

– Może pojedziesz moją karetą, Bentonie? Jest w niej sporo miejsca.

Sebastian zatrzymał się, ale odmówił. Carter Grayson, markiz Atwood, był jedną z dwóch osób, które głęboko szanował, którym całkowicie ufał i które szczerze lubił. Razem studiowali w Eaton, później w Oxfordzie, a zaprzyjaźnili się jako chłopcy. Przyjaźń ich zacieśniła się jeszcze bardziej, gdy dorośli.

Mieli podobne poglądy na wiele spraw i spierali się energicznie, jeśli w czymś się różnili. Przed rokiem Atwood poślubił Dorotę Ellingham, lecz nie osłabiło to ich więzi, choć Atwood zaczął mieć – zdaniem Sebastiana – niezdrową obsesję na tle przyzwoitości i dobrych obyczajów. Niestety, małżeństwo i pragnienie szacunku tak właśnie wpływają nawet na największych hedonistów.

Markiz był szwagrem Emmy.

– Jeśli nie chcesz jechać z Atwoodem i lady Dorotą, to może ze mną? – spytał Peter Dawson.

Dawson również był szkolnym kolegą Sebastiana, a prócz tego owym drugim człowiekiem, którego uważał za prawdziwego przyjaciela. Ten spokojny intelektualista wprowadzał element równowagi do ich tercetu i nieraz ratował przyjaciół, gdy wpadli w tarapaty, choć sam wcale nie był ponurakiem.

– Kazałem stangretowi wrócić po mnie, kiedy już odwiezie krewnych pod drzwi pałacu – wyjaśnił Sebastian. – Poczekam na niego.

– Ja także – wtrąciła pospiesznie Emma.

– Doprawdy, Emmo, powinnaś wracać razem z nami – upomniała ją cicho lady Dorota. – Z pewnością wicehrabia potrzebuje teraz chwili samotności.

– Och, nie pomyślałam o tym.

Sebastian wyczuł jej zaniepokojenie myślą, że mogłaby zostać pozbawiona jego towarzystwa.

– Wolałbym, żeby Emma została ze mną. Chyba nie masz nic przeciwko temu?

Przy tych słowach Sebastian spojrzał na Dorotę, lecz pytanie odnosiło się najwyraźniej do obojga małżonków. Emma była wprawdzie młodszą siostrą Doroty, lecz markiz jej opiekunem. Wiedział, że Emma musiałaby go usłuchać bez wahania.

Lady Dorota westchnęła głęboko, jakby siląc się na cierpliwość i wyrozumiałość. Była miłą kobietą i, o czym dobrze wiedział, lubiła go, a po śmierci babki okazała mu szczere współczucie. Reputacja rozpustnika i różne jego ekscesy sprawiły jednak, że obawiała się zostawić siostrę z Sebastianem, zwłaszcza w miejscu tak odosobnionym.

Spojrzała więc na męża. Atwood z niepewnym uśmiechem popatrzył na splecione dłonie Sebastiana i Emmy. Sebastian wzmocnił jednak swój uścisk i uniósł dłoń Emmy, kładąc ją na swej piersi. Atwood z niezadowoleniem zmarszczył brwi, ale nic nie powiedział.

– Rozumiem, że wrócicie niebawem? – spytał w końcu.

Było to raczej polecenie niż pytanie. Sebastian skinął głową.

Po odjeździe karet zapanowała cisza. Sebastian i Emma wyszli razem z niewielkiego cmentarza, mijając po drodze starannie utrzymane groby przodków.

– To miłe miejsce – stwierdziła Emma.

– Owszem, zważywszy jego przeznaczenie. – Sebastian spojrzał przed siebie, na gęstą trawę z mnóstwem niebieskich polnych kwiatów. Ciekawe, że babka zawsze lubiła wszelkie odcienie błękitu.

– Lepiej byś się czuł, gdybyś mógł zapłakać – powiedziała Emma. – Nie ma nic złego, że po tak dotkliwej stracie czujesz smutek. Po śmierci rodziców płakałam wiele tygodni.

– Ale wtedy miałaś pięć lat.

Emma chrząknęła z irytacją i po raz pierwszy tego dnia Sebastian się roześmiał. Wiedział, że wolałaby pozostać przy swoim zdaniu, ale współczucie nie pozwala jej na to.

Uniósł ich złączone dłonie i przycisnął do policzka. Potem opuścił ramię i wziął Emmę pod rękę na znak, że wszystko jest w porządku. Prócz braku przyzwoitki, rzecz jasna.

– Czy wiesz, że widziałam się z hrabiną na dzień przed jej śmiercią? – spytała Emma.

– Tak, wspomniała mi o twojej wizycie. Dobrze, że to zrobiłaś. Niewielu ludzi odwiedziłoby starą, chorą kobietę.

– Przyniosłam wtedy coś ze sobą, ale babka ci o tym chyba nie mówiła.

– Powiedziała tylko, że przyszłaś do niej w odwiedziny.

Emma zmarszczyła czoło.

– Pewnie chciała ci to pokazać, ale nie miała już siły. – Emma urwała. – Przyniosłam jej twój portret.

– Skończyłaś go?

– Tak. Był prawie gotów już od kilku tygodni. Co prawda wymagał wykończenia, ale wiedziałam, że hrabinie pozostało niewiele życia. Na szczęście ostateczny rezultat bardzo się jej spodobał – zakończyła skromnie Emma.

Sebastian się zamyślił. Zadowolony był, że babka zobaczyła portret, żałował jednak, że nie mieli okazji obejrzeć go wspólnie, zwłaszcza że to ona podsunęła Emmie pomysł namalowania jego wizerunku.

Mimo że Emma była jeszcze bardzo młoda, jej talent wywarł na hrabinie duże wrażenie. Bez wahania więc i mimo jego protestów zamówiła u niej ten portret. Jednakże niechęć Sebastiana wkrótce znikła bez śladu. Emma nie była rozchichotaną, zmanierowaną amatorką, malującą dla zabawy, tylko prawdziwą, bardzo utalentowaną artystką.

Pozując do portretu, miał sposobność po raz pierwszy zaprzyjaźnić się z kobietą, co było rzeczą zadziwiającą. Niezwykle cenił sobie tę przyjaźń.

– Powiedz, czy na tym portrecie jestem bardzo przystojny?

– Jestem artystką, Sebastianie, a nie czarodziejką.

– Ależ z ciebie nieznośna smarkula!

Emma ścisnęła mocniej jego ramię.

– A z ciebie nieznośny pyszałek. Choć, prawdę mówiąc, bardzo przystojny. Przedstawiłam cię tak, jak wyglądasz, choć hrabina uznała, że mogłabym ci namalować trochę szersze ramiona i bardziej zdecydowany podbródek.

– Żebym zrobił wrażenie na damach?

– O tak, żeby całymi tuzinami mdlały z zachwytu nad twoją męską urodą.

– I żeby mowę im odebrało na mój widok?

– Najzupełniej.

– Niestety, tego nie można się spodziewać po większości młodych dam z dobrego towarzystwa!

Emma uniosła nieznacznie brwi w sposób o wiele za dojrzały jak na młodą panienkę.

– Masz nie najlepsze zdanie o płci pięknej. Nie jesteśmy stadem głupich gąsek.

– Mógłbym policzyć na palcach jednej ręki kobiety, którym Bóg dał więcej rozumu niż temu ptactwu.

– Czy nie rozumiesz – Emma gwałtownie potrząsnęła głową – że w dobrym towarzystwie jest mnóstwo głupich i bezmyślnych kobietek, ponieważ mężczyźni świadomie sprzyjają ich ignorancji, chcąc je kontrolować?

– Chcą je chronić.

– Co za bzdury! Zresztą ty wcale w to nie wierzysz, tak samo jak ja. – Emma westchnęła głośno, energicznie unosząc podbródek, jak zawsze gdy się czymś rozgniewała.

Sebastianowi ogromnie podobał się ten jej gest. Emma była bardzo ładną dziewczyną, a za kilka lat, gdy jej uroda dojrzeje, stanie się zadziwiająco piękną kobietą.

– Mimo twoich zawziętych sprzeciwów przyznasz, że oboje znamy kobiety, którym koniecznie trzeba męskiej opieki, choćby po to, by je chronić przed nimi samymi – odparł. – Założę się, że poznałaś już jedną czy dwie takie damy podczas tegorocznego sezonu. Wierz mi, jest ich znacznie więcej.

– Doprawdy, Sebastianie, czasami mówisz jak stary zrzęda. Nie rozumiem, jakim sposobem zyskałeś sobie reputację hulaki.

– Zdradzę ci, że dobrze na nią zasłużyłem. – Sebastian roześmiał się. Właśnie takiej żartobliwej rozmowy teraz potrzebował. Za kilka minut znajdzie się znów wśród krewnych, a potem nastąpi otwarcie testamentu. Znał swoją babkę i miał pewność, że w związku ze spadkiem przygotowała dla niego jakąś niespodziankę.

Przeszli wzdłuż jednego z krótkiego rzędu grobów i mijali właśnie następny. Sebastian spojrzał w lewo i jego wzrok spoczął na wysokiej kamiennej płycie. „Ewangelina Katarzyna Maria Dodd, piąta hrabina Benton". Jego matka.

Dobry nastrój Sebastiana rozwiał się w jednej chwili. Dojmujący lęk niemal ściął go z nóg. Poczuł, że chłód ogarnia całe jego ciało.

Znów, po raz nie wiadomo który zabrzmiało mu w uszach rytmiczne skrzypienie sznura. Zacisnął powieki, nadaremnie usiłując odsunąć od siebie obraz, który się pod nimi pojawił, równie upiorny, jak tamtego strasznego dnia przed osiemnastu laty.

Przyjechał wtedy na wakacje, szczęśliwy, że znów jest w Chaswick Manor, a najszczęśliwszy z tego powodu, że mógł przebywać razem z matką. Nie zdradził się z tym nawet przed najbliższymi kolegami, którzy wyszydziliby go bez litości.

Ojciec zmarł, gdy Sebastian był dzieckiem, toteż wcale go nie pamiętał. Choć czasem boleśnie odczuwał jego brak, ale dzięki matce ten żal nie trwał zbyt długo.

Hrabina była piękną kobietą, jednak nie wyszła powtórnie za mąż, poświęcając się całkowicie jedynakowi. Interesowało ją żywo wszystko, co robił, ze łzami żegnała Sebastiana, gdy musiał wracać do szkoły. Pisywała do niego regularnie co tydzień, przyjazdy syna do domu były dla niej prawdziwym świętem.

A jednak tamtego lata coś się zmieniło. Matka stała się roztargniona, rozdrażniona, to wybuchała nagle gniewem, to znów płakała bez powodu. Prawie nie zwracała uwagi na Sebastiana, rzadko opuszczała swój pokój, posiłki jadała oddzielnie i właściwie nie oddalała się od dworu.

Nie było już uścisków i czułego mierzwienia czupryny, a kiedy się do niego odzywała, Sebastian nie słyszał w jej głosie matczynej dumy. Daremnie próbował ją rozbawić. Sądząc, że powodem jest jego nieposłuszeństwo lub nie najlepsze stopnie, pewnego dnia zebrał ogromny bukiet polnych kwiatów.

Zajęło mu to prawie godzinę, ale rezultat był imponujący. W nadziei, że kwiaty poprawią matce humor, zastukał do drzwi jej sypialni.

Nie było odpowiedzi. Zastukał głośniej. Znowu cisza. Miał już odejść, ale upór nie pozwolił mu na łatwą rezygnację. Otworzył drzwi gwałtownym pchnięciem i wszedł. To, co ujrzał, sprawiło, że krew zastygła mu w żyłach.

Wzdrygnął się teraz, tak samo jak wtedy, gdy był dwunastolatkiem zlodowaciałym ze zgrozy.

Sznur skrzypiał, wydając obezwładniający dźwięk. Sebastian zatrzymał się i patrzył na ów niepojęty widok. Sznur przywiązany był do ciągnącego się wzdłuż całego okna, mocnego pręta od zasłony. Kołysało się na nim nieruchome, bezwładne ciało matki. Miała na sobie srebrzystą wieczorową suknię. Jeden z pantofelków spadł, odsłaniając po kostkę stopę w białej jedwabnej pończosze. Starannie zazwyczaj ułożone włosy były teraz w dzikim nieładzie, smukła szyja wyprężona w mocno zadzierzgniętej pętli, wargi sine i obrzękłe, a szeroko otwarte oczy patrzyły nieruchomo w przestrzeń.

Sebastian nie wiedział, jak długo stał w progu. Może wydał wtedy z siebie jakiś dźwięk, a może nie. Zapamiętał tylko, że potem siedział w salonie z babką. Miała zrozpaczoną, przerażoną twarz i powtarzała bez przerwy, by nigdy o tym nikomu nie mówił. Nikt nie mógł się dowiedzieć, że wicehrabina Benton targnęła się na własne życie.

– Sebastianie, co ci jest?

Głos Emmy sprawił, że wrócił do rzeczywistości. Spojrzał prosto w jej niebieskie oczy pełne niepokoju.

– Nic. Wszystko w porządku – odparł i skinął głową, jakby chciał samego siebie przekonać, że to prawda. Przeniósł wzrok w dal, usiłując ochłonąć. Emma miała oko artystki i zdolność wnikania w głąb duszy. Nie chciał, żeby jego mroczne myśli w jakikolwiek sposób ją dotknęły lub wywarły przykre wrażenie.

Zapadło między nimi pełne napięcia milczenie. Sebastian wytężył wzrok. Czy to nie powóz? Istotnie, teraz mógł go wyraźnie dojrzeć. Niemalże siłą wyciągnął Emmę z cmentarza, desperacko usiłując uwolnić się od wspomnień.

Ale to nie było łatwe.

– Coś cię przygnębiło, Sebastianie. Może powiesz mi, o co chodzi?

Spojrzał w jej zatroskane oczy. Kusiło go, by zrzucić z siebie to brzemię, ale nie mógł tego zrobić. Wiedział, że Emma by go wysłuchała, okazała mu współczucie i nie osądziła surowo. Trudno jednak pozbyć się starych nawyków, a prócz tego dał słowo babce. Nikt nie mógł poznać prawdy.

Przez całe lata nękały go koszmary i rozpaczliwie pragnął się dowiedzieć, co zmusiło matkę do tak straszliwego czynu. Najwyraźniej bała się czegoś. Niewyobrażalnie. Babka nie wyjaśniła przyczyn śmierci synowej, ale gdy miał już dwadzieścia jeden lat, spytał ją o to stanowczo, nie chcąc już dłużej przyjmować odmowy.

– Nic dobrego nie przyjdzie z mówienia źle o zmarłych – upierała się.

Sebastian nadal czuł gniew i ból, które nim wtedy targnęły.

– Do diabła z tym! Była moją matką. Myślę, że w końcu powinienem otrzymać jakieś wyjaśnienie.

– Doprowadził ją do śmierci pewien mężczyzna – wyznała w końcu z trudem.

– Mężczyzna? Kto to był?

– George Collins, hrabia Hetfield – wyszeptała z przygnębieniem. – Poznała go zeszłego roku na jakimś przyjęciu. Właśnie świeżo owdowiał, a ona rozumiała, jaka to strata. Szybko stali się sobie bliscy.

– Jak bardzo bliscy?

– Tak bliscy, że wpędził ją w ciążę! – wybuchnęła hrabina gwałtownie, jakby wciąż jeszcze nie mogła się otrząsnąć. – Ewangelina była wprawdzie tylko moją synową, ale kochałam ją jak własną córkę. Byłam jej wdzięczna, że zwierzyła mi się ze swego zmartwienia. Hrabia odsyłał jej listy. Nie chciał jej nawet widzieć. Ale w końcu spotkał się ze mną.

– Poszłaś do niego?

– Tak. Próbował ją zniesławić, naplótł mi jakichś skandalicznych kłamstw, ale nie chciałam słuchać. Zażądałam, żeby postąpił honorowo i ją poślubił. Odmówił. Był odrażającym człowiekiem, bez czci i wiary, bez ludzkich uczuć. Może powinnam była okazać większą stanowczość, ale szybko zrozumiałam, że lepiej byłoby jej bez niego.

– Najwyraźniej matka sądziła inaczej.

Oczy babki zaszły łzami.

– Nie doceniłam jej desperacji i tego, że czuła się zhańbiona. Próbowałam ją namówić, żebyśmy wyjechały za granicę, gdzie mogłaby bez rozgłosu urodzić dziecko. Przysięgałam, że znajdę mu dobry dom i kochającą rodzinę. Może nawet mogłaby je odwiedzać, zachować z nim jakąś więź. Powiedziała, że weźmie to pod uwagę, ale dwa dni później...

– Powiesiła się. – Sebastian pamiętał, że zdołał to powiedzieć całkiem spokojnie. Po raz pierwszy wymówił te słowa na głos.

– Wyrzucam sobie, że nie zrobiłam nic więcej, żeby jej pomóc, żeby ją pocieszyć – dodała babka przez łzy.

– Cała wina spada na Hetfielda. Zabił ją tak, jakby własnoręcznie zarzucił jej pętlę na szyję. Musi za to zapłacić.

– Sebastianie, nie możesz tak postąpić! – zaprotestowała hrabina zdławionym, schrypniętym głosem. I zrywając się z krzesła, dodała: – Musisz wyrzec się zemsty, błagam cię na wszystkie świętości! Ja również pragnęłabym odwetu, ale cóż by przyszło z tego, gdyby cię okaleczył lub zabił? Musisz przyrzec, że zostawisz go w spokoju. Obiecaj mi!

– Babciu...

– Przysięgnij! Daj mi słowo, że będziesz się trzymał z dala od niego.

– Przysięgam.

Jeszcze teraz, po latach, pamiętał, jak gładko to powiedział. Doskonale sobie przypominał, jaką poczuł wówczas w duszy pustkę. Dał jednak słowo i wprawdzie z trudem i bólem, lecz dotrzymał go przez wszystkie te lata.

Teraz jednak babka nie żyła, a wymuszone przyrzeczenie legło razem z nią w zimnym i ciemnym grobie. Może jedyną dodatnią stroną jej zgonu było to, że mógł teraz zrobić coś, co przyniosłoby mu spokój i uwolniło od wspomnień zdarzenia, które ukształtowało całe jego dzieciństwo i młodość.

Nareszcie mógł się zemścić na George'u Collinsie, hrabim Hetfieldzie.

18

2

Wygląda na to, że będzie padało aż do rana – oświadczyła Bianka Collins, wyglądając przez okno salonu. – Jak myślisz, Eleonoro, czy papa dziś przyjedzie?

Eleonora uniosła głowę znad szycia i uśmiechnęła się serdecznie do młodszej siostry. Osiemnastoletnia Bianka była w pełnym rozkwicie zapierającej wręcz dech urody. Miała delikatne rysy i nieskazitelną, kremową cerę. Długie, lśniące włosy przywodziły na myśl rdzawe jesienne liście, a jasnozielone oczy – letnie łąki.

Eleonora sądziła jednak, że istotę urody siostry stanowią łagodne usposobienie, dobre serce i optymistyczne podejście do życia.

– Nie sposób z góry powiedzieć, co zrobi – odparła, wbijając igłę w delikatny muślin obrębianej sukni. – Obawiam się, że nasz szanowny rodziciel jest nieprzewidywalny jak pogoda.

– Ciekawość mnie rozpiera tak, że przez kilka ostatnich nocy prawie w ogóle nie spałam – przyznała Bianka. – Ale czuję wyraźnie, że papa przywiezie wspaniałe wieści.

– Hmm. – Eleonora zdobyła się jedynie na wymijające mruknięcie. Ona sama również źle spała przed ojcowską wizytą, ale podczas gdy jej czuła i spontaniczna siostra ledwie potrafiła opanować podniecenie, Eleonora usiłowała zwalczyć złe przeczucia.

List od ojca z wiadomością, że wkrótce zawita do swojej rezydencji, nadszedł przeszło dwa tygodnie temu. Krótka, sucha notatka nie była właściwie przeznaczona dla nich, zawierała przede wszystkim polecenia dla kamerdynera, by wszystko należycie przygotowano na przyjazd hrabiego. Zdaniem Eleonory, nie wróżyło to dobrze, nie miała jednak sumienia wyjawić tego siostrze.

Bianka całą duszą wyczekiwała tych rzadkich okazji, gdy ojciec przypominał sobie o ich egzystencji. Wystarczyło kilka godzin jego pobytu, by czuła, że coś dla ojca znaczy i odgrywa ważną rolę w jego życiu.

Eleonora nie była aż tak prostoduszna. Zbyt dobrze zdawała sobie sprawę, że ojciec od dawna pozostawił je samym sobie. Oddawał się z zapałem najrozmaitszym rozrywkom, podróżował, brał żywy udział w życiu towarzyskim Londynu i to wszystko zajmowało go znacznie bardziej niż obie osierocone przez matkę dziewczynki.

Eleonorę wychowywały kolejne guwernantki, ale ona przynajmniej doświadczyła miłości matczynej przez pierwsze osiem lat życia. Biedna Bianka w ogóle nie znała matki, zmarłej kilka dni po jej urodzeniu. Może dlatego młodsza siostra tak bezgranicznie kochała ojca jako jedynego z rodziców, którego miała.

Przelotne zainteresowanie, jakim je obdarzał, i rzadkie przejawy przywiązania wystarczały Biance, ale nie Eleonorze. Ona pragnęła rzeczy niemożliwej: żeby ojciec naprawdę ją kochał. Z doświadczenia wiedziała jednak, że hrabia – czego nieustannie dawał dowody – kocha jedynie siebie.

Zdawała sobie również sprawę, że nie jest idealną córką. Nie okazywała ślepego posłuszeństwa, nie była potulna i uległa. A czasami zdarzało się jej krytycznie oceniać fakt, iż ojciec je zaniedbywał. Jednak najgorsze ze wszystkiego okazało się to, że nie zawarła korzystnego małżeństwa.

Hrabia z niechęcią zabrał ją na jeden sezon do Londynu, gdzie nie zdołała się niczym wyróżnić, zabłysnąć w towarzystwie ani złapać męża.

Nie wniosła więc do rodzinnego domu bogactw, posiadłości ani koneksji, a teraz, w wieku niemal dwudziestu sześciu lat, była już na to za stara. Nic więc dziwnego, że ojciec o nią nie dbał.

– Mam nadzieję, ze papa zostanie tu przynajmniej kilka dni. – Twarz Bianki się rozjaśniła. – Może nawet znajdzie czas, by spotkać się z panem Smythem. A pan Smyth nieraz już wspominał, że czułby się zaszczycony, mogąc zawrzeć z nim znajomość.

Bez wątpienia! Pan Smyth pojawił się niedawno w ich prowincjonalnym światku, utrzymując, że jest dalekim krewnym księcia Williama, skutkiem czego otwarto przed nim wiele drzwi. Młodzieniec ochoczo z tego korzystał, usiłując wyrobić sobie markę zamożnego i kulturalnego dżentelmena. Eleonora nie uważała jednak, by posiadał owe zalety w odpowiednim stopniu.

– Hrabia nigdy nie udziela się zbyt chętnie w miejscowym towarzystwie, chyba że nie ma wyboru – powiedziała.

– Wiem – westchnęła Bianka. – Jednak bardzo chciałabym wiedzieć, co papa o nim pomyśli, jest przecież tak do niego podobny. Jestem pewna, że świetnie by do siebie pasowali.

– Hmm. – Zdaniem Eleonory podobieństwa do ojca nie sposób było uznać za zaletę.

Jednak celna uwaga Bianki nie mijała się z prawdą. Eleonora zrozumiała, że pan Smyth jeszcze z jednego powodu budzi w niej coraz większą niechęć. Cechowała go taka sama bezwzględność, był równie apodyktyczny jak hrabia. Eleonora obawiała się, że Bianka myli te cechy z siłą charakteru.

Bała się również i tego, że Smyth zwrócił uwagę na Biankę wcale nie z powodu szczerych uczuć, raczej dlatego, iż młodsza córka hrabiego byłaby dla niego stosowną partią. Gdyby Eleonora sądziła, że Bianka budzi w nim prawdziwą miłość, sama popierałaby rozkwitający romans, motywy Smytha budziły w niej jednak najgorsze podejrzenia.

Pragnęła, by młodszej siostrze dostało się wszystko, co najlepsze – miłość, szczęście i szacunek męża, który uważałby ją za wspaniały dar losu.

Oczywiście pragnęłaby tego wszystkiego również dla siebie, ale szansę straciła już dawno temu. Zbyt młoda i zbyt naiwna, by ją docenić, pozwoliła niemądrze, by przeszła jej koło nosa.

Nie była to zupełna prawda. Gdyby wówczas uległa porywom serca, musiałaby porzucić ojcowski dom. A wtedy zostawiłaby bezbronną młodszą o dziewięć lat siostrę bez opieki. Sama myśl o tym sprawiła, że poczuła się winna.

Historia była całkiem banalna: Eleonora zakochała się w chłopcu stajennym. Córka hrabiego i sługa. A jednak pokochała Johna Tannera całym swoim siedemnastoletnim sercem, on także był jej bezgranicznie oddany.

21

Oboje wiedzieli, że ich związek jest niemożliwy. Jedynym wyjściem byłaby wspólna ucieczka gdzieś daleko, gdzie nikt by ich nie znał i nie wiedział, kim są. Planowanie zajęło im wiele miesięcy. Najpierw należało pojechać do Szkocji, wziąć ślub, a potem osiąść tam, gdzie John mógłby znaleźć pracę.

W noc planowanej ucieczki Eleonora bez problemu wyślizgnęła się z pałacu, ale wyjawienie Johnowi, że z nim nie odjedzie, okazało się najtrudniejszą rzeczą w jej dotychczasowym życiu. Choć całym sercem pragnęła być z nim, wiedziała, że albo weźmie na siebie odpowiedzialność za los młodszej siostry, albo nigdy nie przestanie żałować swego wyboru.

Nie leżało w jej charakterze rozpamiętywanie przeszłości i rozważanie, co by się stało, gdyby postąpiła inaczej, ale w następnych latach nieraz się zastanawiała, jak wyglądałoby jej życie, gdyby poszła za głosem serca.

Wkłuwała uważnie igłę w delikatną tkaninę, uważając, by nie uszkodzić pięknego muślinu sukni, którą przerabiała dla Bianki. Przedtem należała do niej i była jedną z pozostałości po jej fatalnym debiucie w Londynie. Fason dawno już wyszedł z mody, ale materiał był znakomity i po kilku zręcznych poprawkach mógł posłużyć do sporządzenia całkiem przyzwoitego stroju. A nawet więcej niż przyzwoitego, Bianka we wszystkim wyglądała elegancko.

Hrabia nigdy nie okazywał szczodrości, gdy chodziło o ich utrzymanie, toteż Eleonora z konieczności musiała wprawić się w krawiectwie, dopasowując wiele starych sukien dla siebie i siostry. W ostatnich dniach znacznie mniej starań poświęcała sobie, pragnęła bowiem, aby Bianka zawsze nosiła nowe i modne stroje.

Zastanawiała się właśnie, czy wyhaftować kwiatki na staniku, gdy dobiegł ją z holu odgłos kroków kogoś stąpającego w ciężkich butach. Znieruchomiała, wytężając słuch, nadstawiła uszu i czekała na tubalny głos, który musiał im towarzyszyć. Po chwili usłyszała, jak ktoś ostrym tonem żąda, by lokaj otworzył przed nim drzwi salonu.

Ojciec.

Z trudem przełknęła ślinę w nadziei, że pomoże jej to stłumić nagły skurcz żołądka. Nim zdołała oprzytomnieć, drzwi otwarły się na oścież i hrabia Hetfield zamaszyście wszedł do pokoju.

Choć miał już na karku szósty krzyżyk, wciąż jeszcze mógł uchodzić za przystojnego mężczyznę. Wysoki, władczy, z głową przyprószoną siwizną i ciemnymi oczyma o przenikliwym spojrzeniu, zwykle dominował nad całym otoczeniem.

– Papo! Nareszcie wróciłeś! – wykrzyknęła Bianka i rzuciła się, by go uściskać.

Eleonora nie wstała. Hrabia, wprawdzie sam niezbyt wylewny, nie bronił się przed uściskami Bianki, jednakże Eleonora nie pamiętała, by kiedykolwiek ojciec z własnej woli serdecznie uściskał którąś z córek.

– Ostrożnie, moja droga, pognieciesz mi surdut – burknął pod nosem.

Eleonora zesztywniała, słysząc tę cierpką uwagę, ale Bianka zaśmiała się tylko i objęła hrabiego jeszcze mocniej. Przez chwilę Eleonora zazdrościła siostrze naiwności, która chroniła ją przed bolesnym rozczarowaniem.

– Nikt nie znajdzie nawet jednej zmarszczki na twoim stroju, milordzie – powiedziała, spoglądając na nieskazitelnie biały halsztuk i lśniące, czarne buty. – Twój lokaj nigdy by do tego nie dopuścił.

Ojciec spojrzał w jej stronę zaskoczony. Czyżby jej nie poznał? Eleonorze zaschło w ustach. Zmusiła się, by mu spojrzeć w oczy z niepewnym uśmiechem.

– Muszę się czegoś napić – oznajmił nagle hrabia. – Podróż z Londynu była wprost koszmarna. Co za drogi!

– Pozwól, że ci podam. – Bianka natychmiast podbiegła do kredensu, nie czekając na polecenie ojca. Przygryzła dolną wargę z zaskoczeniem na widok trzech butelek i rozmaitych kieliszków.

– Brandy – podpowiedziała Eleonora, wskazując najwyższą. – I mały kieliszek.

– Dziwne, że o tym pamiętałaś – zauważył hrabia, pociągnąwszy spory łyk podanego przez Biankę trunku.

23

– Mam doskonałą pamięć – odparła Eleonora, nie wiedząc, czy odważy się zażądać brandy również i dla siebie. Rzadko pijała alkohol, najwyżej czasem trochę wina przy obiedzie. Miała jednak przeczucie, że tego wieczoru będzie musiała w jakiś sposób dodać sobie odwagi.

– Pamiętliwość to niemiły rys charakteru – odezwał się hrabia, siadając. – Zwłaszcza u kobiety w twoim wieku, Eleonoro. – Po czym uniósł kieliszek do ust i wychylił go jednym haustem.

– Nie po to przecież jechałeś z tak daleka, by pić, milordzie – odcięła się, rozdrażniona zgryźliwą uwagą. Choć starała się, jak mogła, nie okazywać tego, zawsze zdołał ją czymś urazić. – Przyjechałeś w jakimś konkretnym celu?

– Żeby zabrać Biankę do Londynu – oznajmił. – Najwyższy czas, żeby ją należycie przedstawić w towarzystwie.

Bianka radośnie klasnęła w dłonie.

– Do Londynu? Naprawdę?!

Eleonora, zaskoczona, zmarszczyła brwi.

– Przecież sezon już się rozpoczął.

– Nieważne – odparł hrabia. – Zawsze rozkręca się powoli. Wszystkie naprawdę ważne bale i przyjęcia jeszcze przed nami.

– Przecież przygotowania zajmą nam parę tygodni – ciągnęła Eleonora. – Bianka potrzebuje sukien, a także wskazówek w kwestii zachowania i etykiety oraz nauki tańca.

Hrabia machnął lekceważąco ręką.

– Potrzebny jej tylko strój na podróż do Londynu. Resztę garderoby zamówimy już na miejscu. Sądzę, że wpoiłaś jej należyte maniery. Czy chcesz mi powiedzieć, że się nią nie zajmowałaś przez wszystkie te lata?

Eleonorę oburzyła ta niezasłużona krytyka.

– Zrobiłam, co mogłam, ojcze, zważywszy moje ograniczone możliwości. Jak zapewne wiesz, niewiele czasu spędziłam w wytwornym towarzystwie.

Hrabia spojrzał na nią groźnie, jakby dając do zrozumienia, że nie powinna mu o tym przypominać. Jego wzrok niemal wbił Eleonorę w krzesło. John Tanner rzucił pracę w ich majątku i wyruszył do Londynu dwa tygodnie przed jej wyjazdem na ów nieszczęsny sezon. Bezwolna jak manekin, ze złamanym sercem szła z jednej zabawy na drugą, nie dbając, że nikt się nią nie interesuje z powodu nieatrakcyjnego wyglądu i apatii.

Wyprostowała się gwałtownie. Nie będzie przepraszać za to, czego nie da się już zmienić!

– Na szczęście Bianka ma i urodę, i bystrość – odparł hrabia. – Odniesie błyskawiczny sukces, jestem tego pewien.

O co tu właściwie chodzi? Eleonora nagle zrozumiała coś, co wzbudziło w niej lęk. Jeśli ojciec istotnie miał szczery zamiar wprowadzić Biankę w towarzystwo, czemu tak długo czekał z tą wiadomością? Dlaczego nie dał im czasu na przygotowania? Nawet w najbardziej sprzyjających okolicznościach prowincjuszce Biance trudno będzie zrobić furorę.

– Nie wątpię, że Bianka wszystkich zachwyci – rzekła ostrożnie – choć wydaje mi się to pewniejsze, jeśli będzie miała dość czasu, by się przygotować. Czy nie lepiej przełożyć jej debiut na przyszły sezon?

– I przegapić tegoroczny wysyp znakomitych kawalerów? – Hrabia podszedł do kredensu i nalał drugą sporą porcję brandy, a potem rozsiadł się wygodnie w fotelu. – Nie, już zdecydowałem. Pojedzie teraz.

Eleonora znów poczuła lęk. Powód ojcowskiego pośpiechu był jasny – hrabia pragnął, nie, rozpaczliwie potrzebował znaleźć młodszej córce męża. Najszybciej, jak można.

Najwidoczniej finansowo stał jeszcze gorzej niż zwykle. Eleonora dobrze wiedziała o ciążących na majątku dwóch poważnych długach hipotecznych, o tym, że wielu służącym zalegano z wypłatą, a licznych rachunków nie uregulowano. Zazwyczaj hrabia radził sobie sprytnie, spłacając niektóre długi, by najbardziej agresywni z wierzycieli nie byli zbyt natrętni.

Coś się jednak musiało zmienić. Eleonora chętnie spytałaby ojca, co się stało, ale nie miała odwagi. Jednakże gdyby nawet zdołała się dowiedzieć, dlaczego mu tak pilno do pieniędzy, nie zmieniłoby to planów hrabiego.

Zamierzał korzystnie wydać Biankę za mąż, obojętne za kogo, byle tylko on sam na tym najwięcej skorzystał. Nie liczyłby się przy tym z taką błahostką jak uczucia córki względem przyszłego małżonka.

Biedna Bianka! Dreszcz przebiegł Eleonorze po skórze. Niewinność i słodycz Bianki nie miały żadnego znaczenia. Eleonora spojrzała na siostrę i jej lęk wzrósł jeszcze bardziej. Bianka uśmiechała się radośnie, całkowicie nieświadoma swego losu.

– Świetnie się zabawimy! – zawołała. – Czy cię to nie cieszy, Eleonoro? Od tak dawna nie byłaś w Londynie!

Hrabia spojrzał na Eleonorę z pogardą.

– Bianko, zabieram do Londynu ciebie, a nie twoją siostrę.

– To Eleonora nie pojedzie? – spytała Bianka szczerze rozczarowana. – Czemu nie weźmiesz nas tam razem?

– Jej tego nie potrzeba – odparł hrabia wymijająco.

Eleonora przygryzła wargę, usiłując zachować pogodny wyraz twarzy. Hrabia nie miał najmniejszego zamiaru dyskutować z córkami. On rozstrzygał, one miały słuchać. Można go było jednak przekonać poważnymi argumentami.

– Ależ Eleonora musi pojechać – oznajmiła Bianka dramatycznym tonem. – Całkiem się bez niej pogubię. Proszę cię, papo!

Hrabia spojrzał szybko na Eleonorę. Zmusiła się więc, żeby unieść głowę i wyprostować plecy, żeby nie dać się zlekceważyć. Bianka potrzebowała jej, poza tym Eleonora bardzo chciała pojechać do Londynu. Ale nie miała zamiaru o to błagać.

Jednak z każdą chwilą jej strach się wzmagał. Co się stanie z młodszą siostrą, jeśli nie będzie mogła nad nią czuwać? Kogo hrabia wybrał jej na męża? Eleonorą wstrząsnął dreszcz. Nie miała zaufania do jego sądów i motywów.

– Jeśli mnie zabierzesz, będę mogła być jednocześnie jej damą do towarzystwa i przyzwoitką – powiedziała spokojnym tonem.

– Proszę cię, zgódź się, papo! – Bianka zerwała się i uklękła u jego kolan. – Nie poradzę sobie bez niej!

Choć widok ten sprawił Eleonorze przykrość, nie odezwała się słowem. Wreszcie hrabia uniósł brwi i zmierzył ją wyniosłym, niechętnym spojrzeniem.

– Jeśli tak bardzo tego chcesz, Bianko, twoja starsza siostra również może pojechać – oznajmił chłodno. – Oby się tylko okazała użyteczna.

Peter Dawson zręcznie potasował talię, a potem rozdał karty. Sebastian siedział naprzeciw niego, starając się zachować spokojny wyraz twarzy. W końcu była to tylko przyjacielska partyjka między dżentelmenami. Z pewnością wzbudziłby podejrzenia, okazując niepokój czy zdenerwowanie.

W sali balowej księcia Warrena panował ścisk, salonik karciany był więc prawdziwym wytchnieniem dla dżentelmenów pragnących odpocząć od tańców i rozmów. Przy stoliku siedziało ich pięciu, ale tylko jeden z nich interesował Sebastiana. Hrabia Hetfield. Jego przyszła ofiara.

Przez całe dwa tygodnie przygotowywał się starannie, żeby osiągnąć ten cel. Wrócił do Londynu kilka dni po pogrzebie babki, przepełniony chęcią zemsty, tylko po to, by się przekonać, że hrabiego w mieście nie ma. Rozczarowany spędził sporo czasu, czekając niecierpliwie na jego powrót, doskonaląc swoją i tak już niebagatelną zręczność we władaniu szpadą i bronią palną.

W końcu usłyszał dobre wieści. Hrabia wrócił do stolicy cztery dni temu. Sądząc, że szybko dołączy do towarzystwa, Sebastian szukał go tego wieczoru na trzech różnych zabawach. Z niejakim zaskoczeniem znalazł Hetfielda na balu księcia, niewątpliwie najważniejszej zabawie tego wieczoru.

– Zagramy, panowie? – spytał Dawson.

Sir Charles podziękował uprzejmie, lord Faber przyjął propozycję. Hrabia również, po czym zgasił cygaro. Wyglądał młodziej, niż Sebastian się spodziewał, i prawdę mówiąc, wcale nie złowrogo. Choć od lat Sebastian znał tożsamość kochanka matki, przyrzeczenie dane babce sprawiało, że za nic nie chciał się z nim zetknąć.

Unikał więc Hetfielda, jak tylko mógł, z obawy, że nie zdoła się wówczas opanować.

Gdy jednak spoglądał teraz na człowieka, który pchnął matkę do samobójstwa i na zawsze odmienił jego życie, zaskoczył go spokój, jaki w sobie czuł. Może dlatego, że uknuty przez niego plan zemsty był tak prosty?

Wiedział, co robić, aby wyjść z honorem. Musiał wyzwać hrabiego na pojedynek.

Było to praktykowane przez wysoko urodzonych na całym świecie jako sposób zadośćuczynienia honorowi i sprawiedliwości. Choć na ogół potępiano takie rozwiązania, to jednak odwoływano się do nich znacznie częściej, niż mogłoby się wydawać.

Sebastian wiedział, że ma słuszne powody, by obwiniać hrabiego o przedwczesną śmierć matki, nie chciał jednak wyjawiać prawdy i kalać jej pamięci. Dziwne, ale babce udało się jakoś zachować w sekrecie fakt samobójstwa synowej. Ani przed jej śmiercią, ani po niej nie doszło do żadnego skandalu i Sebastian pragnął zachować ten stan. Dobre towarzystwo powinno sądzić, iż powód pojedynku był zupełnie inny.

Coś głupiego, śmiesznego i nieprawdziwego – takiego jak oskarżenie o oszustwo karciane. Zgadzało się to w pełni i z sumieniem Sebastiana, i z jego momentami dość makabrycznym poczuciem humoru.

Stosunkowo łatwo będzie zakwestionować honorowe postępowanie hrabiego. Gdy Hetfield wyjątkowo dużo wygra, Sebastian oskarży go o oszustwo, zażąda satysfakcji, wyzwie na pojedynek i całkowicie pozbawi czci. Obojętne, czy wybiorą szpady, czy pistolety, Sebastian był doskonałym szermierzem i świetnym strzelcem.

– Bentonie... – Dawson zręcznym gestem podsunął mu talię – twoja kolej, ciągnij kartę.

Sebastian spojrzał w swoje karty, a potem rzucił monetę na środek stolika. Najważniejsza podczas gry w dwadzieścia jeden była świadomość, jakimi kartami już zagrano, oraz zdolność przewidywania, która z nich zostanie użyta w najbliższej kolejności. Sebastian radził sobie z tym znakomicie.

Obserwował uważnie hrabiego, który odchylił rożek jednej z kart i patrzył na nią, zastanawiając się nad następnym ruchem. Przeciwnik Sebastiana, doświadczony gracz, decydował się śmiało i szybko. Ze wszystkich siedzących przy stoliku był najwyraźniej najzręczniejszy, prócz Sebastiana, który rozmyślnie pozbył się już swoich najlepszych kart.

Na znak dany przez Dawsona, gracze odkryli karty.

– Dwadzieścia jeden! – rzekł Dawson. – Hetfield wygrywa.

– Do licha, pani Fortuna życzliwie cię dziś traktuje – burknął lord Faber. – Wygrałeś trzeci raz z rzędu.

– Może wolałby pan spróbować gry hazardowej, lordzie? – spytał hrabia z uśmiechem.

– Ha! To dobre dla młodych durniów – odparł Faber. – Nie ma sensu marnować porządnych pieniędzy na kubek kości.

Gra toczyła się dalej. Hrabia dotychczas wygrał większość partii, a stos monet przed nim niemal dwukrotnie przewyższał wysokością wszystkie inne. Dawson, jowialny jak zawsze, rozdawał karty w dobrym humorze, próbując wszystko przyjmować pogodnie i życzliwie. Sir Charles nadal umiarkowanie pociągał z kieliszka, podczas gdy lord Faber, żeby poprawić swój wynik, nadawał grze ostrzejsze tempo, chcąc choć trochę się odegrać.

Sebastian, z nerwami napiętymi do ostateczności, odsunął szklaneczkę whisky stojącą w zasięgu jego ręki. Jeśli jego plan ma się powieść, musi być trzeźwy i jasno myśleć. Oskarżeń kogoś mocno wstawionego nikt nie potraktowałby serio.

Chętniej starłby się z hrabią w jakimś domu gry, z klientelą uboższą i gotową na wszystko, ale to byłoby zbyt ryzykowne. W spelunkach oskarżenia o oszustwo nie zdarzały się zbyt często, a ich bywalcy, z rzadkimi wyjątkami, mniej dbali o swój honor niż o dalsze uczestnictwo w grze. Pojedynki były tam rzadkością.

– Twoja kolej, Hetfieldzie – oznajmił Dawson.

Hrabia odkrył szóstkę i piątkę. Trzecia karta pozostała zakryta. Zawahał się. Sebastiana zdumiewał jego pozorny spokój, wiedział bowiem, że zakryta karta decyduje o wygranej.

Sebastian głęboko zaczerpnął tchu i uśmiechnął się do hrabiego z najpogodniejszą miną, na jaką potrafił się zdobyć. Hetfield odwzajemnił uśmiech i rzucił na stolik kolejną monetę.

Pierwszorzędnie.

– Jeszcze raz dwadzieścia jeden?! – krzyknął z goryczą lord Faber, gdy odkryto wszystkie karty. – Doprawdy, Hetfieldzie, masz dzisiaj diabelne szczęście!

Nareszcie! Rozgoryczenie lorda Fabera nie mogło się ujawnić w stosowniejszej chwili. Sebastian, cały spięty, odchrząknął.

– Dziwne, ale ostatnim razem, kiedy rozdawałem karty, były tam cztery króle. Jakże więc mógł pan zagrać piątym? – spytał oskarżycielskim tonem.

– Piątym? – wycedził sir Charles. – Jest pan pewien?

– Owszem – odparł z wysiłkiem Sebastian, dobrze wiedząc, że mówi prawdę, sam bowiem wsunął owego króla między karty hrabiego.

– To niedorzeczność! – krzyknął hrabia.

– Niekoniecznie, ja myślę, że Benton może mieć rację – uznał sir Charles. – Zdaje mi się, że widziałem już wcześniej w tej partii króla pik.

– Do diabła, Charles, za dużo wypiłeś, żeby coś dokładnie widzieć! – wrzasnął hrabia.

– Bzdury!

Sebastian nie przestawał się uśmiechać. Pełne zgorszenia okrzyki sir Charlesa wywarłyby większy skutek, gdyby przed chwilą nie wychylił szklaneczki whisky. W każdym jednak razie jeden z graczy był po jego stronie. Potrzebował jeszcze dwóch sprzymierzeńców.

– Czy zauważył pan coś niewłaściwego, milordzie? – spytał, zwracając się do gracza siedzącego po jego lewej stronie.

Lord Faber odkaszlnął nerwowo i uniósł do ust grube jak serdelki palce.

– Teraz, kiedy pan o tym wspomniał, przypominam sobie, że chyba widziałem króla pik podczas pierwszej partii.

– A więc widział pan? – obstawał Sebastian.

– Co pan ma na myśli? – spytał ostro hrabia.

– Niczego nie mam na myśli – wycedził Sebastian. – Po prostu stwierdzam pewien fakt. Niemożliwe, żeby pan akurat tą kartą zagrał w sposób uczciwy.

Rozległo się czyjeś stęknięcie, a zaraz po nim ciche pomruki, które wkrótce objęły cały salonik karciany jak pożar. Dobrze, niech gadają! Oskarżenie o oszustwo rzadko uchodziło płazem nawet wśród najbardziej zapamiętałych graczy.

Atmosfera w pokoju zgęstniała. Po chwili zapadła wymowna cisza. Od najbliższych stolików zaczęli wstawać gracze, skupiając całą uwagę na rozwoju sytuacji. Sebastian podsycał to zainteresowanie, choć wzmagało ono jego zdenerwowanie. Im więcej świadków scysji, tym trudniej będzie się Hetfieldowi wycofać.

– Rzecz jasna, dżentelmeni mają tylko jedno wyjście z takiej sytuacji – Sebastian oparł dłonie na blacie, a potem wstał. – Hetfieldzie, wybierz sobie sekundanta.

– Co takiego? – Hrabia zerwał się na równe nogi, przewracając stolik.

– Chyba wyraziłem się całkiem jasno. Stajesz do walki czy nie?

W oczach hrabiego pojawił się słaby błysk. Strach? Rozpoznanie? Czy wreszcie dotarło do niego, że Sebastian jest synem Ewangeliny, kobiety, z którą obszedł się tak okrutnie wiele lat temu? Kobiety, która odebrała sobie życie z powodu jego niecnego postępowania?

Na policzkach hrabiego pojawiły się czerwone plamy, ale odparł całkiem spokojnie:

– To po prostu absurd. Pan się oczywiście pomylił. Odmawiam uznania tego za wyzwanie, nie zamierzam uczestniczyć w tym średniowiecznym nonsensie.

– Ma pan zupełną rację, milordzie. – Dawson wsunął palec wskazujący w węzeł swego halsztuka i szarpnął nim nerwowo. – Mam pewność, że grano tylko jednym królem pik. To tylko zwykłe nieporozumienie, najlepiej, jeśli o nim zapomnimy. Nic złego się nie stało, prawda, Bentonie?

Sebastian odwrócił się raptownie do przyjaciela. Miał szczerą chęć schwycić go za gardło i potrząsnąć nim tak mocno, żeby zadzwonił zębami.

– Zostaw nas, Dawsonie – mruknął przez zaciśnięte zęby. – To sprawa między mną a hrabią.

Ale przyjaciel nie dał się uciszyć. Podszedł bliżej i oparł się całą dłonią o pierś Sebastiana, jakby chciał powstrzymać go od rzucenia się na Hetfielda.

– Na rany Chrystusa, Bentonie, ucisz się – szepnął. – Wątpię, żeby hrabia oszukiwał, ale jeśli nawet, czy ma to jakieś znaczenie? Stawki nie były zbyt wygórowane. Tylko Faber stracił sporo pieniędzy, ale jestem pewien, że jeśli dasz temu spokój, pójdzie za twoim przykładem. Do licha, jeśli będziesz się upierał przy swoim, może się to bardzo źle skończyć.

Sebastian spojrzał na niego wilkiem. Popełnił błąd, pozwalając mu siąść do gry. Dawson był zbyt prawy i miał za wiele zdrowego rozsądku. A on chciał się poczuć bezpieczniej, mając przy sobie sojusznika, i źle wszystko skalkulował. Nie mógł jednak zdradzić Dawsonowi, że zamierzał sprowokować hrabiego do pojedynku, bo wiedział, że przyjaciel sprzeciwiłby się tak jawnemu zuchwalstwu.

Jednak gdyby do czegoś doszło, sądził że Dawson stanąłby po jego stronie. Prawość jest piekielnie kłopotliwą cechą! Sebastian był półprzytomny z podniecenia, krew pulsowała mu w żyłach. Przyjaciel czy nie – nikt nie powstrzyma go od zemsty.

– Albo stań po mojej stronie, albo odejdź stąd – rzucił z wysiłkiem.

Dawson zdumiał się i spojrzał na niego z mieszaniną żalu i zaskoczenia.

– Sebastianie, słowo daję, gdybym cię dobrze nie znał, myślałbym, że chcesz sprowokować Hetfielda do pojedynku.

Sebastian zignorował ten słuszny komentarz i spojrzał na lorda Fabera oraz sir Charlesa. Obydwaj rozglądali się z zakłopotaniem po saloniku.

– Może lepiej dać temu spokój – rzekł sir Charles.

Sebastian z najwyższym trudem zdołał się opanować.

– Chyba należałoby spytać o to Hetfielda. Jego honor został podany w wątpliwość.

Wszystkie oczy zwróciły się na hrabiego, który wyraźnie wpadł w panikę, ale już zdołał oprzytomnieć. Sebastian dojrzał krople potu na jego twarzy. Trudno mu było po prostu się wycofać, zakwestionowano przecież jego uczciwość i honor. Musiał przyjąć wyzwanie, chcąc ratować jedno i drugie.

– Nadal twierdzę, że nie doszło do żadnego oszustwa, a jeśli coś jest nie w porządku z kartami, musiał to być mój błąd – wtrącił się Dawson. – W końcu ja je rozdawałem. Cała wina powinna spaść na mnie, nie na Hetfielda.

– Ale pan przecież nie wygrał żadnej partii! – upierał się lord Faber. – Chyba że miał pan w zmowę z Hetfieldem!

– Niech pan nie robi z siebie durnia – rzekł z pogardą Sebastian. – Dawson jest najuczciwszym i najbardziej honorowym z dżentelmenów. Nigdy by nie oszukiwał.

Słowa jego padły odruchowo. Sebastian nie zdawał sobie nawet sprawy, że je wypowiedział, póki nie dojrzał ulgi na twarzy hrabiego. Wszystko na nic!

– Twoja wiara we mnie przynosi ci zaszczyt, Bentonie. Dziękuję. – Mimo życzliwego tonu Dawson marszczył czoło, jakby chcąc rozwiązać niepokojącą zagadkę.

– W takim razie wszystko w porządku – uznał lord Faber. – Wszyscy się zgadzamy, że oskarżenie jest nieważne.

– Sprawa zamknięta – stwierdził sucho hrabia. – Nie będziemy o tym więcej mówić.

Do Sebastiana ledwie dotarły słowa zgody wymruczane przez sir Charlesa i lorda Fabera. Hrabia odwrócił się i wyszedł. Sebastian dusił się z wściekłości, wiedząc, że nie jest w stanie go zatrzymać. Czuł w sobie tak dojmującą pustkę, że nie był w stanie wykrztusić słowa.

Jak mogło do tego dojść? Był już tak blisko celu! Wszystko szło zgodnie z planem. Że też Dawson musiał się wtrącić! Sebastian czuł się jak wędkarz, któremu umknęła z haczyka ryba, już prawie przyciągnięta do brzegu.

Usłyszał, że stojący za nim Dawson odetchnął z ulgą, i wtedy jego samokontrola pękła. Czuł, że jakaś pierwotna cząstka jego natury pcha go, by spoliczkował przyjaciela. Nie mogąc dosięgnąć wroga, gotów był unicestwić każdego, kto stanął mu na drodze.

Sebastian, obawiając się, że ulegnie atakowi wściekłości, odwrócił się, odsunął gwałtownie jakiegoś dandysa stojącego w drzwiach i niemal biegiem wypadł z pokoju. Jednak nie opuszczało go przeświadczenie, że gdyby Dawson się nie wtrącił i nie załagodził sytuacji, cała sprawa mogłaby skończyć się jednoznacznie.

Następnego ranka stanąłby twarzą w twarz z hrabią i bił się z nim na szable albo strzelał. Wieczorem wróg byłby już człowiekiem bez honoru, rannym lub też – co byłoby najwłaściwsze – walczyłby o życie.

3

Sebastian spiesznie przeciął westybul, prawie nie zwracając uwagi na otoczenie. Minąwszy sklepione przejście ozdobione złoceniami, zaklął pod nosem, zdając sobie sprawę, że stoi w sali balowej księcia wśród wystrojonych gości.

Najwyraźniej nikt nie odrzucił zaproszenia na to przyjęcie. W ogromnej sali wręcz roił się tłum. Nic dziwnego, książę był przecież skoligacony z wieloma najbardziej wpływowymi i najbogatszymi rodzinami Anglii. Każdy, kto cokolwiek znaczył, chciał wziąć udział w tym balu.

Sebastian początkowo miał nadzieję, że wśród tej rozbawionej ciżby zniknie jego ponury nastrój, ale szybko się ona rozwiała. Twarz miał nadal ściągniętą, spojrzenie bezwzględne. Dopiero po jakimś czasie zdołał rozprostować dłonie zaciśnięte w pięści. Czuł, że cały się trzęsie z wściekłości i rozczarowania.

Musiał się jednak jakoś opanować. Dwuskrzydłowe przeszklone drzwi do ogrodu były zamknięte. Bez wahania otworzył je i wyszedł na zewnątrz, biorąc w przelocie kieliszek z tacy obnoszonej przez lokaja. Nie zwalniając kroku, wychylił go jednym haustem w nadziei, że szampan go uspokoi.

Niestety, trunek nie pomógł i gniew kipiał w nim jak rzeka występującą z brzegów. Pragnął stamtąd odejść, schronić się w jakimś zaciszu, gdzie w samotności mógłby dać ujście ogarniającemu go gniewowi. Gdzie będzie mógł pić na umór, do utraty zmysłów.

O zemście rozstrzygnie Bóg. Co jakiś czas powtarzała mu to babka, odkąd wymusiła na nim obietnicę, że zostawi hrabiego w spokoju i nie będzie szukał odwetu. Czyżby miała rację? Miał nadstawić drugi policzek i zapomnieć?

Przez całe lata tłumił w sobie chęć zemsty. Czy ma tak czynić nadal? Czy ma ją pogrzebać głęboko i już nigdy do tej sprawy nie wracać? Znów go nawiedziła wizja martwego ciała matki. Czuł ucisk w żołądku, próbując wyrzucić ten obraz z pamięci.

Boże, czemu to zrobiła? Czy naprawdę jej ból był nie do zniesienia? Czy nie zdawała sobie sprawy, jak bardzo syn ją kocha, jak mu jej potrzeba, jak będzie cierpiał z powodu jej śmierci?

Poczuł na twarzy wilgoć i zrozumiał, że to łzy. O Chryste! Rozpłakał się jak dziecko. Otarł je z irytacją drżącą dłonią, po czym zaczął chodzić tam i z powrotem, nękany pragnieniem, by opuścić to miejsce. Mimo że znajdował się już poza zatłoczoną salą balową, nadal czuł się jak w klatce. Żwir, jakim była wysypana ścieżka, zgrzytał pod podeszwami balowych pantofli, gdy podszedł szybkim krokiem do muru, szukając furtki. Nie znalazł jednak żadnego wyjścia.

Skrzywił się i spojrzał ze złością na twardy mur przed sobą. Gdy uniósł głowę, badając wysokość ogrodzenia, uznał, że ma co najmniej dziesięć stóp, a w dodatku jest zakończone rzędem metalowych kolców. Do diabła! Nie zdoła się na nie wdrapać w dopasowanym wieczorowym stroju, a gdyby jakimś cudem tego dokonał, mógłby nie tylko podrzeć ubranie o groźnie wyglądające, ostre pręty, lecz nawet się skaleczyć.

Czyż nie byłby to idealny finał tej koszmarnej nocy? Zjawiłby się w sali balowej księcia z dziurą w spodniach, świecąc gołym siedzeniem!

Sebastian przeszedł jeszcze kilka kroków, po czym stanął. Potem odwrócił się na pięcie i cisnął pustym kieliszkiem od szampana w mur. Brzęk tłuczonego szkła sprawił mu chwilową satysfakcję, ale nie rozwiązał problemu. Nadal tkwił w pułapce. I to pod każdym względem.

Sebastian jęknął z desperacją, spojrzał ponownie na mur i zaczął się zastanawiać, czy nie powinien jednak zaryzykować, lecz tym razem zdrowy rozsądek wziął górę. Nie było rady. Musiał wrócić do pałacu i przejść przez salę balową, jeśli chciał się stąd wydostać.

Służba umieściła zapalone pochodnie w różnych ważnych miejscach ogrodu, a na wysokich drzewach porozwieszała lampiony. Mrugały jak gwiazdy, podkreślając romantyczny nastrój. Sebastian, krążąc po ścieżkach, mógł słyszeć strzępy przyciszonych rozmów. Szczęściem nie natknął się na żadną z flirtujących parek.

Gdy tylko znalazł się z powrotem w zatłoczonej sali balowej, z miejsca wpadł na lady Agatę i owdowiałą hrabinę Ashland. Gdyby nie przyjaźń łącząca obydwie stare damy z babką, Sebastian burknąłby coś pod nosem i pozbyłby się ich towarzystwa, lecz mimo nurtującego go gniewu czuł, że nie może zachować się po grubiańsku.

– Widzę, że pan nie tańczy, milordzie – zaczęła lady Agata. – Na pewno ze względu na niedawno zmarłą babkę. Co za ujmujący i godny szacunku gest! Ma pan wzgląd na jej pamięć, prawda?

– Istotnie.

Owdowiała hrabina pokiwała głową na znak, że zupełnie się z nim zgadza.

– Ale jej najgorętszym życzeniem było, by się pan ożenił z jakąś odpowiednią panną. Uczciłby pan najlepiej jej pamięć, dokonując wyboru pośród licznych obecnych tu dziś debiutantek.

Lady Agata poparła skwapliwie ten pomysł.

– Jak najbardziej. Hrabina i ja z chęcią panu w tym pomożemy.

– Och, oczywiście. Znamy wszystkie dziewczęta z najlepszych rodzin.

– Na pewno zdołamy to zrobić. Proszę wierzyć, że znalazłybyśmy panu odpowiednią żonę w ciągu dwóch tygodni. Czy woli pan blondynki, czy brunetki?

Sebastian poczuł, że się dusi. Ze szczerą chęcią zacisnąłby ręce na pomarszczonej szyi lady Agaty. Ale wówczas hrabina paplałaby nadal! A może by tak zderzyć je obie głowami?

– To niezwykle wielkoduszna oferta – odparł. – Mężczyźni nieraz marzą o tym, by ktoś wyszukał im miłą i atrakcyjną żonę. Z pewnością zdam się na panie, jeśli nie będę mógł sam podołać temu zadaniu. Albo jeśli mi braknie pieniędzy, by za tę przyjemność zapłacić.

Sebastian zrozumiał jednak, że się zagalopował, i uśmiechem próbował dać do zrozumienia, że miał to być żart.

Jego skandaliczne i niestosowne słowa wywarły jednak pożądany skutek, bo obie damy zaniemówiły. Ukłonił się więc pospiesznie, a potem wycofał.

Żeby dotrzeć do wyjścia, musiał przeciskać się przez tłum. Nie zatrzymywał się, żeby zamienić z kimś choćby słowo, choć niektórzy z gości próbowali wciągnąć go do rozmowy. Grupka dam podeszła do niego, uśmiechając się zachęcająco, ale wyraz jego twarzy musiał zdradzić, co się z nim dzieje, bo panie ominęły go szerokim łukiem.

Przechodząc obok niego, jedna z dam gwałtownym ruchem rozłożyła wachlarz, zasłaniając usta, żeby nikt nie usłyszał jej słów. Sądząc po jej zmarszczonych brwiach, najwidoczniej wygłaszała jakieś kąśliwe uwagi. Sebastian czuł, że dotyczyły jego osoby. Czy ten wieczór nigdy się nie skończy?

Nadal torował sobie drogę przez tłum i poczuł się nieco lepiej dopiero na widok sklepionego przejścia wiodącego na zewnątrz sali balowej. Wreszcie zdoła zobaczyć, którędy można się stamtąd wydostać. Tłok stał się jednak jeszcze większy i Sebastian wkrótce utknął, ściśnięty pomiędzy dwiema rozgadanymi kobietami. Jedna z nich nosiła suknię jaskrawozieloną, a druga dwuczęściowy strój delikatnej niebieskiej barwy.

– Kim jest ta ruda z niemądrą miną, stojąca koło donicy z paprociami? – spytała Zielona Suknia. – Z pewnością nigdy jej przedtem nie widziałam.

Błękitny Strój sięgnął po szkła zawieszone na tasiemce u nadgarstka i uniósł je do oczu.

– Och, ja ją już spotkałam. To córka hrabiego Hetfielda. Sądząc po tym, co ma na sobie, przyjechała prosto ze wsi.

Córka hrabiego Hetfielda! Sebastianowi serce zabiło tak gwałtownie, że poczuł ból.

– O Boże, cóż za okropna suknia. Czy ona nie ma lustra? Doprawdy, po lordzie można by się spodziewać czegoś lepszego. Jak mógł dopuścić, żeby się w niej pokazała ludziom? Zdumiewające.

Zielona Suknia aż się wzdrygnęła, gładząc dłonią jedwab własnej sukni, jakby chcąc się upewnić, że jest o niebo modniejsza.

– Ma nawet niebrzydką twarz, ale po cóż hrabia przywiózł ją do Londynu, skoro sezon już się rozpoczął? – spytał Błękitny Strój. – Wszystkie modne i znające się na rzeczy krawcowe od tygodni pracują nad garderobą swoich klientów. Pokojówka mi doniosła, że madame Claudette niemal podwoiła cenę każdej z sukien, kiedy hrabia uparł się, żeby je jak najszybciej uszyła.

– A czy za nie zapłacił?

– Sądząc z tego, co córka akurat nosi, chyba nie.

Rozległ się złośliwy chichot i cmoknięcie dezaprobaty. Co za jędze! Sebastian gotów byłby współczuć nieszczęsnej dziewczynie, gdyby nie wiązała się z osobą hrabiego. Była córką jego wroga.

– A kimże jest ta zaniedbana dziewczyna koło niej? – spytał Błękitny Strój. – Choć ma trochę za długie zęby, wygląda zbyt młodo na przyzwoitkę.

Sebastian nie czekał na odpowiedź Zielonej Sukni. A więc mówiły o córce Hetfielda! Nawet nie wiedział, że hrabia ma jakąś. Serce zabiło mu żywiej. Przeciął niespokojnym krokiem salę balową, chcąc się jej lepiej przyjrzeć, zapewniając się w duchu, że czyni tak z czystej ciekawości.

Spojrzał ku donicom z paprociami. Do diabła, to ma być nie-brzydka twarz? Wygląd dziewczyny, stojącej w łagodnym blasku świec, wręcz zapierał dech. Miała kremową cerę, kaskada bursztynowych włosów spływała na jej odsłoniętą szyję, rysy były harmonijne i a figura proporcjonalna. Odznaczała się klasyczną, subtelną kobiecą pięknością odporną na upływ czasu i godną pióra poety, zdolną pchnąć rozumnych mężczyzn do szaleńczych czynów.

Wydała mu się świeża, niewinna i trochę nerwowa. Mógł się tego domyślić, ponieważ niespokojnie rozglądała się wokoło. Co chwila pytała o coś kobietę stojącą obok, a każda z odpowiedzi nieodmiennie wywoływała jej uśmiech.

Sebastian zdziwił się, nie widząc koło niej wianuszka nadskakujących fircyków. Modnie czy niemodnie ubrana, na pewno była jedną z najatrakcyjniejszych dziewcząt w całej sali.

Zbliżył się do niej Hetfield, co nie zachwyciło Sebastiana. Młoda piękność odwróciła się z uśmiechem i serdecznie poklepała hrabiego po ramieniu. Ojciec nachylił się i szepnął jej do ucha coś, co sprawiło, że uśmiechnęła się jeszcze radośniej.

Wzrok Sebastiana się zamglił. Widok ojca darzącego czułością córkę poruszył go do głębi. Hrabia miał to, czego los na zawsze odmówił matce Bentona.

Gdy z goryczą obserwował zażyłość ojca i córki, naszła go nagle podstępna myśl. To urocze, niewinne dziewczę mogło stać się narzędziem zemsty. Hrabiemu mogło nie zależeć tak bardzo na obronie honoru, gdy chodziło o partię kart, lecz z pewnością zrobi wszystko, byle reputacja córki pozostała nieskazitelna.

Sebastian tylko przez chwilę czuł wyrzuty sumienia. Skoro mógł się zemścić jedynie poprzez upadek tej dziewczyny, niech i tak będzie.

Słynął wprawdzie z iście legendarnych podbojów, lecz dotąd zachowywał się jak dżentelmen. Zawsze też przyzwoicie traktował swoje liczne kochanki i hojnie im wynagradzał rozstanie.

Jego liczne romanse dotyczyły wyłącznie chętnych do tego rodzaju przygód kobiet z wyższych sfer, które w pełni zdawały sobie sprawę, na co się decydują. Wiedziały, że Sebastian ich nie poślubi, zresztą najczęściej były zamężne.

Jednakże niejedna wdówka gorliwie zabiegała o to, by zostać wicehrabiną, ale Sebastian stawiał sprawę jasno: zamierzał trwać w kawalerskim stanie co najmniej do czterdziestki. Nawet nieustanne namowy babki nie zmusiły go do zmiany zdania.

Nigdy jeszcze nie okłamał jawnie żadnej damy, nie składał też obietnic, których nie chciałby dotrzymać. Nigdy również nie uwiódł ani nie porzucił niedoświadczonej, młodej panny.

Ale zawsze jest ten pierwszy raz.

Stoczono już wiele pojedynków w obronie – lub zamiarze przywrócenia – dziewczęcej czci. Skrzywił się z niesmakiem.

Uwiedzenie rudowłosej piękności nie będzie łatwe, ponieważ te zabiegi powinien zataić przed hrabią. Po incydencie w saloniku karcianym Hetfield, rzecz jasna, stanie się wobec niego nieufny. Jeśli zdoła jednak uwieść jego córkę na oczach wszystkich – a Sebastian był pewien, że mu się to powiedzie – hrabia nie będzie miał innego wyjścia, będzie musiał stanąć w obronie honoru rodziny.

Spojrzał ponownie na swoją piękną, młodą ofiarę. Coś w nim drgnęło na myśl, jak bardzo będzie musiała cierpieć. Powszechna wzgarda, nieustanne szepty plotkarzy, skandal, który ją na zawsze napiętnuje. Piękne kobiety jednak, jak uznał, zawsze potrafią wyjść cało z najgorszej opresji i postawić na swoim. Ktoś z pewnością ją poślubi mimo zszarganej opinii, szczęśliwy, że dostała mu się tak piękna żona.

W każdym razie dziewczyna zachowa życie, nie spotka jej okrutny los, jaki stał się udziałem jego nieszczęsnej matki. Przez moment poczuł, że te myśli mają jedynie ulżyć jego sumieniu, ale bardzo szybko odsunął od siebie wszelkie obiekcje.

Hrabia roześmiał się donośnie, słuchając czegoś, co mówiła córka. Sebastian też się uśmiechnął, ale nie z rozbawienia. Babka nie miała racji. Zemsta jest zadaniem ludzkim, a nie boskim. Wiedział, że zazna spokoju dopiero wtedy, gdy dokona jej na człowieku będącym przyczyną jego cierpień.

Teraz wiedział, jak to zrobi.

Eleonora przy trzecim walcu zdała sobie sprawę, że ktoś im się intensywnie przygląda. Wprawdzie ten mężczyzna krążył po całej sali, ale nie spuszczał z nich wzroku. Było to trochę niepokojące, bo oznaczało coś więcej niż tylko uprzejme zainteresowanie. Rzecz jasna, nie chodziło mu o nią, lecz o Biankę. W blasku słońca, nie widać księżyca. Kiedy indziej widok przystojnego młodego kawalera zafascynowanego Bianką przyjęłaby z zadowoleniem, bo żaden z tych, którzy pragnęli być jej przedstawieni na dzisiejszym balu, nie zrobił na niej dobrego wrażenia.

Większość z nich miała już swoje lata, niektórzy byli nawet w wieku ich ojca. Kilku przyglądało im się desperacko, dwaj wręcz łakomie, a jeden zbyt długo trzymał dłoń Bianki w swojej, patrząc na dziewczynę z jawną pożądliwością. Z pewnością byłoby inaczej, gdyby hrabia stał obok, zapewniając wsparcie i ochronę, ale już na samym początku gdzieś sobie poszedł. Wprawdzie po pewnym czasie wrócił i zamienił z nimi kilka słów, ale zaraz odszedł, by wypalić cygaro.

Eleonora aż zadrżała na myśl, co by czekało Biankę, gdyby jej nie towarzyszyła: śliczna i naiwna siostrzyczka była niczym jagnię rzucone na pastwę wilkom.

Choć Bianka nie powiedziała tego na głos, Eleonora czuła, że jest cała w nerwach. Nie chodziło jej o siebie. Siostra najbardziej lękała się tego, że rozczaruje lub urazi czymś ojca, z czego zwierzyła się jej, gdy tylko weszły na salę. Bała się, że popełni jakąś gafę lub zrobi złe wrażenie.

Obawy te gniewały Eleonorę, zwłaszcza że ojciec poświęcał córkom niewiele uwagi. Westchnęła, próbując pohamować złość, wiedziała bowiem, że wzmogłoby to jedynie udrękę Bianki. Próbując rozproszyć niepokój, rozglądała się po sali. A wtedy zdała sobie sprawę, że ten mężczyzna nadal wpatruje się w Biankę.

W jego wzroku było coś z drapieżnika lub myśliwego, który wypatrzył nową ofiarę; w mózgu Eleonory zabrzmiał ostrzegawczy sygnał.

Stanęła więc bliżej siostry, jakby chcąc ją osłonić, a wtedy przez moment spojrzała mu prosto w oczy. Niespodziewanie poczuła falę gorąca w całym ciele. Dziwna reakcja, bo choć mężczyzna niewątpliwie był przystojny, nie brakowało w sali bardziej urodziwych od niego.

Wysoki, przewyższający wzrostem wielu, jakich znała, miał szerokie ramiona, muskularne nogi, ani śladu zbędnego tłuszczu na torsie, ciemne, gęste włosy, a oczy szare jak zachmurzone niebo. Pogodny uśmiech na pełnych, zmysłowych wargach łagodził surowość rysów i wzmagał naturalny urok.

Ubrany był w czarny, wieczorowy żakiet i czarne, atłasowe spodnie do kolan, haftowaną złotem kamizelkę, białą koszulę, nieskazitelnie zawiązany biały halsztuk. Nosił ten strój z niewymuszoną elegancją świadczącą o pewności siebie i dumie.

Eleonora zmarszczyła czoło i rzuciła mu spojrzenie pełne podejrzliwości w nadziei, że to odbierze mu ochotę do dalszych oględzin, ale zdała sobie nagle sprawę, że właśnie przestał na nie patrzeć i teraz błądzi wzrokiem po sali. Zapewne szuka partnerki do następnego tańca.

W tym momencie zasłoniła go grupa roześmianych gości. Eleonora pokiwała głową nad własną głupotą i zwróciła się do siostry:

– Nie jesteś głodna? Chyba to już ostatnia tura przed kolację, co znaczy, że już podano do stołu w jadalni. Jeśli zaraz tam pójdziemy, unikniemy tłoku.

Bianka z wolna skinęła głową.

– Pamiętam, jak mi opowiadałaś, że zwykle serwują mnóstwo pysznych dań, ale doprawdy, teraz nie przełknęłabym ani kęsa.

– Rozumiem cię.

Eleonora poklepała siostrę po ręce, a kątem oka dostrzegła, że przystojny nieznajomy zbliża ku nim. Nie był sam. Jego ramienia uwiesiła się podstarzała dama w czerni, która dreptała pospiesznie, z trudem usiłując dotrzymać młodzieńcowi kroku. Eleonora uznała, że musi być jakąś jego krewną. Któraż inna kobieta mogłaby tolerować podobne traktowanie?

Obydwoje zmierzali prosto w ich stronę. Eleonora rozłożyła wachlarz i poruszyła nim z roztargnieniem przed twarzą w nadziei, że Bianka nie spostrzeże nadchodzących. Była kłębkiem nerwów, a zachowanie tego atrakcyjnego dżentelmena bynajmniej nie łagodziło jej napięcia.

– Przepraszam, że przeszkadzam, ale wicehrabia bardzo mnie prosił, bym go wam przedstawiła.

Eleonora spojrzała na falujący biust matrony, która starała się opanować zadyszkę. Ta chwila przerwy sprawiła, że młody człowiek wysunął się do przodu.

– Jestem Benton – powiedział, wpatrując się w Biankę i złożył im ukłon.

– Co za impertynencja, Bentonie! – wysapała starsza dama, przyciskając dłoń do falującej nadal piersi. – Co za brak manier! Ciągnął mnie pan za sobą przez całą drogę tak prędko, jakbyśmy uciekali przed pożarem! Niechże mi pan przynajmniej pozwoli dokonać prezentacji w należyty sposób.

Oczy Bentona błysnęły groźnie, ale zaraz wyraził skruchę.

– Przepraszam, lady Agato.

Słysząc te słowa, lady Agata zareagowała głośnym chrząknięciem. Eleonora nie byłaby zdziwiona, gdyby starsza dama wycofała się energicznie, lecz zauważyła, że lord Benton wręcz się wpija palcami w jej ramię, unieruchamiając matronę i nie pozwalając jej uciec.

Widząc, że wszyscy na nią patrzą, lady Agata wyprostowała się uroczyście.

– A więc, moje drogie, chciałabym wam przedstawić Sebastiana Dodda, wicehrabiego Bentona. Te dwie zachwycające istoty – lady Eleonora i lady Bianka – są córkami hrabiego Hetfielda.

Eleonora i Bianka dygnęły, wicehrabia złożył stosowny ukłon. Eleonora złapała się na tym, że patrzy mu prosto w twarz o silnie zarysowanym podbródku i pięknym wykroju ust. Zaintrygowało ją, co by czuła w objęciach tych muskularnych ramion, gdyby ich wargi się zetknęły.

– Lady Eleonoro...

Eleonora zamrugała oczami i, zmieszana, zaczerpnęła tchu drżącą piersią. Co się z nią dzieje? Wicehrabia najwyraźniej wcale się nią nie interesował. Poza tym snucie tak niestosownych, zuchwałych myśli na temat kogoś obcego było groteskowe i zupełnie nie w jej stylu.

– Przepraszam, lady Agato, nie dosłyszałam pytania.

Choć przysięgłaby, że głos, który przedtem usłyszała, był kobiecy, teraz odezwał się wicehrabia.

– Lady Agata i ja zastanawiamy się, dlaczego nie widzieliśmy jeszcze pani w Londynie.

– Bianka i ja zwykle przebywamy w naszym domu na wsi – odparła. – Dopiero niedawno przyjechałyśmy do stolicy.

– Dobrze się składa. Wasza obecność dodaje jej wyjątkowego uroku i bardzo wysoko podnosi poziom tego sezonu – odparł wytwornie.

Eleonora o mało nie przewróciła oczami, słysząc te kwieciste komplementy.

– W Londynie nie brak pięknych kobiet, milordzie.

– Być może ładnych, ale nie tak ślicznych jak panie.

Wicehrabia zwracał się do niej, bo odpowiedziała mu pierwsza, ale jasne było, że miał na myśli Biankę.

– Wielu mężczyzn mogłoby mieć za złe hrabiemu to, że opóźnił wasz przyjazd do miasta.

– Podejrzewam, że hrabia jest typem człowieka, który woli swoje skarby trzymać w ukryciu – wtrąciła wyniośle lady Agata, dodając do tych słów wymuszony uśmiech.

Bianka spuściła nieznacznie głowę, a Eleonora lekko uniosła kąciki ust w nadziei, że jej mdły uśmieszek zostanie odczytany jako wyraz zgody. Co za niedorzeczności. Gdyby jej rozmówcy wiedzieli, jak hrabia naprawdę traktuje swoje córki, oniemieliby ze zdumienia.

A może im o tym powiedzieć? Gwałtowne pragnienie zdradzenia całej prawdy nachodziło ją w najbardziej nieodpowiednich momentach. Gdyby jednak ujawniła postępowanie ojca, dotknęłoby to i upokorzyło siostrę. Nie mówiąc już o tym, że uświadomienie tym ludziom jego prawdziwego charakteru równałoby się towarzyskiemu samobójstwu.

– A teraz, kiedy już zostaliśmy sobie przedstawieni, mogę chyba bez większych ceremonii poprosić którąś z pań do tańca – rzekł Benton. – Lady Bianko...

Bianka spojrzała na jego wyciągniętą dłoń, a potem na siostrę. Eleonora przyglądała mu się podejrzliwie, ze ściśniętym sercem. Drobne zmarszczki w kącikach jego oczu zdradzały, iż wiekiem nie nadaje się już dla jej młodziutkiej siostry. Arogancja czająca się w zmysłowym uśmiechu nie była dla Bianki widoczna.

A jednak siostra błagała ją wzrokiem o zgodę. Eleonora przyrzekła sobie, że będzie czujna, ale nie należało nierozsądnie odstraszać mężczyzn nadskakujących Biance. Skinęła zatem głową na znak, że pozwala.

Bianka rozpłynęła się w uśmiechu.

– Z przyjemnością zatańczę z panem, milordzie.

Eleonora i lady Agata bez słowa spojrzały w ślad za nimi.

– Co pani wiadomo o wicehrabim? – spytała Eleonora w chwili, gdy pary ustawiły się do kadryla.

Stara dama pokiwała głową ze zrozumieniem.

– Piekielnie przystojny, prawda? A także wprost uroczy, gdy jest w dobrym nastroju.

– Nieżonaty?

– Oczywiście. Nie przedstawiałabym go wam, gdyby miał żonę – prychnęła ze zgorszeniem lady Agata, wysoko unosząc podbródek. – Ma stary i godny szacunku tytuł. Doddowie byli rojalistami, dzielnie walczyli po stronie Karola II, a on sowicie wynagrodził ich lojalność, kiedy odzyskał tron. Przodkowie ze strony matki mieli wielkie znaczenie w czasach Wilhelma Zdobywcy, chociaż chodziły słuchy, że kilka pokoleń wstecz zyskali domieszkę krwi walijskiej.

Ton lady Agaty świadczył o tym, że owa domieszka nie była czymś pożądanym, ale Eleonora uznała to za rzecz niewartą uwagi.

– Lady Agato, nie pytam o rodowód, lecz o charakter. Czy jest dobrym człowiekiem?

– Dobrym? Och, jest dobry w wielu dziedzinach. Znakomicie jeździ konno, celnie strzela, no i potrafi się modnie ubrać, jak pani chyba już zauważyła. Trochę zanadto się udzielał w towarzystwie, lecz pewnie mu to przejdzie. Jego bliski przyjaciel, markiz Atwood, ożenił się zeszłego roku i osiadł w domowych pieleszach.

Eleonora nie wyobrażała sobie, by Benton zachował się podobnie, ale mogło się i tak zdarzyć. W zadumie przetrawiała tę informację.

– A zatem uważa pani, że wicehrabia Benton ma zamiar pójść w ślady przyjaciela i się ożenić?

Lady Agata przestąpiła z nogi na nogę, nieco zaambarasowana.

– Nie doszły mnie żadne słuchy, żeby Benton szukał sobie na gwałt żony właśnie w tym sezonie. Ale mężczyzna w jego wieku musi myśleć o ustatkowaniu się i założeniu rodziny. Wiem, że było to największym marzeniem jego babki. Chyba najlepiej oddałby hołd jej pamięci, poślubiając jakąś odpowiednią młodą osobę…

Była to zręczna, choć wymijająca odpowiedź. Co właściwie chciała ukryć lady Agata? Eleonora wiedziała, że nie ma zbyt wiele czasu na wypytywanie starej damy, uznała więc, że najlepiej będzie od razu przystąpić do rzeczy.

– Proszę mi powiedzieć, lady Agato, czy pozwoliłaby pani swojej wnuczce zwrócić swe uczucia ku wicehrabiemu?

Zgroza malująca się na twarzy rozmówczyni starczyła Eleonorze za całą odpowiedź.

– O Boże, Emilia jest taka nieśmiała i bezbronna. Z pewnością Benton nawet by na nią nie spojrzał.

– Bianka też jest młoda i naiwna – odparła cierpko Eleonora. – Dziękuję za szczerość.

– Wielkie nieba, Eleonoro, chyba źle mnie zrozumiałaś – zaczęła lady Agata, ale musiała zamilknąć, ponieważ Bianka i wicehrabia wrócili po skończonym tańcu.

Obydwoje mieli świetny humor, najwyraźniej doskonale się ze sobą bawili. Eleonora czekała na następny ruch wicehrabiego. Nie byłoby niczym dziwnym, gdyby po raz drugi poprosił Biankę do tańca.

Przez krótką chwilę wręcz zżerała ją ciekawość, czy on to zrobi. Mocniej ścisnęła wachlarz. Sama myśl o tym podnieciła ją tak gwałtownie, że poczuła się zażenowana własną głupotą.

– Zazwyczaj jeżdżę po parku w samo południe, co jest najodpowiedniejszą porą – oznajmił wicehrabia. – Mam nadzieję, że będę miał szczęście spotkać tam panią, a pani ulituje się nade mną i znów dotrzyma mi towarzystwa, lady Bianko.

Bianka spojrzała zmieszana na Eleonorę, najwyraźniej nie wiedząc, co odpowiedzieć. Choć już od kilku dni przebywały w Londynie, brak odpowiedniej garderoby uwięził je w wynajętej siedzibie. Prawie nie wychodziły z domu, a na bal udały się tylko wskutek nalegań hrabiego.

– Jeszcze nie wiem, co jutro rano będę robiła – odparła w końcu Bianka.

– Proszę mi tylko obiecać, że postara się pani tam przyjść.

Bianka poczerwieniała i spuściła oczy, po czym ledwo dostrzegalnie skinęła głową na znak zgody.

Wicehrabia się uśmiechnął.

– Niecierpliwie będę pani jutro oczekiwał, lady Bianko. A także pani, lady Eleonoro – dodał pospiesznie, rzucając jej pojednawcze spojrzenie.

Eleonora zesztywniała. Nie potrzebowała jego litości. Wyciągnęła rękę, by się z nim pożegnać, zadziwiona nagłym mrowieniem w całym ciele, gdy przez moment jej palce zetknęły się z dłonią wicehrabiego. Policzki ją zapiekły w odpowiedzi na tę reakcję godną pensjonarki. Miała już za dużo lat, by wprawiał ją w zakłopotanie tak prosty gest.

– Jakże ci się tańczyło? – spytała siostrę, gdy zostały same.

– Wspaniale! – oczy Bianki rozbłysły z radości. – Wicehrabia Benton jest dobrym i zręcznym tancerzem. A kiedy raz przypadkiem pomyliłam kroki, przeprosił mnie i powiedział, że on zawinił, choć oczywiście było na odwrót. To prawdziwy dżentelmen.

47

Na policzkach Bianki ukazały się dwa urocze dołeczki, a uśmiech rozjaśnił jej twarz. Eleonorze serce się ścisnęło na ten widok.

– Podoba ci się wicehrabia?

– Ogromnie.

– Nie sądzisz, że jest dla ciebie trochę za stary?

– Za stary? Ani trochę. Ma może kilka lat więcej od ciebie. Pewnie zauważyłaś, że wszyscy inni panowie, którzy ze mną tańczyli, byli w wieku papy! – Bianka zmarszczyła nos. – Albo nawet starsi.

– Owszem, zauważyłam. – Eleonora przygryzła dolną wargę i nakazała sobie spokój. Uważała, że wiek i reputacja wicehrabiego czyniły go nieodpowiednim dla Bianki, ale jeszcze nie chciała o tym głośno mówić.

Siostra nie spotkała na balu zbyt wielu pociągających mężczyzn. Ale kiedy zdoła już skompletować odpowiedni strój, wejdą na dobre w kręgi towarzystwa i wielu przystojnych kawalerów na wyścigi zacznie ubiegać się o jej względy. A wtedy, rzecz jasna, wicehrabia znajdzie się w mniej korzystnej sytuacji.

Eleonora wiedziała, że nie może się spodziewać, by ojciec chronił Biankę. Ten obowiązek spoczywał na niej. A ona postanowiła zachować czujność. Bianka powinna zawrzeć dobre małżeństwo, od tego zależał jej los, Eleonora nie zamierzała dopuścić do zmarnowania tej szansy. Zdecydowana była na wszystko, by zapewnić siostrze szczęście, na jakie zasługiwała.

Miała pewność, że Bianka nie zaznałaby go z zuchwalcem pokroju wicehrabiego Bentona.

4

Następnego popołudnia w Hyde Parku było wyjątkowo tłoczno. Sebastian z niezadowoleniem patrzył na rzędy otwartych powozów, na jeźdźców, a także spacerowiczów. Słoneczna pogoda i ciepło sprawiły, że wszyscy gromadnie wylegli na ścieżki i widać było, że nikt się nigdzie nie spieszy.

Benton zaklął pod nosem, rozumiejąc, że odnalezienie Bianki może mu zająć parę godzin, jeśli w ogóle przyszła do parku. Pocieszało go jedynie to, że przyjechał tu konno, więc łatwiej mu było torować sobie drogę wśród pojazdów.

Po jakichś dwudziestu minutach przypomniał sobie z irytacją, dlaczego rzadko zaglądał do parku o tej właśnie, najmodniejszej porze: miejsce przypominało istny dom wariatów.

Wszystko byłoby dużo prostsze, gdyby po prostu złożył Biance wizytę w domu, ale wtedy naraziłby się na spotkanie z hrabią, co mogło skutecznie położyć kres znajomości z jego córką, nim się jeszcze w ogóle zaczęła, a to udaremniłoby wszelkie widoki na zemstę.

Aby jego plan mógł się w ogóle powieść, zaloty należało prowadzić w zręczny i wyrachowany sposób. Chciał spotkać Biankę w miejscu publicznym lub na przyjęciu, gdzie jego zainteresowanie jej osobą nie rzucałoby się w oczy. W ten sposób utrata reputacji przez córkę okazałaby się dla hrabiego całkowitym zaskoczeniem.

– Czyżby słońce mnie oślepiło, Doroto? – oświadczył wesoło jakiś kobiecy głos. – Przysięgłabym, że widzę wicehrabiego Bentona.

– Bentona? Niemożliwe – odparła piękna dama obok. – On nigdy nie jeździ po parku.

– Witam panie. – Sebastian dotknął szpicrutą ronda kapelusza, uśmiechając się do trzech kobiet stojących dokładnie naprzeciw niego. – Rzadko zdarza się taka okazja, by ujrzeć wszystkie trzy siostry Ellingham razem.

Kobiety obstąpiły wierzchowca i zaczęły się Sebastianowi przyglądać, każda z innym wyrazem twarzy. Najlepiej z trzech znał najmłodszą, Emmę. Dorota, średnia siostra, była żoną jego najlepszego przyjaciela, markiza Atwooda, często więc poprzedniego roku przebywał w jej towarzystwie. Gwendolinę, najstarszą, poznał najpóźniej. Uważał ją za zrównoważoną, z gruntu dobrą i obdarzoną bystrym umysłem.

Przyglądała mu się teraz z tak życzliwym zaciekawieniem, że poczuł się nieswojo pod tym badawczym spojrzeniem. Choć nie miała olśniewającej urody Doroty i żywego usposobienia, które czyniło Emmę tak uroczą, Gwendolina była na swój sposób kobietą pociągającą. Najwyraźniej też miała inne zalety, skoro wyszła za Jazona Barringtona. Sebastian musiał darzyć podziwem niewiastę, której udało się okiełznać jednego z największych hulaków w dobrym towarzystwie.

– No proszę, co tu dzisiaj o robisz Bentonie? – próbowała go wysondować Dorota.

– Sądzę, lady Doroto, że to dość oczywiste. Odbywam konną przejażdżkę i zażywam świeżego powietrza.

– Milordzie, nie damy się tak łatwo nabrać. Tyle tutaj ludzi, że pański koń ledwie może się przecisnąć – odparła Gwendolina.

Emma mrugnęła do niego porozumiewawczo.

– Zgadzam się, coś musi być na rzeczy. Po cóż by się Benton tu zjawił w nieskazitelnym stroju, taki przystojny, atrakcyjny i męski?

Sebastian uniósł brwi, słysząc te docinki.

– Doprawdy, nie spodziewałem się tego po tobie, Emmo. Dobrze wiesz, że zawsze taki jestem.

– Przystojny, męski i atrakcyjny?

– Nie zapominaj o nieskazitelnym stroju – dodała Dorota.

– I to również. A prócz tego siedząc wysoko w siodle, pokazuje z wdziękiem swój największy atut, dobrze umięśnione nogi. Nie sądzicie? – rzuciła swobodnie Emma, patrząc na siostry.

Wszystkie skinęły głowami z uśmiechem.

– Może istotnie siedzę wyżej od was, ale wasz szczebiot niesie się daleko. Mogłem słyszeć każde słowo – odciął się Sebastian.

Roześmiały się głośno. Sebastian usiłował zachować poważną minę, ale mu się nie udało. Zasłużył sobie na dobrotliwe żarciki, zresztą przy każdej sposobności rewanżował im się w podobny sposób.

Z westchnieniem rezygnacji zawrócił więc konia, przekładając wodze do lewej ręki. Kobiety rozstąpiły się przed nim, a jego wierzchowiec jechał powoli środkiem.

Niełatwo im było posuwać się we czworo w jednym rzędzie. Jakaś grupka rozhukanych młodzieniaszków wysforowała się naprzód, o mało nie przewracając lady Doroty. Sebastian odruchowo objął ją ramieniem w pasie, chroniąc przed upadkiem.

– O Boże! Doroto, czy nic ci się nie stało? – zawołała Gwendolina.

– Wszystko w porządku – odparła Dorota bez tchu. – Dzięki szybkiemu refleksowi Bentona.

– Zawsze gotów jestem służyć ramieniem tak olśniewającej piękności – odparł żartobliwie Sebastian, podtrzymując mocno Dorotę, by mogła odzyskać równowagę. – Musimy jednak znaleźć jakąś mniej zatłoczoną ścieżkę. Atwood urwałby mi głowę, gdyby pani stało się coś złego, zwłaszcza w odmiennym stanie.

Zaczerwieniła się gwałtownie.

– Nie powinien pan mówić o tym publicznie.

– Czemu? – spytał z uśmiechem. – Pani mąż nieustannie powtarza wszystkim przyjaciołom, że wkrótce zostanie ojcem. Całkiem jakby oczekiwał, że będziemy go gremialnie chwalić lub damy szylinga w nagrodę, że się tak chwacko spisał.

– Carter wyraźnie się tym ucieszył. – Dorota pochyliła głowę i zarumieniła się uroczo.

Sebastian z podziwem patrzył, jak jej delikatne rysy blondynki wypiękniały podczas ciąży. Stare porzekadło, że kobieta rozkwita w błogosławionym stanie, w jej przypadku całkowicie się sprawdzało.

– Atwood jest uszczęśliwiony – wyjaśnił Sebastian, ujmując ją pod ramię. – Choć myślę, że jego ojciec jeszcze bardziej. Jeszcze nigdy nie widziałem księcia tak ożywionego. Zrobiłby wszystko, byle sprawić pani radość. Poruszyłby w tym celu niebo i ziemię. Radzę uruchomić wyobraźnię i poprosić go o coś naprawdę niezwykłego. Na przykład o wyspę. Albo o wieś. Bez trudu może sobie na to pozwolić.

– Własną wieś? – Emma parsknęła śmiechem.

Dorota również się roześmiała.

– Co za nonsens, milordzie. Chyba próbuje nas pan rozbawić, żeby uniknąć odpowiedzi na pytanie: co pan robi dziś w parku? Chyba że... – Znacząco zawiesiła głos.

– Proszę tylko nie mówić, milordzie, że chodzi o jakąś damę. – Gwendolina spojrzała na niego ze zdumieniem.

– Wicehrabia Benton usidlony przez kobietę? Nie wierzę! – Emma z teatralnym westchnieniem przycisnęła dłoń do czoła.

– Chyba słońce odebrało ci zwykłą bystrość umysłu – odparł z szerokim uśmiechem, choć w duchu zaniepokoił się tym, że były tak bliskie prawdy. Wcale sobie nie życzył, by wszyscy tak szybko zorientowali się, że interesuje się córką hrabiego. Poza tym za nic i pod żadnym pozorem nie chciał uwikłać żadnej tych trzech kobiet w skandal, jaki zamierzał wywołać.

Odwrócił głowę, by uniknąć ich pytającego wzroku, jednocześnie wypatrując jakiejś mniej zatłoczonej ścieżki. Dostrzegł dróżkę, która w pewnej odległości krzyżowała się z tą, którą zdążali, i poprowadził wszystkie trzy damy w tamtym kierunku.

Majestatyczne dęby zapewniały przyjemny cień, a nieobecność tłumów miłą przechadzkę, ale to widok dwóch kobiet idących tamtędy sprawił, że serce zabiło mu gwałtowniej.

Rozpoznał je, choć znajdowały się dość daleko. Były to córki hrabiego Hetfielda. Bianka, niższa, kręciła nad głową parasolką z różowej koronki w tym samym odcieniu, co jej wyjściowa suknia. Sebastian uznał, że musiała już widocznie dostać zamówiony strój, bo uszyto go wedle najnowszej mody.

Niestety, lady Eleonorze jeszcze nie dostarczono nowej garderoby. Miała na sobie ciężką, rdzawobrązową suknię, za ciepłą jak na tę pogodę i stosowniejszą raczej na wieś. Stanowiła tak ostry kontrast z lekkim, wiosennym ubiorem Bianki, że należało jej niemal współczuć. Ciągłe pozostawanie w cieniu młodszej i o wiele ładniejszej siostry musiało być dla niej przykre.

Choć wolałby teraz być sam, była to właśnie sposobność, której szukał i dla której znalazł się akurat w tym miejscu. Uniósł dłoń, w której trzymał wodze, i pozdrowił obie siostry. Bianka powitała go z takim samym entuzjazmem. Zauważył, że Eleonora na widok jego gestu zesztywniała i na chwilę przymknęła oczy. Nie zdawał sobie sprawy, że zrobił równie wielkie wrażenie na starszej siostrze. Wyraźnie negatywne, sądząc po tym, że się skrzywiła.

Do diabła! Widocznie języki poszły w ruch i jego reputacja go wyprzedziła. Podejrzenie potwierdziło się kilka minut później, kiedy już znaleźli się naprzeciw siebie.

Eleonora lekko skłoniła głowę, ale na jej wargach nie pojawił się nawet cień uśmiechu. Przestała jednak robić niezadowoloną minę, kiedy przedstawiał ją siostrom Ellingham. Bianka rozpływała się wręcz uśmiechach radości. Eleonora była uprzejma, lecz chłodna. Nadal też patrzyła na niego w taki sposób, jakby był ostatnią osobą, którą pragnęła zobaczyć.

Dziwnie się czuł, upokarzany przez kobietę o pospolitym wyglądzie, w dodatku niebezpiecznie bliską staropanieństwa. Musiał sobie przypomnieć, że to przecież nie ma znaczenia. Jego celem była Bianka.

– Może się przespacerujemy, lady Bianko? – spytał, świadomie ignorując zaskoczone spojrzenia sióstr Ellingham i surową dezaprobatę Eleonory.

Podał jej ramię, które przyjęła z nieśmiałym uśmiechem. Oddalili się od pozostałych i ruszyli naprzód, choć Sebastian dbał o zachowanie przyzwoitej odległości. Prowadził konia po lewej stronie, tak że zwierzę stąpało po trawie, a pozostałe cztery kobiety nie musiały patrzeć prosto na jego zad.

– Mamy dziś piękny dzień – zaczął.

– Och tak, wspaniały. Mówiono mi, że w Londynie często pada, ale odkąd przyjechałyśmy, pogoda wciąż nam dopisuje.

– Czy podobają się pani londyńskie rozrywki?

– Jeszcze nie widziałyśmy zbyt wiele, ale miasto jest ogromne!

– A co panie robią? Jakie zabawy podobają się pani najbardziej?

– Wszystkie są równie atrakcyjne.

Sebastian czekał na dalszy ciąg z zachęcającym uśmiechem. Bianka odwzajemniła mu go nieśmiało, ale nic poza tym nie dodała. Czyżby to miało być wszystko? Doprawdy, istna męczarnia.

Przez kilka minut szli razem bez słowa, bo temat pogody i miejskich rozrywek został wyczerpany. Sebastian uważał, że kobieca paplanina jest czymś normalnym i czasami nawet go bawiła, ale częściej nudziła. Potrafił jednak zręcznie sobie z nią radzić. Milczenie okazało się trudniejsze.

– Lubi pani jazdę konną? – spytał, wybierając temat, o którym, jak wiedział, wiele dziewcząt ze wsi bardzo chętnie rozprawia.

– Owszem. – Spojrzała na niego pytająco. – A pan dobrze jeździ?

Nareszcie. Sebastian zaczął z miejsca opowiadać, jak się w młodości tego nauczył, przy czym ubarwił swoją opowieść żartobliwym umniejszaniem własnej wartości, co zawsze działało na kobiety. Już wkrótce Bianka zaśmiewała się, uwieszona u jego ramienia.

Bardzo mu to odpowiadało.

– Co za śliczna sukienka – zamruczał miękko. – Ten odcień świetnie podkreśla pani różaną cerę.

– Dziękuję, milordzie.

Odwrócił głowę, spojrzał prosto na nią i przekonał się, że Bianka robi to samo. Przygryzła nerwowo dolną wargę, kiedy ich oczy się spotkały. Nie uszedł jego uwadze szczery podziw malujący się na jej twarzy. Czuł, że zwycięża.

To było wręcz za łatwe. Kilka pochlebstw, ukradkowe spojrzenie, uwodzicielski całus, a pójdzie z nim wszędzie. Łatwo mu będzie sprowadzić ją na złą drogę i zapewnić sobie w ten sposób pojedynek. A także zemstę.

Rozmowa trwała dalej i wkrótce Sebastian zrozumiał, że Bianka jest dokładnie taka, na jaką wyglądała – jest po prostu młodą, mało obytą dziewczyną. Na pierwszy rzut oka mogła się wydać nieco frywolna i pustogłowa, ale uznał, że nie jest głuptaską. Była prostolinijna, niezepsuta, miła i zupełnie niedoświadczona. Po wczorajszym tańcu uznał ją za wiejskie dziewczę, któremu brak jedynie londyńskiego poloru; teraz zrozumiał, że jest wyjątkowo prostoduszna.

Powiał lekki wietrzyk i Sebastian dojrzał, że pasmo kasztanowatych włosów muska jej policzek. Jednak zamiast podniecenia poczuł, że serce mu się ściska. Jaka młoda. Wszelkie fizyczne pożądanie było względem niej czymś niskim, wręcz podłym.

Przystanęli, żeby pozdrowić jednego z jego znajomych. Pozostałe kobiety skorzystały ze sposobności, żeby do nich dołączyć, a Sebastian dokonał prezentacji. Walter Brommer był miłym człowiekiem, światowym i bystrym, co kobiety z miejsca wyczuły. Był także zuchwałym flirciarzem i wkrótce wszystkie uśmiechały się, zasypane komplementami.

Sebastian przyjrzał się im uważnie. Bianka stała przy Emmie, więc porównanie samo się nasuwało. Bianka, mimo że starsza o rok od Emmy, była znacznie mniej od niej wyrobiona.

Przypisał to wpływowi starszych sióstr Emmy, ale w końcu Bianka też miała siostrę, toteż różnicę stwarzało zapewne wychowanie na wsi. Z drugiej strony po śmierci rodziców Emma również tam dorastała pod okiem ciotki i wuja. Widocznie talent sprawiał, że wydawała się nad wiek dojrzała. A także jej przewrotne poczucie humoru. Miała cięty język, nie sposób było się z nią nudzić.

Nadal przyglądał się uważnie Biance. Bez wątpienia oszałamiała urodą, ale prostolinijność nie dodawała jej wdzięku. Jak kogoś mogłaby pociągać ta naiwna dziewczyna. Sama myśl o ukradkowym pocałunku, jakim musnąłby te różowe, pełne wargi, sprawiła, że poczuł się jak najgorszy lubieżnik. Musiał ją jednak choćby pocałować, żeby wywołać skandal.

– Czy mogę zabrać panu chwilę, milordzie?

Najpierw dostrzegł dłoń w rękawiczce opartą na jego ramieniu, a dopiero potem spojrzał na twarz lady Eleonory. Nie było na niej śladu jakiejkolwiek emocji, a jednak wyczuł zaniepokojenie i nieufność. Odmowa byłaby jaskrawą nieuprzejmością. Odeszli więc na stronę, oddalając się od hałaśliwej gromadki.

– Cieszy się pani pięknym popołudniem, lady Eleonoro? Przechadzką, świeżym powietrzem? A może bardziej od trawy i drzew interesują panią ludzie?

Twarz jej nadal była wyprana z wszelkiego wyrazu. Lady Eleonora, jak się okazało, nie lubiła błahych pogawędek.

– Interesuje mnie pan, milordzie. A jeszcze bardziej chciałabym wiedzieć, dlaczego ktoś w pańskim wieku, z pańską reputacją i doświadczeniem tak bardzo nadskakuje mojej siostrze.

– Czy to nie oczywiste?

– Nie dla mnie.

– Tą uwagą oddaje pani siostrze złą przysługę. – Sebastian skrzywił się trochę może bardziej, niż zamierzał. – Lady Bianka jest wyjątkową młodą istotą. Tylko ktoś niemądry nie zabiegałby o jej względy.

Spojrzała na niego chłodno.

– Czy chce pan mi wmówić, że wzbudziła w panu szczere uczucie po jednym tańcu?

Zdobył się na czarujący uśmiech, ale unikał jej wzroku.

– Zapomniała pani, że poszedłem z nią na spacer. To już drugie nasze spotkanie.

– Zapewne wielu osobom odpowiada pańskie sarkastyczne poczucie humoru – rzekła, unosząc podbródek i sztywniejąc jeszcze bardziej – ale nie mnie.

Doprawdy, pokazała mu, gdzie jego miejsce. Przyglądał się jej w milczeniu. Zdawał sobie sprawę, że oszustwo musi stanowić część jego planu, ale miał nadzieję, że zdoła uniknąć jawnego kłamstwa.

– Trudno zabronić mężczyźnie iść za głosem serca.

– Czyje serce może wybrać coś, czego nie zna? – spytała bardzo cicho.

Wpatrywała się w niego bez drgnienia, tak że miał ochotę uchylić się od tego wzroku za wszelką cenę. Nie potrafił powiedzieć jej czegoś, co by nie brzmiało jak słowa młodego, zakochanego bez pamięci głupca.

– Tajemnice serca fascynują ludzi od wieków – oznajmił uroczystym tonem. – Obawiam się, że nie potrafię tego wyjaśnić.

– Wszystko jest takie nagłe i nieoczekiwane. – Odwróciła nagle twarz i, gwałtownie zaczerpnąwszy powietrza, dodała: – Chcę tylko dobra Bianki. Jej szczęście jest dla mnie najważniejsze i zrobię wszystko, co w mojej mocy, by ją ujrzeć szczęśliwą.

Sebastian spoważniał. Lojalność Eleonory wobec siostry była godna pochwały, ale jej nieustępliwość okazała się kłopotliwa. Ta prawa, cnotliwa przyzwoitka mogła poważnie zaszkodzić jego planom.

– Proszę mi wybaczyć, lady Eleonoro, ale skąd może pani wiedzieć, co uczyni siostrę szczęśliwą?

– Wiem, co może ją uczynić nieszczęśliwą, wicehrabio – odparła, patrząc mu prosto w twarz. – Osławiony lowelas bez czci, wiary i miary.

– A cóż to ma wspólnego ze mną? – spytał łagodnie.

Zaczerwieniła się na szczęście, ale nie odwróciła od niego wzroku.

– Sądząc z tego, co słyszałam, milordzie, taki pan właśnie jest. Do szpiku kości.

Obraźliwe słowa powinny go były rozgniewać, ale jakoś nie potrafił się z nią spierać, poza tym podziwiał jej odwagę.

– Wiem, że moja reputacja nie jest bez skazy, z pewnością nie żyłem jak mnich, ale też nie jak nędznik, jakiego pani chce we mnie widzieć. Powiadają, że hulaki nic nie uratuje, chyba że zyska uczucia i wsparcie ze strony uczciwej kobiety, co uchroni go od niesławy. Czy odmówi mi pani tej szansy?

– Byłoby to niełatwe zadanie dla każdej kobiety, a co dopiero dla młodej, wrażliwej dziewczyny.

– Warte jednak wysiłku.

– Wybaczy mi pan, ale pozostanę przy swoim zdaniu. – Nadal nieustępliwie patrzyła mu w twarz. – A poza tym nie każdy może być uratowany.

– Istotnie. – Sebastian czuł, że zaczyna się uśmiechać. – A nawet nie powinien.

Cofnęła gwałtownie głowę, a w jej oczach błysnęła podejrzliwość.

– Czy kpi sobie pan ze mnie, milordzie?

– Wprost przeciwnie, lady Eleonoro. Podziwiam pani prawość, rys charakteru obcy, niestety, wielu kobietom.

Miał wrażenie, że Eleonora stara się powstrzymać uśmiech, który jednak po chwili ukazał się na jej wargach. Wprawdzie nie można było nazwać ją piękną, ale gdy jej twarz złagodniała, wyglądała zaskakująco atrakcyjnie. Choć nie miała olśniewającej urody siostry, wyglądała całkiem interesująco.

Była słusznego wzrostu i miała, co Sebastianowi odpowiadało, harmonijne, kobiece kształty. A także miłą twarz. Ciemnokasztanowe włosy, błyszczące orzechowe oczy i długie, ciemne, gęste rzęsy dopełniały reszty.

Kobietom w jej typie było do twarzy w żywych, nasyconych barwach, podkreślających piękną cerę i blask oczu. Niestety nie wybrała odcieni, które podkreśliłyby jej zalety, tylko brzydkie szarości i praktyczne brązy. Bardzo go dziwiło, dlaczego tak zrobiła.

– Jeśli ma pan poważne zamiary, wicehrabio, to spodziewam się, że złoży nam pan wizytę, jak przystało przyzwoitemu wielbicielowi. A jeśli jest inaczej...

Spojrzał na nią zaskoczony.

– Czyżby podawała pani w wątpliwość moje intencje?

– Nie znam pana, milordzie, ale znam moją siostrę. To łagodna i czuła młoda istota, która dotąd wiodła spokojne życie na uboczu. Bianka, mimo żywej inteligencji, nie jest świadoma, że mężczyzna może nadużyć jej zaufania – powiedziała z wyraźnym naciskiem. – W końcu powszechnie wiadomo, że ma pan awersję do małżeństwa. Boi się pan ożenku? – spytała.

– Czyżby? – Sebastian uniósł brwi, a twarz mu stężała. – Moją reputację ugruntowały młodzieńcze wyskoki. Dałbym głowę, że to tylko dodaje mężczyźnie atrakcyjności.

– W oczach naiwnej, młodej dziewczyny, która nie potrafi właściwie ocenić czyjegoś charakteru?

O, to go już ubodło. Nie dość, że zakwestionowała jego motywy, to jeszcze – co było wystarczająco kłopotliwe – trafnie domyśliła się prawdy.

– Czy dlatego sama pozostaje pani niezamężna? – spytał, chcąc zmienić temat rozmowy i skierować uwagę na inne tory kierunku. – Czyżby pani wielbicielowi brakowało zalet charakteru?

– Nie. – Po raz drugi spłonęła rumieńcem. – Był człowiekiem szlachetnym, ale nie z urodzenia. Dowiódł jednak swojej wartości, rozumiejąc, że musiałam dokonać trudnego wyboru.

Sebastian siłą woli powstrzymał uśmiech. Powiedział tak, żeby wytrącić ją z równowagi. Nawet sobie nie wyobrażał, że w przeszłości mogła się zakochać. A to ciekawe! Może będzie mógł z tego skorzystać?

– Co się właściwie stało?

Spojrzała na niego z niechęcią, jakby chciała powiedzieć: „To nie powinno pana interesować", ale tylko wzruszyła ramionami i odparła spokojnie:

– Zbyt wiele nas dzieliło zarówno pod względem pochodzenia, jak i zamożności, żeby można było przezwyciężyć te różnice, nie uciekając się do drastycznych środków. Niestety, nie byłam w stanie się do nich odwołać.

– Ale był mężczyzną z charakterem, budził pani podziw?

– Owszem, i to wielki podziw. – Przez chwilę oczy się jej zamgliły. – A także szczere uczucie.

– Nie sądzi pani, by lady Bianka także mogła mnie pokochać?

Lady Eleonora zamrugała powiekami, ale z podziwu godną szybkością oprzytomniała.

– Nie znam uczuć mojej siostry ani nie próbowałam na nie wpływać. Postaram się jednak znaleźć jej kogoś godnego zaufania, na kim można polegać. Człowieka honoru, stałego, przewidywalnego.

– I nudziarza.

– Tak pan uważa?

– Nakreśliła pani portret nudziarza. – Sebastian mocno zacisnął wargi, żeby się nie uśmiechnąć. – Wszystko, co pani powiedziała, sugeruje właśnie taki typ mężczyzny.

– Myli się pan. Stałość i godność nie są cechami nudziarza. – Zmarszczyła na moment brwi. – A przynajmniej nie zawsze.

– A więc dowiedziałem się sporo o tym, jakich cech wymagałby pani od ewentualnego przyszłego męża lady Bianki – westchnął. – A jakich cech pragnęłaby ona sama? Bierze to pani pod uwagę?

Sebastian rzucił jej onieśmielające spojrzenie, ale Eleonora nie odwróciła wzroku.

– Dbam o moją siostrę od wczesnego dzieciństwa. To naturalny, opiekuńczy odruch. Niełatwo z niego zrezygnować.

Sebastian zacisnął usta. Lady Eleonora nieźle zalazła mu za skórę, ale musiał przyznać, że wzbudzała w nim szacunek. A nawet trochę ją polubił. Oczywiście jako starsza siostra powinna być odpowiedzialna i silna. Może nawet w pewien sposób zastępować rodziców.

– Nie wiem, jak mógłbym złagodzić pani opinię o mojej osobie – odparł w końcu.

– Z tym chyba największy kłopot – powiedziała, prostując się. – Przyznaję, że nie powinnam rządzić Bianką, ale chciałabym ją chronić.

– To zrozumiałe. Chce ją pani stanowczo ochronić przed nieszczęściem. Czyli przede mną.

Przymknęła na chwilę oczy. Nie wiedział, czy robi tak z zakłopotania, czy też chcąc zachować cierpliwość.

– Moja siostra ma dość skromny posag. – Spojrzała prosto na niego szeroko otwartymi oczami. – Jeśli spodziewa się pan fortuny, to obawiam się, że czeka pana bolesne rozczarowanie.

Ach, uważa go więc za łowcę posagów, a nie tylko za hulakę bez skrupułów. Nic dziwnego, że próbuje się go pozbyć.

– Mam wielki majątek. Mówię „wielki", bo nie wiedziałbym nawet, ile jest wart, gdybym nie zatrudniał uczciwego i kompetentnego rządcy. Nie mogę szastać pieniędzmi na prawo i lewo, ale nie jestem biedakiem. Czy to nie wpłynie na poprawę pani opinii, lady Eleonoro?

– Nadjeżdża nasz powóz! – oznajmiła donośnie Gwendolina. – Czas na popołudniowe wizyty.

Sebastian uniósł dłoń do skroni, wdzięczny za to, że mu przerwała. Rozmowa z lady Eleonorą dotknęła tak wielu tematów, że miał teraz zamęt w głowie. Poza tym nie tylko przerwano jego zaloty do Bianki, ale też Eleonora utrudniła mu takie manipulowanie siostrą, które mogło doprowadzić do skompromitowania panny.

– Może podwieźć kogoś? – spytała Dorota. – Którąś z dam?
Pana Brommera?

Brommer odmówił. Lady Eleonora również, wyjaśniając, że
ich powóz też już nadjeżdża. Gdy wszyscy się pożegnali, stanęła
u boku siostry z taką miną, jakby chciała ją sobą osłonić.

Sebastian zignorował to, podszedł do nich i śmiało podał Biance
dłoń. Uradowało go, gdy się zarumieniła.

– Spędziłem prawdziwie czarujące popołudnie i spodziewam
się wkrótce znów panią zobaczyć.

– Ja również mam taką nadzieję, milordzie. – Uśmiech Bianki
był błogi i niewinny.

Chłodny wietrzyk, który owionął mu kark, był niczym wobec
uwag lady Eleonory. Do diabła, ależ jest podejrzliwa!

Po odjeździe córek hrabiego Sebastian odprowadził siostry Ellingham do czekającego na nie powozu. Spodziewał się pytań i kpin,
ale okazały się dziwnie milczące. Uznał, że to czysty przypadek albo
że po prostu sprzyja mu szczęście, i skorzystał z tej chwili spokoju.

Skłonił się trzem siostrom i ucałował ich dłonie, pomagając
każdej wsiąść do powozu, a potem pomachał im na pożegnanie.
Potem wskoczył na siodło i przejechał powoli przez park, torując
sobie drogę pośród ciżby.

Tym razem panujący tłok nie wzbudzał w nim zniecierpliwienia.
Przemyślał jeszcze raz swoje rozmowy z córkami Hetfielda i doszedł do wniosku, że powinien być bardzo ostrożny, zwłaszcza jeśli
chodzi o lady Eleonorę. W każdym razie było to bardzo pouczające
i owocne popołudnie.

5

Bianka z wielkim podnieceniem paplała przez całą drogę z parku
do domu, przy czym była tak rozpromieniona, że ledwie zauważyła

milczenie Eleonory. Kiedy weszły w drzwi, starsza z sióstr poczuła tępy, bolesny ucisk w głowie. Nie miała serca psuć młodszej radości, a to, że nie mogła otwarcie skrytykować wicehrabiego, przerodziło się w fizyczny dyskomfort.

Bianka z miejsca pobiegła prosto na górę pod pretekstem, że chce zdjąć nowy strój, by się nie pobrudził. Eleonora popatrzyła za nią z bólem serca.

– Nadeszła poczta, kiedy panienki były na spacerze – oznajmił kamerdyner Harrison, zdejmując z niej wierzchnie okrycie. – Położyłem ją na stoliku, jak pani kazała.

– Dziękuję. – Eleonora skinęła mu głową bez uśmiechu.

Nie lubiła zbytnio Harrisona, nadętego i sztywnego sługi pod sześćdziesiątkę, wręcz komicznie przejętego swoimi obowiązkami. Słyszała co nieco o tym, że londyńscy służący uważają się za coś lepszego od swoich kolegów z prowincji, a Harrison dowodził prawdziwości tych pogłosek. Eleonorze brakowało spokojnej, wiejskiej egzystencji także z innego powodu.

Próbowała skupić uwagę na poczcie i serce się jej ścisnęło, kiedy ujrzała żałośnie mały stosik czekających na nie zaproszeń. Hrabia nic nie robił, by wprowadzić Biankę do towarzystwa i ten brak zainteresowania dał taki właśnie rezultat. Eleonora dobrze wiedziała, że jej urocza i miła siostra odniosłaby wielki sukces, jednak obawiała się, że nigdy do tego nie dojdzie.

Gdy weszła do salonu, od razu poczuła zapach wosku do posadzek i olejku cytrynowego, co było miłą odmianą po przykrych zapachach, jakie nękały ją pierwszego wieczoru po przyjeździe. Dom, który hrabia przeznaczał dla córek, popadł niemal w ruinę. Umeblowanie było stare i niemodne, w jadalni stało za mało krzeseł, dywany miejscami pogryzione przez mole, a obicia foteli poplamione i spłowiałe.

Eleonora łatwiej zniosłaby przykrą atmosferę, gdyby w pałacu było czysto, ale wszystko pokrywała warstwa kurzu i brudu. Opryskliwa służba cały tydzień musiała odkurzać, myć i polerować pokoje, żeby dom zyskał poziom zgodny z jej wymaganiami. Rezultat okazał się jednak wart wysiłków.

Mogły wreszcie usiąść wygodnie w salonie, nie kichając z powodu kurzu, ogrzać się przy kominku, nie dusząc się od dymu, i wyjrzeć na zewnątrz przez świeżo umyte szyby. Gdy podeszła do okna, zdumiał ją widok powozu zatrzymującego się tuż przed domem.

Jacyś goście? Zrobiło się wprawdzie już dość późno, lecz jeszcze nie minął czas popołudniowych wizyt. Ale hrabia bawił poza domem. Kto mógł do nich przyjechać?

Kwestia sama się rozwiązała, gdy do salonu weszły trzy siostry przedstawione im w parku przez wicehrabiego Bentona.

– Proszę nam wybaczyć śmiałość, lady Eleonoro. – Gwendolina Barrington wyciągnęła dłoń w geście powitania. – Ledwie miałyśmy sposobność zamienić z panią i z siostrą kilka słów w Hyde Parku i bardzo żałowałyśmy, nie mogąc poznać was lepiej.

– O tak, były panie zbyt zainteresowane wicehrabią Bentonem, by zwrócić na nas uwagę – przerwała jej zgryźliwie Emma.

– Emmo! – Pani Barrington zaśmiała się nerwowo. – To nie pora na twoje sarkastyczne poczucie humoru. Mało znamy lady Eleonorę. Gotowa uznać nas za osoby bardzo źle wychowane.

– Przepraszam. Nie chciałam pani urazić – usprawiedliwiała się gorąco Emma.

Eleonora zmierzyła wzrokiem najmłodszą z sióstr, spodziewając się z jej strony zakłopotania lub nawet potulności, ale zaskoczyła ją wrogość widoczna w jej spojrzeniu.

– Nic dziwnego, że Benton zawsze skupia na sobie całą uwagę, kiedy się tylko gdzieś zjawi – stwierdziła lady Dorota z wymuszonym uśmiechem. – Oczywiście jeśli nie ma tam mego męża.

– Doroto, czuję się dotknięta tą uwagą – stwierdziła żartobliwym tonem pani Barrington. – To zazwyczaj mój Jason sprawia, że panie po prostu tracą głowę.

Wszystkie roześmiały się i napięcie nieco zelżało. Kobiety usiadły w fotelach wskazanych im przez Eleonorę, która wahała się, czy zadzwonić po herbatę, bo kucharka była wyjątkowo opieszała. Goście nieczęsto pojawiali się w tym domu, a dla Eleonory była to w ogóle pierwsza wizyta.

W końcu uznała, że lepiej zrezygnować z poczęstunku, i poleciła Harrisonowi sprowadzić siostrę. Bianka, cała w uśmiechach, zjawiła się i wkrótce wszystkie rozmawiały o najnowszych wydarzeniach sezonu.

Eleonora świadomie nie brała żywszego udziału w tej rozmowie, ponieważ chciała, żeby na pierwszy plan wysunęła się Bianka. Siostra, z początku nieco zmieszana, poradziła sobie jednak znakomicie z tym wyzwaniem dzięki życzliwości i otwartości gości.

Eleonorę mocno zaskoczyło, że wszystkie siostry przybyły do Londynu niedawno, a jeszcze bardziej zdziwiło ją, gdy usłyszała, że wychowywały się na wsi. Jako wnuczki zwykłego baroneta nie miały żadnych arystokratycznych koligacji, a jednak pani Barrington zdołała wejść do rodziny hrabiowskiej, a lady Dorota, obecnie już markiza, w przyszłości zostanie księżną Hansborough.

W trakcie rozmowy przyglądała się im uważnie. Te dziewczęta z prowincji zaszły dość wysoko. A co więcej, wydawały się szczęśliwe. Żartobliwe uwagi tyczące mężów mówiły wyraźnie o stabilnych, pełnych miłości związkach.

Dzięki koneksjom obu sióstr najmłodsza, Emma, miała szansę poślubić każdego dżentelmena, gdyby się zdecydowała na małżeństwo. Eleonora poczuła głęboką zazdrość. Biance nie pójdzie tak łatwo.

Zaznajomienie się z tymi kobietami byłoby bardzo korzystne. Jednakże nadzieje Eleonory, że Bianka mogłaby nawiązać szczerą przyjaźń z Emmą, bliską jej wiekiem, rozwiały się wkrótce. Choć Emma nie powiedziała już więcej nic przykrego, nie robiła też wrażenia przystępnej.

Siedziała bez słowa z ostentacyjnie powściągliwą miną na ładnej twarzy. Eleonora nie rozumiała, czym mogły ją urazić. Czy zazdrościła Biance urody? A może coś zupełnie innego sprawiło, że była nie w humorze.

W każdym razie Eleonora uznała jej zachowanie się za niezbyt uprzejme. Dziwne, że gdy dwie starsze siostry wprost wychodziły ze skóry, by zaskarbić sobie sympatię, najmłodsza wcale się o to nie starała.

Zegar wybił późną godzinę i kobiety wstały.

– Dziękuję za miłą gościnę – rzekła lady Dorota, sięgając po rękawiczki. – Wiem, że późno składam moje zaproszenie, ale mąż i ja wydajemy niewielki proszony obiad wieczorem we czwartek. Nie będzie to jakieś wystawne, oszałamiające przyjęcie, po prostu przyjdzie kilkoro krewnych i bliskich przyjaciół. Jeśli panie znajdą czas, chętnie byśmy widziały je u nas.

– Nie jestem pewna, czy mój ojciec nie ma już jakichś planów na czwartek – odparła Eleonora.

– Ach Boże, proszę mi wybaczyć niezręczność – wyjąkała lady Dorota. – Oczywiście zaproszenie dotyczy również i jego.

Eleonora uśmiechnęła się dyplomatycznie. Nie mogła winić lady Doroty za nieświadomość, że zaproszenie hrabiego bynajmniej nie zachwyciło jego córki.

– Och, proszę obiecać, że pani przyjdzie! – nalegała pani Barrington. – W końcu my, prowincjuszki, musimy trzymać się razem.

– Przejrzę nasz karnet i dam pani znać – odparła Eleonora.

Obydwie z Bianką pozostały w salonie po odejściu gości, na wypadek gdyby ktoś jeszcze zjawił się z wizytą.

– Przyjmiesz zaproszenie na obiad u lady Doroty, prawda? – spytała Bianka. – Bardzo chciałabym tam pójść.

– Naprawdę? Nie przypuszczałam, że tak polubiłaś lady Dorotę. A może panią Barrington?

– Nieładnie robisz, drocząc się ze mną – roześmiała się Bianka. – Powiedz mi prawdę: jak myślisz, będzie tam wicehrabia Benton?

Eleonora prychnęła nieelegancko.

– Możliwe. Przyjaźni się z nimi blisko.

– Wiem, że mi nie wierzysz, ale chciałabym tam pójść, gdyby go nawet miało nie być. – Bianka w zamyśleniu zaczęła skubać palcami koniuszek atłasowej wstążki, którą miała związane włosy. – Ale rzecz jasna, jeśli przyjdzie, tym lepiej dla mnie!

Eleonorze ścisnęło się serce. Och, ta Bianka! Właśnie ewentualna obecność Bentona na przyjęciu sprawiła, że Eleonora z niechęcią myślała o przyjęciu zaproszenia.

– Ojciec może mieć już jakieś plany co do ciebie na czwartek – powiedziała, choć nie była pewna, co byłoby gorsze.

Bianka zrobiła zgnębioną minę.

– Nieważne. Nawet jeśli tam nie pójdziemy, czuję, że na pewno spotkam wicehrabiego gdzie indziej.

Eleonora próbowała się uśmiechnąć ze względu na siostrę, ale nie potrafiła. Ten zuchwały Benton wraz ze swoimi niejasnymi intencjami sprawił, że ich wyjazd do Londynu okazał się dużo większą udręką, niż z początku przypuszczała.

Sebastian zawsze uważał urozmaicone życie towarzyskie za podstawowy element spokojnej egzystencji. Błahe nonsensy codziennego życia sprawiały, że nie musiał stawać twarzą w twarz z prawdziwymi trudnościami. Odkąd jednak postanowił zemścić się na hrabim, trudniej mu było o rozrywki.

Nie sprawiały mu już satysfakcji poranne wizyty u krawca czy szewca, popołudnia spędzane na oglądaniu najnowszych koni w Tattersall lub na boksie w Salonie Jacksona, wieczory w klubie lub partyjki kart. Myśli o zemście wypełniły bez reszty jego dni i sprawiały, że wszystko inne wydawało mu się nieciekawe. Obawiał się, że wkrótce będzie o niej nawet śnił.

Dziwne, że jasno wytyczony cel w życiu wzbudzał niepokój i napięcie, ale tak się właśnie stało. Doprawdy, nigdy nie czuł się bardziej wytrącony z równowagi.

Postanowił więc zerwać z rutyną i w tym celu opuścił swój kawalerski apartament, udając się do wytwornej dzielnicy Mayfair i nowej miejskiej rezydencji markiza Atwooda.

Nie zamierzał składać wizyty przyjacielowi, mimo że chętnie by z nim pogawędził; chciał zobaczyć się z Emmą. Choć ich rozmowy były zawsze ożywione, obecność Emmy zwykle go uspokajała, a teraz potrzebował tego bardziej niż kiedykolwiek.

Ubrał się starannie, jak zwykle, nie zwracając uwagi na to, co mówił lokaj, zjadł solidne śniadanie i kazał, by osiodłano mu konia. Mimo że dzień był pochmurny, jechał niezbyt szybko. Humor poprawiał mu się stopniowo, póki nie dotarł na ulicę, gdzie mieszkał Atwood, i nie zobaczył swojej rodzinnej rezydencji. Wtedy poczuł gwałtowny skurcz żołądka.

Solidna budowla z białego kamienia, z widocznymi z daleka szafirowymi żaluzjami, należała niegdyś do jego babki, a teraz do niego. Była to najwartościowszy część jej skromnego majątku, przekazana jedynemu wnukowi. A jednak nie zamieszkał tam po powrocie do Londynu. Nominalnie był właścicielem tej nieruchomości, ale nadal uważał ją za dom babki, miejsce, gdzie zawsze bywał mile widzianym gościem. Czy wpadał tam, by wysłuchać najnowszych plotek, czy z najrozmaitszych powodów musiał wysłuchiwać ostrych reprymend, jego cotygodniowe wizyty w tym domu stanowiły coś więcej niż tylko rodzinny obowiązek. Może nie zawsze były przyjemne, ale zapewniały mu osobliwe poczucie bezpieczeństwa.

Zdumiewające, jak bardzo mu ich teraz brakowało. I jak bardzo brakowało mu babki.

Przejeżdżając koło tego domu, zwolnił. Budynek wydawał się być w dobrym stanie. Starannie przycięte krzewy, okna lśniące czystością, schody przed wejściem świeżo sprzątnięte. Jednakże brak mosiężnej kołatki na drzwiach frontowych wskazywał, że wewnątrz nie ma rodziny, co go przygnębiło.

Przypomniało mu to o ciągłej obecności śmierci i zmianach, jakie powoduje w ludzkim życiu. Nie tego teraz potrzebował. Odwrócił wzrok od budynku i ponaglił konia do szybszego biegu.

– Dzień dobry, Hawkinsie – powitał serdecznie kamerdynera Atwooda, który otworzył mu drzwi.

– Witam, wicehrabio. – Sługa skłonił się przed nim z szacunkiem, ale nie odsunął się na bok, żeby Sebastian mógł wejść do środka.- Muszę z przykrością oznajmić, że pana nie ma w domu.

Sebastian uniósł brwi. Tak zwykle mówiono gościom, których nie chciano u siebie widzieć. Ale on nie był typowym gościem. Jeszcze nigdy nie odprawiono go od progu, chyba że istotnie nikogo nie było w domu.

– Czy lorda Atwooda naprawdę nie ma? – spytał Sebastian i ze zdumieniem spojrzał na pełnego stoickiej rezerwy sługę.

Twarz kamerdynera była nieprzenikniona.

– Przecież Atwood nigdy o tej porze nie wychodzi – stwierdził głośno Sebastian i dopiero w tym momencie domyślił się prawdy. – Może jestem niedyskretny? – spytał, uśmiechając się z rozbawieniem.

Służący zrobił wielkie oczy ze zgrozy, co potwierdziło domysły Sebastiana. A więc Atwood leżał jeszcze w łóżku, najpewniej obok swojej uroczej żony.

– Markiz... – zaczął kamerdyner.

– Tak, tak, oczywiście nie ma go w domu – przerwał mu Sebastian. – Dobrze, nieważne. Przyszedłem do panny Emmy.

– Panna Emma maluje – odparł kamerdyner z wyraźną ulgą.

Otworzył szerzej drzwi i Sebastian wreszcie przekroczył próg. Hawkins dyskretnym gestem przywołał lokaja, który pojawił się natychmiast.

– Zaprowadź wicehrabiego Bentona do pracowni panny Emmy.

Sebastian dokładnie wiedział, gdzie Emma maluje, był tam wielokrotnie. Nie sprzeciwił się jednak kamerdynerowi, któremu sprawił już tego dnia dosyć kłopotu.

Gdy wszedł do pracowni, Emma powitała go przyjaźnie, choć z pewnym roztargnieniem. Siedziała, twarzą do drzwi, przed sztalugą, na której umieszczono duży blejtram. Pędzel w dłoni dziewczyny poruszał się w zdumiewającym tempie. Sebastian był zawiedziony, że z miejsca, w którym stał, nie może widzieć płótna. Ciekaw był, co maluje z takim zapałem.

– Oczywiście wiem, że ci przeszkadzam, jednak chciałbym tu trochę pobyć. Pozwolisz?

– Czy możesz nic nie mówić przez dziesięć minut?

– Mogę.

Skinęła głową, a Sebastian usiadł w miękkim fotelu, jednym z niewielu sprzętów znajdujących się w pokoju. Zapadła cisza, podczas której słychać było tylko szmer pędzla sunącego po płótnie. Sebastianowi ten dźwięk wcale nie przeszkadzał, wręcz go uspokajał.

Przymknął oczy, skupiając uwagę na zapachach unoszących się w tym wnętrzu. Budziły wspomnienia przyjemnych chwil spędzonych tutaj na pozowaniu do portretu. Babka zamówiła go u Emmy kilka miesięcy przed śmiercią. Nie widział go jeszcze.

Po jakichś dziesięciu minutach Emma westchnęła. Sebastian otworzył oczy. Emma powoli odłożyła pędzel. Przez dłuższą chwilę patrzyła na płótno, po czym zdjęła je ze sztalugi i ostrożnie postawiła przy ścianie, malowaną stroną do środka.

Sebastian spojrzał ze zdumieniem na tył blejtramu. Emma zawsze chętnie pokazywała mu swoje prace. Dlaczego akurat w tym przypadku zachowała się inaczej?

– Czy ten obraz jest już skończony? – spytał. – Mogę zobaczyć?

– Nie! – Emma zaczerwieniła się i cofnęła o krok, jakby broniąc płótna. – Ani jedno, ani drugie – odparła, umieszczając pospiesznie na sztaludze jedną z wielu niedokończonych prac, leżących na stosie za jej plecami.

Sebastian poczuł się urażony.

– Do diabła, Emmo, odkąd się stałaś taka porywcza?

– To przywilej artystów – odparła cierpko. – A gdybym była naprawdę porywcza, nie pozwoliłabym ci tutaj wejść i obraziłabym się, słysząc podobne słowa.

– Hm, masz rację.

Sebastian, już nieco grzeczniejszym tonem, spytał ją o resztę rodziny. Gawędzili przyjemnie przez jakiś czas, mówiąc po kolei o każdym z jej członków, a potem przeszli do starych przyjaciół i najnowszych wydarzeń towarzyskich.

– Czy przyjdziesz na jutrzejszy obiad? – spytała Emma. – Pomagałam Dorocie pisać zaproszenia i zauważyłam znak zapytania przy twoim nazwisku.

Sebastian się zamyślił. Perspektywa miłego obiadu w dyskretnym kręgu przyjaciół wydała mu się czymś niezwykle atrakcyjnym, ale jeśli chciał zdobyć Biankę, musiał zrezygnować z towarzyskich spotkań.

– Wątpię, czy zdołam. Wilfordowie wydają teraz bal, a lady Georginia przyjęcie.

– Zamiast spędzić z nami wieczór, wolisz słuchać, jak jej siostrzenice o wystających zębach rzępolą, znęcając się nad koncertem skrzypcowym Bacha? – Emma aż się wzdrygnęła.

– Cóż, może tym razem zostawią skrzypce w spokoju – odparł zamyślony, choć wiedział, że Emma ma rację. Desperackie wysiłki siostrzenic lady Georginii niestety nie przynosiły efektów ze względu na brak talentów, a może także słuchu u ciotki.

– Może w tym roku wezmą się do śpiewania – odparła Emma z uśmiechem, podczas gdy Sebastian aż jęknął. – Szkoda, że nie będziesz na obiedzie, postaram się jednak przekazać lady Biance twoje najserdeczniejsze pozdrowienia.

Biance? Puls Sebastiana przyspieszył. Uniósł się w fotelu i zmierzył Emmę spojrzeniem.

– Lady Biance? Odkąd to stała się dobrą znajomą twojej siostry? Emma wzruszyła ramionami.

– Nie sądzę, żeby od dawna. Dorocie jest chyba żal jej i Eleonory. Najwyraźniej nie zrobiły wielkiego wrażenia wśród socjety. Myślę, że Dorota wysłała im zaproszenie z czystej uprzejmości.

– A więc przyjdą?

– Niewątpliwie.

– Razem z ojcem?

Emma przechyliła głowę na bok.

– Nie. Nie przypominam sobie, żeby figurował na liście gości. Sebastian rozpromienił się nagle.

– Niech w takim razie siostrzenice lady Georginii rozdzierają uszy innym nieszczęśnikom. Przyjdę na obiad.

– Z powodu lady Bianki?

Sebastian uśmiechnął się jeszcze szerzej.

– Z jej powodu, a także innych osób.

Emma pokiwała głową i mruknęła coś pod nosem.

– Przepraszam, co mówiłaś?

– Zadziwiasz mnie, Sebastianie.

– Dlatego, że zainteresowałem się jakąś kobietą? Chyba powinienem się obrazić.

– Na litość boską, przecież wiem, że lubisz damskie towarzystwo. Za kogo mnie bierzesz? – Emma odrzuciła pędzel na stoliczek przy sztaludze i wzięła do ręki inny. – Po prostu sądziłam, że interesujesz się starszymi i bardziej doświadczonymi.

– Może poczułem, że czas na zmianę?

– I wybrałeś właśnie Biankę? – Emma wzniosła oczy do góry. – Ma ładniutką buzię, a poza tym pusto w głowie i nie jest zdolna do głębszych uczuć.

– Mocne słowa. – Sebastian ponownie opadł na fotel. – Gdybym sądził ludzi tak pochopnie, kiedy się poznaliśmy, może nie zostalibyśmy przyjaciółmi.

Pędzel Emmy znieruchomiał. Spojrzała na niego ostro.

– W niczym nie przypominam lady Bianki.

– Wcale nie mówiłem, że jesteś do niej podobna.

– Wczoraj w parku poświęciłeś jej wiele uwagi. Powiedz mi, co cię w niej tak zafrapowało.

– Różni się od innych – odparł niedbałym tonem.

– Zamierzasz się z nią żenić?

Chryste! Doprawdy, Emma zmierzała prosto do celu, nie licząc się ze słowami. Już miał otworzyć usta, ale tego nie zrobił. W pokoju zapadła cisza.

– Czy uważasz, że to nie mój interes, Sebastianie? – Emma przestała malować i jedną ręką oparła na biodrze. Palcami drugiej bawiła się pędzlem. – A może nie stać cię na uczciwą odpowiedź?

– Ani jedno, ani drugie – odparł ze spokojem. – Po prostu powinniśmy zmienić temat. Nad czym pracujesz ostatnio? Pewnie to coś wyjątkowego?

Spojrzała na niego przeciągle, po czym odpowiedziała:

– Nad pejzażem. Mój nauczyciel nalega, żebym poszerzyła krąg tematów.

– Rozsądna rada.

– Ale ja jestem portrecistką, Sebastianie. Niewiele mnie obchodzą trawa i drzewa. – Emma westchnęła. – Zrobiłam kilka szkiców bliźniąt Gwendoliny, ale te dzieci są za małe, żeby pozować do portretu.

– W takim razie poszukaj innych modeli.

Znowu wzruszyła ramionami.

– Obiecałam Atwoodom, że nie przyjmę zamówienia od kogoś z zewnątrz. Tylko twoja babka zdołała mnie namówić, żebym postąpiła inaczej, i poprosiła, żebym malowała ciebie.

– Jeszcze nie widziałem tego portretu.

– Istotnie.

Wiedział, że ją uraził, serce zakłuło go boleśnie.

– Przepraszam, ja tylko...

– Rozumiem. Wspomniałam o niej, a to sprawiło ci ból.

Sebastian był jej wdzięczny za tę szybką replikę i współczucie. Jak na tak młodą pannę była niezwykle przenikliwa.

– A czemu nie namalujesz księcia?

– Wciąż tylko burczy i nie może jednej chwili usiedzieć spokojnie. Już się bałam, że przyjdzie mi go sportretować z otwartymi ustami i naburmuszoną miną, co nie usposobiłoby go do mnie życzliwie.

Sebastian się roześmiał.

– Atwood wie lepiej niż my oboje, jak przykre usposobienie ma jego ojciec. Nie przejmuj się, pomogę ci kogoś znaleźć. – Wstał i podszedł do niej. – Porozmawiam sam z Atwoodem, jeśli to będzie konieczne.

Emma spojrzała na niego szybko, a potem odwróciła wzrok.

– Jesteś dla mnie bardzo dobry, Sebastianie.

– Bo cię wprost uwielbiam, Emmo – odparł z uśmiechem.

Pogładził ją delikatnie po ramieniu. Westchnęła głośno i przywarła do niego. Sebastian pogładził ją jeszcze mocniej, usiłując złagodzić napięcie wyczuwane w jej ciele, ale nie dostrzegł, jak przy tym na niego spojrzała.

W czwartek ciepły blask słońca przesłoniły szare chmury. Eleonora, stojąc przy oknie sypialni, spojrzała na nie i westchnęła. Zła pogoda oznaczała, że hrabia będzie chciał zostać w domu.

Przeszedł ją dreszcz. Przebywanie w towarzystwie ojca nigdy nie było przyjemnością. Zawsze zdołał sprawić, by czuła się jak niepożądany intruz. Łagodziła to nieco obecność Bianki, ale ostatnio grało jej wręcz na nerwach, gdy widywała ojca i siostrę razem.

Hrabia traktował młodszą córkę protekcjonalnie, co Eleonorę złościło. Bianka tak gorąco pragnęła jego względów, że się tym w ogóle nie martwiła. Eleonorę bolało serce, że musi na to patrzeć. Najbardziej jednak przygnębiała ją skwapliwość, z jaką Bianka chciała przypodobać się ojcu.

Postępowanie hrabiego zastanawiało ją głęboko. Była pewna, że przywiózł córkę do Londynu wyłącznie po to, by ją bogato wydać za mąż. A jednak prócz sprawienia jej modnej garderoby nie robił nic, by ją wprowadzić do towarzystwa.

Spodziewała się, że ojciec będzie im towarzyszył na licznych przyjęciach, gdzie mógłby ją przedstawić jakimś wybranym przez siebie konkurentom, ale jak dotąd nic takiego nie nastąpiło. Oczywiście byłoby lepiej, gdyby wcale nie mieszał się do ich życia – a jednak jego obojętność sprawiała jej przykrość.

W ciągu tego tygodnia niejednokrotnie mogła zaobserwować, jak taksował wzrokiem Biankę, jakby szacując jej wartość. Eleonorę niepokoiło to, że nie znała jego prawdziwych zamiarów.

Być może upatrzył już sobie kogoś na przyszłego męża Bianki. Może ją komuś obiecał i czekał tylko na sposobność, by go córce przedstawić, a potem ogłosić, że ją wydaje za mąż, wcale nie dbając o jej zdanie.

Eleonora wiedziała, że chodzi mu wyłącznie o pieniądze. Wiedziała, że ojciec jest hazardzistą. Nie był pod tym względem wyjątkiem, ale póki nie przybyli do Londynu, nie zdawała sobie sprawy, jak dużo czasu spędza przy karcianym stoliku. Zapewne chciał dzięki mariażowi córki podreperować swoje finanse, bo przecież trudno było liczyć na wielką wygraną. Bez wątpienia hrabia przegrywał tyle, ile wygrywał.

Eleonora, która była w dobrych stosunkach z ich rządcą, dokładnie wiedziała, ile wynosił roczny dochód z majątku. Wiedziała również, że inwestycje hrabiego w ciągu ostatnich lat bardzo straciły na wartości, choć jeszcze nie trzeba było mocno zaciskać pasa.

Hrabia lubił wszystko, co najlepsze: drogie wina, modne ubiory, doskonałe konie. Nie odmawiał sobie niczego, co dawało się nabyć na kredyt. Nie można jednak zaciągać długów w nieskończoność. Eleonorę najbardziej martwiło to, że w końcu Bianka może zapłacić za rozrzutność ojca, że poświęci on jej szczęście i przyszłość, by zachować styl życia, na który – jak uważał – zasługiwał.

Znowu westchnęła, usiłując pozbyć się posępnych myśli. Przyjechała do Londynu tylko po to, żeby chronić Biankę przed zamiarami ojca. Jeśli okaże należytą czujność i stanowczość, nie musi się to skończyć źle.

Głowa do góry, powiedziała sobie w duchu, schodząc do bawialni. Usiadła przed płonącym kominkiem w wygodnym, choć nieco podniszczonym fotelu, i zajęła się szyciem. Zawsze czuła się lepiej, gdy mogła czymś zająć ręce, a stos odzieży wymagającej naprawy był bardzo duży.

Wiedziała, że ojciec wpadłby w irytację, zastając ją przy tym zajęciu. Służba reperowała ubrania, damy powinny haftować. Jednak niełatwo odrzucić stare nawyki, poza tym miała wprawę w szyciu, co zawsze uspokajało jej nerwy.

Przez chwilę zatęskniła za wiejskim spokojem, za cichym, zwyczajnym życiem, w którym największą troskę stanowiła konieczność pogodzenia skromnego budżetu z koniecznością płacenia służbie miesięcznych wynagrodzeń.

– O, tutaj jesteś! – wykrzyknęła Bianka, wbiegając do pokoju. – Szukałam cię po całym domu. Właśnie przysłano resztę moich sukien, a ja nie mogę się zdecydować, co włożyć na dzisiejsze przyjęcie u lady Atwood. Pomóż mi!

– Ach, to naprawdę straszny kłopot. – Eleonora z uśmiechem podniosła wzrok znad szycia. – Co cię tak martwi? To żaden dramat, że ma się zbyt wiele strojów do wyboru!

– Nie drażnij się ze mną, naprawdę jestem w kropce!

– Jakoś sobie z tym poradzimy. – Eleonora z rozbawieniem odłożyła szycie i udała się z Bianką do sypialni.

Kiedy jednak tam weszła, o mało nie krzyknęła ze zdumienia. Jeszcze nigdy nie widziała tylu eleganckich strojów naraz. Skromny pokoik zmienił się niebywale, pełen wszystkiego, czego mogła potrzebować wytworna dama, od pantofelków do tańca po kapelusze. Na łóżku z baldachimem leżała cała sterta starannie rozłożonych barwnych sukien.

Bianka tanecznym krokiem podbiegła do łóżka. Uniosła suknię leżącą na samym wierzchu i odwróciła się ku Eleonorze.

– Co myślisz o tej? – Suknię, którą trzymała przed sobą, uszyto z bladozielonego atłasu, a wycięty w karo stanik haftowany był złotą nicią. Kolor harmonizował z zielonymi oczami Bianki, a złoty haft z połyskiem rudawych włosów.

– Przepiękna! – Eleonora podeszła bliżej i uniosła obrąbek. Poczuła pod palcami miękkość jedwabistego materiału. – Czy włożysz ją dzisiejszego wieczoru?

– A czy powinnam? Owszem, jest bardzo ładna, ale czy nie wyglądałabym w niej zbyt młodo? Co sądzisz o tej żółtej?

Bianka uniosła następną, podobnie skrojoną, ale z półokrągłym dekoltem i mniej bogato wyszywaną.

– Ta również wygląda pięknie, ale zielona podoba mi się bardziej. Podkreśla kolor twoich oczu.

Bianka przygryzła dolną wargę.

– Jesteś pewna?

– Tak. Wyglądasz zachwycająco.

Bianka uśmiechnęła się, ale jakby z przymusem.

– Czemu ci tak zależy, żeby ładnie wyglądać dziś wieczorem? – spytała Eleonora, obawiając się, że zna odpowiedź. – Lady Dorota zapewniła nas przecież, że to tylko skromny obiad.

– Och, dobrze wiesz dlaczego. – Bianka odwróciła wzrok.

– Z powodu wicehrabiego Bentona?

Siostra z entuzjazmem skinęła głową.

– Cała jestem w nerwach, wiedząc, że znów go zobaczę! Już na mnie zwrócił uwagę na balu u księcia Warrena, a potem w parku, następnego dnia. Aż cała drżę na myśl, co się stanie, kiedy znów będziemy razem!

Eleonora poczuła głęboki niepokój. Ona również sporo rozmyślała o Bentonie i siostrze, lecz wcale jej to nie cieszyło.

– Moja droga, nie przejmuj się tak bardzo. Ludziom pokroju Bentona flirt przychodzi z równą łatwością jak oddychanie.

Bianka przysiadła na skraju łóżka, gdzie nie leżała jeszcze żadna z nowych sukien.

– Słyszałam już o nim różne plotki i powtarzałam sobie, że jego względy nie są czymś wyjątkowym i nie powinnam brać ich zbyt serio.

– Miło mi to słyszeć.

Bianka zerwała się z łóżka i wzięła pod boki.

– Och, ale on jest taki uroczy i wytworny! W jego towarzystwie czuję się inaczej. Jestem ożywiona i szczęśliwa, ale też zdenerwowana. Szybciej oddycham, wilgotnieją mi ręce! Serce mi bije i czuję ucisk w żołądku, gdy tylko jestem blisko niego. Jak sądzisz, co to znaczy?

– Czyżbyś dostawała z jego powodu niestrawności?

– Mówię serio, Eleonoro! – jęknęła Bianka.

– Wiem.

– Naprawdę? – Bianka chwyciła siostrę za rękę. – W nim jest coś, co trudno określić, on nie tylko jest przystojny i ma czarujący uśmiech. To coś głębszego!

Eleonora się zamyśliła. A więc było gorzej, niż sądziła. Bianka zawróciła sobie głowę wicehrabią, co jej zdaniem mogło się skończyć tylko źle.

– Nie ma w tym nic dziwnego, że kobiecie podoba się tak przystojny mężczyzna.

– Ale co on może widzieć we mnie, Eleonoro?

Zapewne nowy podbój. Eleonorę kusiło, żeby z brutalną szczerością powiedzieć, co o tym myśli, ale nie mogła się zdobyć na takie okrucieństwo. Zwłaszcza że nie miała żadnych dowodów, nurtowało ją tylko niejasne przeczucie jego intencji.

– Jesteś piękną dziewczyną, czułą, serdeczną i uczuciową – odparła, ściskając siostrę za rękę.

Bianka jednak odepchnęła jej dłoń.

– Wicehrabia przecież tego nie wie. Boję się, że chodzi mu o duży posag – powiedziała, wygładzając suknię. – Papa nigdy o tym nie mówi, ale zdaję sobie sprawę, że coraz bardziej brak mu pieniędzy.

– Bynajmniej, jesteśmy...

– Proszę cię, przestań. – Bianka zacisnęła wargi. – Przecież oszczędzasz na wszystkim. Targujesz się z dostawcami, pilnujesz, żeby służba miała wynagrodzenie, choć wiem, że nie wszystkie rachunki są płacone w stu procentach. A ten dom, choć niebrzydki, nie jest w najlepszym stanie.

Eleonorze ścisnęło się serce. A sądziła, że sprytnie ukrywa prawdę przed siostrą!

– Nie znam dokładnie stanu naszych finansów. Może ojciec oszczędza ze względu na nas.

– Chciałabym tak myśleć, bo teraz, odkąd jesteśmy w Londynie, stał się bardziej hojny. Przynajmniej dla mnie. – Bianka spojrzała na nią badawczo. – Och, Eleonoro, czuję się okropnie! Papa nie skąpi na moją garderobę, ale na ciebie nie wydał ani szylinga.

Uwaga siostry była celna i Eleonora z trudem zachowała obojętny wyraz twarzy.

– To twój pierwszy sezon, nie mój. Nie potrzebuję tylu modnych sukien.

– Od lat nie miałaś żadnej nowej. Papa niewiele więcej by wydał, zamawiając dla ciebie choćby jedną czy dwie. Miałam z nim pomówić, żeby...

– Nie! – ucięła ostro Eleonora. – Nie trzeba. Obiecaj mi, że nie powiesz mu ani słowa.

Bianka uśmiechnęła się ironicznie.

– Nie dałaś mi skończyć. Chciałam ci powiedzieć, że miałam go o to poprosić, ale się rozmyśliłam, bo cóż bym zrobiła, gdyby odmówił? Okropnie bałam się awantury. I dlatego sama zamówiłam u madame Claudette kilka sukien na twoją miarę.

– Bianko! – Eleonora wręcz oniemiała. Przebiegłość nie leżała w naturze siostry.

Bianka odwróciła się, pogrzebała w stosie sukien na łóżku, triumfalnie wyciągnęła jedną z nich i z dumą podała ją Eleonorze.

Eleonora o mało się nie rozpłakała. Suknia była śliczna, prosta i skromna, a przy tym elegancka. Uszyta z ciemnobłękitnego jedwabiu, miała bufiaste rękawki i spory dekolt, co korzystnie podkreślało jej figurę. Nie była haftowana, ale spódnicę okrywała zebrana pod biustem warstwa białego tiulu obszytego błękitnym rąbkiem, co sprawiało, że strój wyglądał wykwintnie.

– Wybrałam fason z żurnala, ale uznałam, że doskonale pasuje do ciebie. – Bianka spojrzała na siostrę nieśmiało. – Podoba ci się?

– Ogromnie. Sama nie wybrałabym lepiej.

Bianka uśmiechnęła się radośnie, a Eleonorze zrobiło się lżej na sercu.

– A więc wszystko jest ustalone. Ja włożę zieloną, a ty niebieską. – Bianka spacerowała po pokoju z obydwiema sukniami w ramionach. – Pożyczę ci dobrane do koloru pantofle, a Anna ułoży twoje włosy. Wspaniale umie się posługiwać karbówkami!

Entuzjazm Bianki udzielił się Eleonorze, ale zmusiła się do rzeczowej uwagi:

– Zgodzę się włożyć nową suknię pod warunkiem, że nie pozwolisz, by wicehrabia zawrócił ci w głowie.

Bianka zmarszczyła brwi w zadumie, zapewne tocząc jakąś ciężką walkę wewnętrzną.

– Dobrze – odparła w końcu. – Postaram się być rozsądna.

Eleonora wolałaby trochę inną odpowiedź, ale wiedziała, że musi jej wystarczyć to, co usłyszała.

6

*E*leonora westchnęła cicho, wchodząc do domu Atwoodów wśród podmuchów wiatru i strug deszczu. Dwaj lokaje w liberiach pospiesznie zamknęli za nią drzwi, a trzeci schylił się, żeby wytrzeć posadzkę.

Klasycyzująca fasada pałacu była skromna, za to wnętrze eleganckie. Posadzkę w holu wykonano z czarno-białego marmuru, schody wyglądały majestatycznie, a na suficie widniał fresk przedstawiający niebiosa.

Poczuła, że idąca za nią Bianka z trudem powstrzymuje drżenie. Eleonora nie wiedziała, czy siostrą wstrząsają dreszcze z powodu zimna i wilgoci, czy też onieśmiela ją imponujące otoczenie, a może lęk przed ujrzeniem Bentona. Zapewne wszystko jednocześnie.

Bianka zadrżała jeszcze mocniej, gdy weszły do salonu. Zdobiły go obfite złocenia, ale Eleonora nie zdołała przyjrzeć im się bliżej. Wicehrabia Benton, bardzo przystojny w czarnym wieczorowym stroju, haftowanej srebrną nicią kamizelce i nieskazitelnie zawiązanym halsztuku, wyszedł im na spotkanie.

Eleonora zebrała wszystkie siły, lecz nim wicehrabia zdołał się do nich zbliżyć, weszła lady Dorota z wysokim, przystojnym mężczyzną u boku.

– Miło mi widzieć was obie – zaczęła, szczerze uradowana. – Dziś tak się strasznie rozpadało, że obawiam się, czy wszyscy goście przyjdą.

– Na szczęście ci najważniejsi zdołali się zjawić – przerwał jej Benton i błysnął w uśmiechu białymi zębami. – Dobry wieczór lady Bianko... lady Eleonoro.

Ukłonił im się żywo, a potem ujął mocno rękę Bianki. Eleonora z przygnębieniem ujrzała, jak siostra zagląda mu w oczy i wręcz lgnie do niego. Chrząknęła głośno, zaniepokojona. Bianka aż podskoczyła i cofnęła dłoń, oblewając się rumieńcem – z czym było jej bardzo do twarzy.

– Nie zaczepiaj moich gości, Bentonie – powiedział łagodnie drugi z mężczyzn – bo odeślę cię do kuchni i będziesz tam jadł razem ze służbą.

– Och mój drogi, to niemożliwe. – Lady Dorota uśmiechnęła się. – Wszystkie służące pomdlałyby nad talerzami, gdyby Benton usiadł razem z nimi do stołu. Lepiej już wygonić go prosto w tę burzę, jeśli znów coś takiego zrobi.

– O tak, będzie musiał jeść w psiej budzie! – Na twarzy drugiego z mężczyzn pojawił się wyraz zaskoczenia. – Pamiętasz, moja droga, że chyba kazaliśmy architektowi zaprojektować psią budę?

– Owszem, ale Lancelot chyba jeszcze ani razu w niej nie siedział. Przepraszam raz jeszcze za moją niezręczność, bo nie przedstawiłam ci naszych gości. Lady Eleonoro, lady Bianko, to mój mąż, Carter Grayson, markiz Atwood.

Eleonora i Bianka dygnęły, markiz złożył im ukłon. Był klasycznym typem wysokiego, przystojnego bruneta o wrodzonym autorytecie. Odstręczałoby to od niego, gdyby nie jego czarujący uśmiech, co na Eleonorze zrobiło korzystne wrażenie.

Ojciec markiza, książę Hansborough, któremu przedstawiono je w następnej kolejności, prezentował się całkiem inaczej. Zdaniem Eleonory, był uosobieniem arystokraty. Chłodny, arogancki, wyniosły, wręcz onieśmielający.

Gdy składała ukłon, przyjrzał się jej z uwagą i szczerą ciekawością.

– A więc jest pani starszą córką Hetfielda?

Eleonora potwierdziła skinieniem głowy.

– Znałem pani matkę. Cóż to była za czarująca kobieta. Tańczyła z wielkim wdziękiem, jak sobie przypominam. – Książę uniósł brwi i dodał ze współczuciem: – Nie jest pani do niej zbyt podobna.

Eleonora przygryzła mocno dolną wargę, żeby stłumić złość.

– Siostra odziedziczyła po niej karnację i kolor włosów – powiedziała przez zęby.

- A lady Eleonora grację i urok – dodał jakiś męski głos.

Eleonora odwróciła się gwałtownie. Któż mógł stać tak blisko, żeby dosłyszeć uszczypliwą uwagę księcia? Przypuszczała, że to lord Atwood, ale okazało się, że stał za nią Benton.

- Ten staruch chce poddać panią próbie – szepnął wicehrabia z dyskretnym uśmieszkiem. – Ale nie przypominam sobie, żeby kogoś naprawdę ugryzł.

- Nie zmartwiłam się tym, milordzie – odparła, również szeptem. – Spotkałam się już w życiu z czymś znacznie gorszym niż ten nietakt księcia. Chyba będzie rozczarowany, jeśli zaraz nie zemdleję.

- Pewnie tak.

- W takim razie bardzo miło mi go będzie rozczarować. – I Eleonora uśmiechnęła się uprzejmie, gdy książę zaczął witać pozostałych gości. – Choć zupełnie nie rozumiem, czemu się tak mną zainteresował.

- Bardzo dba o swoją synową – odparł Benton – i chce wiedzieć wszystko o ludziach, z którymi ona się przyjaźni.

Z którymi się przyjaźni! Niespodziewanie Eleonorę ogarnęła melancholia. Nie zostanie przecież długo w Londynie. Nawet gdyby zdołała nawiązać przyjaźń z lady Dorotą, nie ma szans, by mogła ją znów ujrzeć po zakończeniu sezonu.

Postanowiła jednak nie użalać się nad sobą i włączyła się do konwersacji. Podeszła Emma i rozpoczęła ożywioną rozmowę z księciem.

- W każdym razie nie jestem rozczarowany z powodu jego nieobecności. Lord Sullivan to bufon – parsknął książę. – Uważa się za wielkiego znawcę w każdej dziedzinie i z satysfakcją wygaduje różne głupstwa.

- Pytany albo i nie – mruknął lord Benton pod nosem.

Eleonora pochyliła głowę, żeby ukryć uśmiech.

- Może lord Sullivan jest nudziarzem, wasza wysokość – odparła Emma – ale przynajmniej nie rozprawia o swoich dochodach, co wiele starszych osób robi z prawdziwym entuzjazmem.

Książę uniósł siwe brwi.

- Lepiej niech mnie pani nie zalicza do tej kategorii, młoda damo, bo inaczej będę musiał panią uciszyć.

- Ależ ja powiedziałam „starsze osoby" – odparła Emma z pełnym satysfakcji uśmiechem. – Nie może to więc dotyczyć pana.

- Ha! – Książę uśmiechnął się z uznaniem i zwrócił do syna: – Lepiej pilnuj jej, Carter, bo gotowa zapędzić jakiegoś nieszczęśnika w kozi róg!

- Wiem o tym aż za dobrze, sir. – Markiz uśmiechnął się szeroko do swojej szwagierki. – Ale w końcu jakiś spryciarz zdoła sobie z nią poradzić, a wtedy to ona znajdzie się w kłopocie.

- Ależ, lady Doroto, wie pani przecież, że Atwood tylko żartuje – wtrącił się Benton. – Każdy mężczyzna, który ma choć szczyptę rozumu, dobrze wie, że warto mieć tylko taką żonę, która sprawia kłopot.

- Benton mówi coś o żonie? – zmarszczył czoło książę. – Musiał się w kimś zadurzyć.

Wicehrabia zaśmiał się donośnie.

- Mówiłem o cudzych żonach, wasza wysokość. Nie o mojej.

- Mógłbym sobie gadać, ile chcę, o zaletach małżeństwa, a i tak nie przekonałbym Bentona. – Atwood spojrzał z troską na wicehrabiego. Najwyraźniej bardzo go lubił.

- Tak czy inaczej, nieładnie straszyć w ten sposób starego człowieka – mruknął książę. – Wiesz przecież, Bentonie, że moje serce w każdej chwili może odmówić posłuszeństwa.

- Wasza wysokość z pewnością żartuje – przerwała mu szybko Eleonora. – Myślę, że pańskie serce sporo wytrzyma.

Na chwilę wszyscy zamilkli, a potem książę, zirytowany, skupił całą uwagę na niej.

- Czyżby panią zaskoczyła myśl, że mogę mieć serce?

- Ani trochę. Gdybym jednak wpadła na taką myśl, nie byłabym na tyle bezwzględna, by wypowiadać ją głośno – odparowała. – Zwłaszcza gdy w pobliżu jest tyle osób, które mogłyby tę niepochlebną uwagę usłyszeć.

Uśmiechnęła się z dumą, że zdołała w subtelny, choć cięty sposób odpłacić księciu tą samą monetą za jego poprzednią nieuprzejmość.

– Bentonie – powiedział książę, nie spuszczając z niej wzroku – gdybyś kiedy miał zamiar wziąć sobie żonę, to możesz nie szukać dalej.

– Istotnie, wasza wysokość, lady Eleonora ma wiele zalet. Niestety, obawiam się, że ma również na tyle rozsądku, żeby mi dać kosza.

– Całkiem z niej zręczna niewiasta – zażartował Atwood i wszyscy parsknęli śmiechem.

Eleonora poczuła, że się rumieni. Ona i Benton? Cóż ten książę sobie wyobraża? Przetrawiła raz jeszcze w myśli całą rozmowę i uznała, że z pewnością żartował. Prawda, że wiekiem była Bentonowi bliższa niż siostra, ale któż by się nią interesował, gdy Bianka znajdowała się w pobliżu?

Rzecz jasna, wicehrabia zamierza się ożenić. Wnosząc z tego, co słyszała, łącznie z dobrotliwymi żartami wygłaszanymi tego wieczoru przez jego dobrych znajomych, wydawało się to całkiem możliwe.

Zbliżył się lokaj ze srebrną tacą pełną kieliszków. Przerwano rozmowę i każdy wybrał sobie jakiś trunek. Eleonora wzięła kieliszek ratafii i już miała podać Biance szklaneczkę z lemoniadą, gdy spostrzegła, że siostra oddala się u boku Bentona.

Już miała ją przywołać, ale słowa zamarły jej na ustach. W końcu nie mogła kontrolować każdego jej kroku. Mogła jednak – i chciała – pilnie obserwować wicehrabiego.

Usiadła więc na skraju sofy i powoli popijała swoją ratafię, patrząc na siostrę i Bentona. Sądząc z nieustannych uśmiechów i rumieńca Bianki oraz tego, że wciąż spuszczała oczy, wicehrabia zuchwale z nią flirtował, nie pozwalał sobie jednak na nic niestosownego.

Szybko się przekonała, że nie tylko ona zwraca uwagę na tych dwoje. Emma wpatrywała się w nich jak zahipnotyzowana.

– Tworzą uderzająco dobraną parę, prawda? – spytała Eleonora całkiem swobodnym tonem.

Emma przez moment się nie odzywała, na jej twarzy pojawił się jednak wyraz zatroskania. Potem nachyliła się ku niej.

– Benton jest niebezpieczny – rzuciła przyciszonym głosem. – Niech pani nie pozwoli, by zwiódł siostrę swoim urokiem i uderzającą urodą.

– Dziwne, sądziłam, że pani go lubi.

Oczy Emmy błysnęły.

– Owszem. To niezwykle czarujący człowiek, ale dostrzegam jego wady. Nie jestem naiwna. To przystojny i utytułowany mężczyzna po trzydziestce, znany z tego, że chętnie uwodzi kobiety, ale poprzysiągł sobie nie żenić się, póki nie będzie miał co najmniej czterdziestu lat.

– Czemu więc pani z kimś takim przestaje? – spytała Eleonora, zdumiona szczerością Emmy. Przyjaciele zwykli raczej chronić wzajemnie swoją reputację, niż się obmawiać. – I dlaczego pani rodzina tak za nim przepada, skoro jest rozpustnikiem bez skrupułów?

Emma wzruszyła ramionami, ale nadal nie odrywała od niego wzroku.

– Mój szwagier od dawna przyjaźni się z Bentonem. Chodzili do tych samych szkół, razem z panem Dawsonem. Markiz nigdy nie upadłby tak nisko, by porzucać przyjaciół, niezależnie od tego, jak zszarganą mieliby reputację. Zabronił mi jednak wyraźnie przebywania z nim sam na sam.

– Całkiem rozumna rada dla każdej młodej dziewczyny. – Eleonora uśmiechnęła się cierpko. – Mam nadzieję, że wzięła ją pani sobie do serca.

– Umiem zachować się przyzwoicie w towarzystwie – odparowała Emma. – Nie mam jednak pewności, czy to samo można powiedzieć o pani siostrze.

Eleonora aż zjeżyła się, słysząc te słowa. Niech diabli wezmą siostrę gospodyni! Już miała palnąć coś ostrego w odpowiedzi, gdy dostrzegła, że Emma zacisnęła pięści. O Boże, ta dziewczyna ma nerwy w strzępach. Czy przez Bentona?

Być może. Nie mogła się jednak nie odciąć. Poklepała więc rozmówczynię po ręce.

– Co za szczęście, że o Biankę troszczę się ja, a nie pani.

Emma spojrzała na nią przeciągle, lecz w tymże momencie cała się rozpromieniła, jakby rozświetlona od wewnątrz. Eleonora odwróciła głowę i dostrzegła, że Benton zmierza przez salon prosto ku nim. Był sam. Bianka została po drugiej stronie pokoju i rozmawiała teraz z markizem oraz dwiema młodymi kobietami, których nazwiska Eleonora nie mogła sobie przypomnieć.

Gdy podszedł bliżej, zrozumiała wszystko. Emma kochała się w wicehrabim. Eleonora rozejrzała się po salonie, jakby chcąc sprawdzić, czy ktoś to również zauważył, ale nic o tym nie świadczyło. Być może było to oczywiste?

Przez krótką chwilę Eleonora niemal współczuła Emmie. Choć Benton niewątpliwie bardzo ją lubił, widział w niej jakby młodszą siostrę, a nie potencjalną żonę.

A jednak wicehrabia był bliskim przyjacielem jej szwagra. Mógł ją w końcu poślubić, bo mężczyźni są zwykle trzeźwi w wyborze przyjaciół.

Eleonora głowiła się właśnie, co mogło to oznaczać dla Bianki, gdy kamerdyner Atwoodów oznajmił, że podano do stołu. Goście, nie ustawiając się w pary, od razu ruszyli w stronę jadalni. Eleonora oniemiała na jej widok. To rozległe pomieszczenie, oświetlone trzema żyrandolami, łatwo mogło pomieścić nawet czterdzieści osób. Nigdy przedtem nie była jeszcze na proszonym obiedzie, nie obracała się przecież w towarzystwie i nie odgrywała w nim znaczącej roli.

Uspokoiła się jednak w miarę trwania eleganckiego posiłku. Peter Dawson, który siedział po jej lewej stronie, był interesującym rozmówcą. Szybko zaczęła się śmiać z jego opowieści o różnych psotach, jakie popełniał w młodości razem z Atwoodem i Bentonem. Mimo to czujnie obserwowała Biankę, lecz w końcu odprężyła się dzięki świetnemu jedzeniu i błyskotliwej konwersacji.

Dziwne, jak kieliszek wina może uspokoić nerwy! Eleonora wypiła go do pierwszego dania. Spojrzała na drugi koniec stołu, gdzie Bianka, cała w uśmiechach, rozmawiała z dwiema kobietami, a potem sprawdziła, gdzie siedzi Benton.

Z ulgą dostrzegła, że po przeciwnej stronie, o kilka krzeseł dalej niż siostra.

– Czy napije się pani jeszcze wina, lady Eleonoro?

Pan Dawson uśmiechał się do niej, a lokaj czekał z otwartą butelką.

– Może pół kieliszka – odparła, uznając, że to jej nie zaszkodzi.

Na razie Bianka i wicehrabia znajdowali się pod kontrolą. Niemądrze byłoby nie skorzystać z rzadkiej sposobności, aby się rozerwać.

Gdy podano deser, Sebastian z zaskoczeniem stwierdził, że doskonale się bawi. Proszone obiady u Atwoodów zawsze były ożywione i ten nie stanowił wyjątku. Jedzenie okazało się znakomite, choć uznał potrawkę z wołowiny za zbyt pieprzną, konwersacja interesująca i ożywiona – jeśli tylko ktoś nie stał się celem docinków księcia – a towarzystwo sympatyczne, mimo podejrzliwych spojrzeń, jakie od czasu do czasu rzucała na niego lady Eleonora.

Choć siedział za daleko od Bianki, by móc z nią flirtować przy posiłku, nieśmiałe uśmiechy i rumieniec świadczyły o jej wyraźnym zainteresowaniu. Szczęście zaczęło mu sprzyjać, gdy mężczyźni, po portwajnie i cygarach, wrócili do dam. Pogoda uspokoiła się nieco i ulewa przeszła w drobny deszczyk, a ten z kolei zamienił się w łagodną mgiełkę.

Kilkoro gości skorzystało z okazji, żeby przejść się po ogrodzie, więc Sebastian szybko podszedł do Bianki. Powitała to życzliwym uśmiechem. Księżyc rzucał złotawy blask na jej delikatne rysy.

Sebastian ujął ją pod ramię i zręcznie wyprowadził na ścieżkę z dala od innych. Całkiem jakby prowadził jagnię do rzeźni! Niech to diabli, gładko mu wszystko poszło. Dziewczyna nie miała w sobie cienia podejrzliwości.

Przeszli wolnym krokiem wzdłuż symetrycznych klombów do tej części ogrodu, gdzie krzewom celowo pozwolono rosnąć w stanie dzikości. Park oświetlały rozwieszone tam pochodnie, nietrudno więc było znaleźć drogę.

Bianka paplała zawzięcie, zdradzając tym samym swoje zdenerwowanie, Sebastian pomrukiwał od czasu do czasu lub wtrącał jakieś pytanie, pozwalając jej mówić bez przerwy, sam zaś tak manewrował, żeby móc ją w jakimś zakątku pocałować.

A co potem? Dać się zaskoczyć? Nikogo by nie zdziwiło, że mężczyznę z jego reputacją przyłapano, gdy skradł jakiejś damie całusa. Takie zdarzenie mogło źle wpłynąć na reputację Bianki, ale nie zrujnowałoby jej całkowicie.

Nie, tu trzeba było czegoś gorszego. Wolał jednak nie robić niczego tak plugawego w domu najbliższego przyjaciela. Zamierzał skorzystać ze sposobności, żeby ją usidlić, skusić pojedynczym pocałunkiem, który obiecywał coś więcej. Chciał zdobyć jej zaufanie, a potem zręcznie zastawić sidła i doprowadzić ją do nierozważnych zachowań. Te zaś z kolei miały zmusić hrabiego do wystąpienia w obronie jej honoru.

Doszli do kamiennej ławki ustawionej w małej altanie. Powietrze, odświeżone po deszczu i przesycone wonią kwiatów, sprzyjało romantycznym nastrojom.

– Niech mi pani pozwoli... – Sebastian pospiesznie wytarł wilgotną ławkę wyjętą z kieszeni chustką.

Bianka najpierw lekko zachichotała, a potem z wdziękiem usiadła, spoglądając na niego z przechyloną na bok głową. Sebastian, zachęcony, oparł stopę na ławce i ujął oburącz prawą dłoń Bianki.

– Jakże pani pięknie wygląda w świetle księżyca – powiedział miękko. Uniósł jej dłoń do warg i ucałował nadgarstek.

Oczy dziewczyny rozbłysły.

– Mogłabym to samo rzec o panu, milordzie, choć podobno mężczyźni wolą, gdy się ich nazywa przystojnymi.

Oparł jej dłoń na swoim zgiętym kolanie, a potem zwolnił uścisk. Bianka głośno przełknęła ślinę, ale nie cofnęła ręki, która pozostała tam, gdzie ją położył. Mówiło to bardzo wiele, ale Sebastiana zamiast satysfakcji ogarnęło lekkie poczucie winy. Odchrząknął nagle.

– Wilgotno tu – odezwał się. – Nie jest pani zimno?

Potrząsnęła głową i poczuł, że zaciska palce na jego kolanie, co sprawiło, że wzrosło jego napięcie. Spojrzał w jej szeroko rozwarte oczy i nagle ogarnęły go lęk i obawa. Wyraźnie ujrzał wypisaną na jej twarzy niewinność i poczuł, że cała drży.

„Pocałujże ją", wołał w nim jakiś wewnętrzny głos, a jednak go nie usłuchał. Byłoby to zbyt łatwe. Nie napotkałby na opór, przeciwnie, z zaciekawieniem zdawała się czekać, by ją objął.

A jednak na samą myśl o tym ścisnęło mu się serce. To nie miało sensu. Uwodził kobiety, odkąd tylko dojrzał, ale całując tę niedoświadczoną dziewczynę czułby się jak lubieżnik. Mimo iż miał wiele przygód, nigdy nie igrał z kobiecymi uczuciami, a zwłaszcza gdy chodziło o kogoś tak młodego i naiwnego, jak Bianka.

Choć była prześliczna, nie czuł pożądania. Nie wiedział, czy powodem jest jej wiek, czy niewinność. Może fakt, że była córką tego nikczemnika? W każdym razie czuł wyraźnie, że nie jest w stanie nic zrobić.

Nagle cofnął się, czego wcale się po sobie nie spodziewał. Poczuł gwałtowny przypływ emocji. Przez dłuższą chwilę wpatrywał się w mroczny ogród z ręką wspartą na biodrze. Drugą pocierał kark, gdyż poczuł gwałtowny ból u jego nasady.

Naszedł go nagły gniew, rozczarowanie i zniechęcenie. Uknuł doskonały plan zemsty, a teraz nie potrafił go wcielić w życie.

Słyszał przyspieszony oddech Bianki, czuł, że jest zmieszana, ale było to błahostką w porównaniu z jego własną złością. Na chwilę wstrzymał oddech, żałując, że w ogóle zaczął realizować ten szaleńczy plan, ale jeszcze większą wściekłość wzbudziła w nim świadomość, że nie mógł go urzeczywistnić.

– Powinniśmy wracać, zanim spostrzegą, że nas nie ma – powiedział bezbarwnym głosem.

– Tak prędko? – spytała i ze zmieszania zatrzepotała rzęsami.

Sebastian zaklął z cicha pod nosem i popatrzył jej w oczy. Nie spodziewał się, że spojrzy na niego z takim przygnębieniem! Do licha, nie zwykł się przecież łatwo przejmować. Nie było nic dziwnego w tym, że spodobał się komuś tak młodemu i łatwowiernemu jak Bianka.

– Za długo pani tu przebywa bez przyzwoitki, to nie wypada – odparł, usiłując mówić spokojnie. – Z pewnością siostrę zaniepokoi pani nieobecność.

Zaczerwieniła się tak mocno, że dostrzegł to nawet w świetle księżyca. Niemalże czuł, jak płoną jej policzki.

– To już trwa zbyt długo – rzekł i stanął prosto, stuknąwszy obcasami. Zawahał się tylko na chwilę, nim podał jej ramię. Spojrzała na nie, a potem przed siebie, i nie ruszyła się z miejsca. – Proszę pójść ze mną, lady Bianko. A może woli pani wrócić samotnie, rozkoszując się świeżym nocnym powietrzem?

Spojrzała na niego dziwnie. Sebastian przez chwilę ciekaw był, czy nie wybuchnie gniewem i niemal sobie tego życzył, gdyż poczułby wówczas ulgę. Ale Bianka, jak przystało damie, bez słowa wstała, a jedyną oznaką jej irytacji było to, że nie przyjęła jego ramienia.

Sebastian w milczeniu ujął ją za łokieć i szybko, niemal ciągnąc za sobą, poprowadził do domu. Gdy wchodzili na taras, usłyszał, że gwałtownie nabrała tchu, i dostrzegł w drzwiach jej siostrę.

– Lady Eleonoro! – wykrzyknął. – Ależ mnie pani przestraszyła!

– Przepraszam, że wydałam się panu kimś groźnym – wycedziła, zaciskając wargi.

Sebastian zesztywniał, ale zdobył się na sztuczny uśmiech.

– Nie groźnym, madame, tylko niespodziewanym.

– Niepokoiłam się o Biankę – westchnęła.

– Spacerowałam z wicehrabią, Eleonoro. – Bianka spuściła oczy. – Ale chłód zmusił nas do powrotu.

– Lady Dorota właśnie prosi na herbatę – odparła Eleonora. – Z pewnością filiżanka gorącej herbaty cię rozgrzeje.

Ledwie zdołała to powiedzieć, gdy Bianka pospiesznie uniosła rąbek sukni i znikła we wnętrzu. Sebastian spodziewał się, że siostra pójdzie za nią, ale Eleonora nawet nie drgnęła.

Sebastian nie miał ochoty, żeby go poniosło, i cofnął się w róg tarasu. Lepiej już być cierpkim niż gburowatym. Wyciągnął z kieszeni płaskie srebrne pudełko i wsunął w zęby cygaro. W drugiej kieszeni namacał krzesiwko, a potem zapalił.

Powoli wypuścił dym. Widok unoszącej się w powietrzu smużki uspokoił go, podobnie jak szmer wody w pobliskiej fontannie, mimo że wyglądała okropnie. Zaprojektował ją jakiś przejęty ideami romantyzmu młody rzeźbiarz, nad którym ulitowała się lady Dorota. Atwood zarzekał się, że jeśli żona jeszcze raz zechce zaangażować podobnego artystę, rozbije jego dzieło młotkiem. Sebastian uważał, że byłoby to rozsądne posunięcie.

– Pozwoli pan, że się oddalę, milordzie... – Lady Eleonora urwała nagle ze zdumienia.

– Co się stało? – spytał.

– Ta fontanna...

– Ach, rozumiem. – Zmarszczył brwi, a potem zaśmiał się krótko. – Sądząc z pani miny, Dawson opowiadał o naszych szkolnych figlach. Czy spodziewa się pani, że zrzucę z siebie ubranie i zacznę się w niej pluskać?

Gwałtownie nabrała tchu.

– Przyznaję, że nigdy nie wiem, czego się po panu można spodziewać, wicehrabio.

– Jakże mi przykro. Najwyraźniej nie słuchała pani uważnie historyjek Dawsona. Wskakiwałem już do wielu fontann, ale zawsze na trzeźwo.

– I to ma być usprawiedliwienie?

Wzruszył ramionami.

– Sądzę, że niewystarczające – odparł, wypuścił kolejny kłąb dymu, czekając na reprymendę.

Dopiero po chwili zorientował się, że Eleonora wcale nie ma takiego zamiaru, a jedynie stara się stłumić wybuch śmiechu.

– Nieźle musiał pan dokazywać! Pan Dawson wspominał, że pewnego razu zanurkował pan w fontannie, chcąc wyłowić pływający po powierzchni płaszcz, a potem wyszedł, prychając wodą, cały przemoczony – odparła i zaniosła się gardłowym śmiechem.

Dźwięk ten sprawił, że wyostrzyły mu się wszystkie zmysły. Zniknęło też nieprzyjemne, mdlące odczucie, jakie nękało go, gdy się zastanawiał, czy powinien pocałować Biankę. Z jakiegoś powodu zrozumiał, że nie potrafi uwieść Bianki, żeby zemścić się na Hetfieldzie.

Z lady Eleonorą natomiast poszłoby całkiem inaczej.

Przez moment Eleonorze zaparło dech. Zaniepokoiło ją jego spojrzenie. Wyglądał tak, jakby zamierzał porwać ją w objęcia. Niewiarygodne! Chyba zmylił ją blask księżyca lub dym z cygara. Nie odezwał się słowem, milczał, nie odrywając oczu od jej twarzy. Ogarnął ją niepokój i czuła się coraz bardziej nieswojo. Uznała, że najlepiej będzie, jeśli stąd odejdzie, pozostawiając wicehrabiego jego osobliwym nastrojom. Znalazłszy się w salonie, od razu podeszła do Bianki. Siostra siedziała, sama jedna, na wąskiej dwuosobowej kanapce, a przed nią stała nietknięta filiżanka herbaty.

– Jakaś ty blada. – Eleonora położyła jej rękę na czole. – Dobrze się czujesz?

– Jak najbardziej – powiedziała Bianka, ale patrzyła przy tym gdzieś w bok. – Tylko się trochę zmęczyłam.

– Może już pójdziemy?

– Myślę, że dobrze byłoby. – Bianka spojrzała na nią niepewnie. – Wolałabym jednak nie robić tego pierwsza, jeśli nie masz nic przeciwko temu.

– Oczywiście. – Eleonora, zmartwiona jej dziwną miną, objęła ją mocno. – Czy miło ci się spacerowało po ogrodzie z wicehrabią Bentonem?

– Jak najbardziej, tylko że, jak ci już powiedziałam, zrobiło mi się trochę zimno.

– Z powodu pogody czy wicehrabiego? – szepnęła Eleonora z uśmiechem, który zaraz zniknął na widok spiętej twarzy siostry. – Czy coś ci się stało?

– Nie, nic. – Bianka sięgnęła po herbatę i zaczęła ją mieszać srebrną łyżeczką.

Eleonora wyciągnęła dłoń, żeby ją powstrzymać. Bianka piła herbatę bez mleka i cukru, po cóż ją więc mieszała?

– Co się tam stało?

– Nic! – prychnęła Bianka cicho, lecz gwałtownie. – Myślałam, że mnie pocałuje, i prawdę mówiąc, chciałam tego. Ale on nic nie zrobił. A nawet wyglądał tak, jakby się na mnie rozgniewał. Nie mam pojęcia dlaczego!

Bianka już miała wzruszyć ramionami. Eleonora zrozumiała, jak bardzo siostra jest przejęta.

– Jakże mi przykro.

– Ale jestem zadowolona, że do tego nie doszło. Zrozumiałam, że słusznie mnie przed nim ostrzegałaś, a ja byłam głupia, nie wierząc twoim radom. To nie jest ktoś odpowiedni. Przede wszystkim o wiele dla mnie za stary, a poza tym bez wątpienia ma już swoje nawyki. Lepiej, że to zrozumiałam, bo teraz chętniej będę przyjmować zaloty innych.

Eleonora z aprobatą skinęła głową. Zawsze czuła dziwny niepokój na myśl o nich dwojgu, chociaż nie umiała określić powodu. Ale na widok smutnej miny siostry ogarnęło ją poczucie winy. Uznała, że wicehrabia zrezygnował ze swoich planów, gdyż ona się do nich wtrąciła.

7

*E*leonora, schodząc na dół, pospiesznie wciągała rękawiczki. Obie powinny wyglądać bardzo elegancko na ogrodowym przyjęciu u lady Ashfield, a teraz spóźnią się z jej winy. Zbyt długo zatrzymały ją domowe sprawy i ledwie miała czas się ubrać.

Hrabia nie zatrudniał sekretarza, obowiązek odpowiadania na różne zaproszenia należał więc do Eleonory, a kłótnia pomiędzy kucharką i gospodynią wybuchła w najmniej odpowiednim momencie. Trzeba było natychmiast bardzo dyplomatycznie załagodzić ten spór, obydwie należały do najważniejszych osób wśród służby.

– Coś ty na siebie włożyła? – spytała Bianka, gdy Eleonora pojawiła się na parterze. – Myślałam, że wybierzesz jedną z nowych sukien. Przecież już dwa dni temu powiesiłam tę z lawendowego muślinu w twojej szafie.

– Nie miałam czasu, żeby zrobić na niej poprawki.

– Ale z pewnością mogłaś wybrać coś innego. Doprawdy, Eleonoro, czasami mam wrażenie, że ty świadomie chcesz wyglądać niekorzystnie!

Eleonora zacisnęła wargi. Kąśliwe uwagi młodszej siostry sprawiły jej przykrość.

– Czy wstydzisz się ze mną pokazywać?

– Och, nie! Jak mogłaś tak pomyśleć! – oburzyła się Bianka.

Eleonora spuściła głowę. Nie było winą Bianki, że włożyła akurat tę nieciekawą, ale praktyczną szarą suknię, bardziej odpowiednią dla guwernantki, przyzwoitki czy starej panny. Doprawdy, brakowało jej tylko koronkowego czepka.

– Dziękuję ci za prezent i obiecuję, że włożę tę lawendową, gdy tylko ją dopasuję.

Bianka się ucieszyła.

– Ale przynajmniej weź jeden z moich nowych kapeluszy, dobrze?

Eleonora, nie wiedząc, co odpowiedzieć, skinęła głową. Bianka z uśmiechem wbiegła na górę i wróciła stamtąd szybko, niosąc lekki kapelusik z piórkiem.

Eleonora stanęła przed lustrem w holu i przymierzyła go, czując, że cała czerwienieje. Kapelusz był młodzieńczy, frywolny i Eleonora poczuła się w nim jak oszustka, skoro miała już swoje lata i nie zamierzała wyglądać zalotnie.

– Ojciec mówił, że zjawi się na dzisiejszym przyjęciu – rzekła Bianka, kiedy wsiadały do powozu. – Będą tam jacyś ludzie, których chce nam przedstawić.

Eleonora zesztywniała, słysząc tę uwagę. Okazała się naiwna, sądząc, że hrabia o nich całkiem zapomniał. Miała pewność, że przywiózł Biankę do Londynu, żeby jej znaleźć bogatego męża. Zrozumiałe, że w końcu postanowił to zrobić.

Podczas jazdy skupiła się na tym, żeby uspokoić nerwy. Jeśli chodziło o hrabiego, zawsze spodziewała się najgorszego, ale w przyjęciu z pewnością weźmie udział kilku zamożnych dżentelmenów, wśród których siostra mogłaby wybrać sobie męża. A jeśli intercyza okaże się korzystna, ojciec zapewne nie będzie protestował. Przynajmniej miała taką nadzieję.

Dojazd zabrał im prawie godzinę, ale Eleonora była z tego zadowolona, bo miała czas, żeby się opanować. Po przywitaniu obydwie wmieszały się w tłum zaproszonych, szukając znanych sobie, życzliwych twarzy. Na tarasie i trawnikach roiło się od gości, którzy krążyli, trzymając w rękach szklaneczki z najrozmaitszymi chłodzącymi napojami. Dzień był przepiękny, słoneczny, niebo błękitne i wszyscy świetnie się bawili.

Ogród robił imponujące wrażenie. Wszędzie rosły rzędy barwnych kwiatów, a w pewnym oddaleniu widać było kwitnące drzewa owocowe. Eleonora lękała się jedynie pszczół, bo wśród słodko pachnącego kwiecia fruwało ich całe mnóstwo.

– O, patrz, tam stoi ojciec! – Bianka radośnie pomachała do niego.

Eleonora nie zdołała powstrzymać jęku, gdy hrabia przeciął rabatę i, depcząc delikatne kwiatki, zmierzał prosto ku córkom. Elegancko wystrojony, w ciemnozielonym surducie, bufiastych spodniach i błyszczących butach wyglądał jak młody dandys, choć z bliska można było dostrzec zmarszczki w kącikach jego oczu.

– Spóźniłyście się! – burknął.

– Nie za bardzo – odparła z uśmiechem Bianka.

– Z mojej winy – dodała Eleonora. – Musiałam niezwłocznie załatwić coś w domu.

– W takim razie powinnaś była tam zostać. – Hrabia zacisnął wargi i przyjrzał się jej. – Dobry Boże, Eleonoro, czy nie spojrzałaś w lustro przed wyjściem? W tym kapeluszu wyglądasz po prostu śmiesznie! – stwierdził zgryźliwie, po czym ujął Biankę pod ramię, zamierzając po prostu z nią odejść.

– Miło cię widzieć, milordzie – wyjąkała Eleonora. Pospiesznie dotknęła kapelusza, po czym spuściła głowę i podążyła za nimi.

Hrabia skłonił się nisko przed grupą osób stojących przy kępie wierzb.

– Panie i panowie, chciałbym wam przedstawić moją córkę Biankę – zaczął. – Moja droga, pozwól, że ci przedstawię lady Audrey Hartgrove, jej syna Jaspera Hartgrove, wicehrabiego Ogdena, pana Luciana Whitneya i pannę Everly.

Bianka dygnęła z wdziękiem. Odpowiedział jej chór głosów, gdy już dokonano wzajemnej prezentacji, i zaczęła się nieobowiązująca towarzyska rozmowa. Eleonora, onieśmielona, stała przez jakiś czas za siostrą, rozważając, czy bardziej rzuci się w oczy, jeśli pozostanie na miejscu, czy też jeśli odejdzie.

Zbierając całą odwagę, chciała się po cichu wycofać, gdy lady Audrey spojrzała na nią, urywając nagle w połowie zdania.

– Kim pani jest?...

Wszyscy wlepili oczy w Eleonorę. Skrępowana poczuła, że oblewa się rumieńcem, uśmiechnęła się więc pogodnie, usiłując zatuszować swoją reakcję. Hrabia spojrzał od niechcenia w jej stronę i się odwrócił.

– Ach, to moja starsza córka – mruknął lekceważącym tonem. – Eleonora.

– Lady Eleonora – powiedziała wyraźnie, jakby w samoobronie. Grubiaństwo Hetfielda zaskoczyło więcej osób, niż sądziła, zwłaszcza że dał mu wyraz publicznie. – Miło mi państwa poznać. Lady Audrey, muszę powiedzieć, pani kapelusz jest zachwycający. Gdzie go pani kupiła?

Lady Audrey, zaskoczona, przez chwilę wodziła wzrokiem od hrabiego do Eleonory, ale szybko się opanowała. Odparła jej, że nabyła kapelusz u modystki z Bond Street, u której zwykle załatwia podobne sprawunki, potem zaś wspomniała o swojej krawcowej. Eleonora uśmiechnęła się zachęcająco i udała zaciekawienie, choć w duchu wręcz kipiała ze złości.

Na szczęście hrabia zaraz odszedł na bok, prowadząc w stronę stolika z napojami chłodzącymi panią Hartgrove, która stwierdziła, że zaschło jej w gardle. Sir Lucian również się wycofał, a jego miejsce zajął lord Waverly. Tym razem Eleonora nie musiała się troszczyć, by go jej przedstawiono, ponieważ zajęła się tym lady Audrey.

Rozpoczęła się ożywiona, żartobliwa rozmowa i Eleonora z zadowoleniem spostrzegła, że Bianka wygląda na odprężoną i pogodną. Gdy jednak cała grupa postanowiła wyjść na słońce, ona sama wolała pozostać w cieniu. Choć nie chciała tego okazywać, nieuprzejmość hrabiego dotknęła ją głęboko. Postanowiła uspokoić się w samotności.

Gdy wypatrzyła w pobliżu piękny różany krzak, podeszła w jego stronę, a kiedy przy nim stanęła, unoszący się wokół ciężki zapach dziwnie ukoił jej nerwy. Choć nigdy jeszcze nie była w tym ogrodzie, znajoma woń róż przywróciła jej pogodę ducha.

Samotność nie trwała jednak długo. Już po kilku chwilach Eleonora usłyszała czyjeś kroki. Spojrzała przez ramię i ze sporym zaskoczeniem dostrzegła, że po obrzeżonej muszelkami ścieżce zbliża się wicehrabia Benton, zmierzając prosto ku niej.

– Lady Eleonora! Miło panią znów widzieć. – Ujął jej dłoń i mocno ścisnął palcami. Z przewrotnym uśmiechem uniósł ją do warg i ucałował w nadgarstek, którego nie zakrywała rękawiczka. – Zrobiło się późno i myślałem, że pani wcale już nie przyjdzie.

Nieśmiała kobieta zarumieniłaby się i wyjąkała parę słów z niepewnym uśmiechem, tymczasem Eleonora rzuciła tonem pełnym zdumienia:

– Czyżby pan życzył sobie mnie zobaczyć?

– A kogóż innego?

Rzeczywiście, kogo innego? Eleonora nie mogła uwierzyć, że Benton mówi szczerze. Przyjrzała mu się uważnie, ale niczego nie zdołała wyczytać z jego szarych oczu.

– Czy jest pan może na mnie zły, bo wtrąciłam się w pańskie zaloty do mojej siostry? – spytała, chwytając się tematu, który uważała za jedyne możliwe wytłumaczenie.

– A czy wyglądam na rozgniewanego, lady Eleonoro?

O Boże, skądże. Wyglądał po prostu cudownie. Wąskie spodnie opinały jego muskularne biodra w prowokujący sposób, a dobrany kolorem żakiet podkreślał szerokość ramion. Na kimś innym podobny strój wyglądałby niemal ponuro, ale Benton ze swoim niezwykłym wyczuciem stylu prezentował się w nim całkiem swobodnie.

– Byłoby zrozumiałe, gdyby żywił pan do mnie urazę – ciągnęła, nadal przekonana, że czuje do niej niechęć. Bianka jest piękną dziewczyną. Tracąc ją, każdy mężczyzna czułby się rozgoryczony.

– Muszę panią rozczarować, madame, ale te obiekcje wcale nie miały wpływu na moje postępowanie. – Przysunął się bliżej i lekko zmrużył powieki, z czym wyglądał na mężczyznę niebezpiecznego. – Kiedy chcę dostać coś, czego naprawdę pragnę, nic – powtarzam, nic – nie jest w stanie zawrócić mnie z drogi.

Eleonora nie potrafiła oderwać od niego oczu. Starała się oddychać wolno, myśląc tylko o tym, aby jej serce przestało bić tak szybko. Nie wątpiła, że mówił prawdę, twierdząc, iż zawsze dostaje wszystko, czego pragnie, ale przez jedną chwilę intensywne spojrzenie Bentona zdawało się dawać do zrozumienia, że tym razem chodzi mu o nią. Niesłychane.

Rzecz jasna, to śmieszne. Doprawdy, śmiechu warte. Eleonora natychmiast odrzuciła te zuchwałe rojenia, przekonana, że się myli. A może za tym tęskniła? Gwałtownie cofnęła się o krok.

– Jeśli nie chodzi o moje poczynania, to w takim razie czym należy wyjaśnić zmianę w pańskim zachowaniu? Przedtem po prostu się pan uganiał za Bianką.

– Owszem, z początku. – Oczy dziwnie mu pociemniały.

– A później?

Później zauważył ją. Wprawdzie nie powiedział tego na głos, ale wyczytała to w jego oczach. Natychmiast jednak skarciła się w duchu za tę niedorzeczną myśl. Te pragnienia kryły się głęboko, w od dawna zapomnianym zakątku, gdzie zepchnęła je samotność.

– Jestem znacznie starszy od siostry. Nawet pani to zauważyła.

– Owszem, dostrzegłam różnicę wieku – przyznała.

– Mówiła pani o mnie tak, jakbym był starcem stojącym jedną nogą w grobie.

– Nigdy czegoś takiego nie powiedziałam.

– Ale wynikało to z pani słów, a jako dżentelmen nigdy nie nazwę damy kłamczuchą. Jednakże różnica wieku jest tylko jedną z przeszkód. Po kilku spędzonych razem chwilach zrozumiałem, że Bianka, choć urocza, jest jeszcze młodziutka. A ja pragnąłbym kobiety. – Uśmiechnął się do niej szeroko. – Mam nadzieję, że siostra zanadto nie rozpaczała?

– Jest pan tego pewien? – spytała gniewnie. – Może Bianka w oczach innych mężczyzn już teraz ma zrujnowaną reputację?

– Zrujnowaną? – Rzucił jej dziwne spojrzenie. – Żadne z nas dwojga w to nie wierzy, lady Eleonoro.

– Hm... – mruknęła i spojrzała na niego z wyrzutem.

– Cóż to za spojrzenie? – spytał. – Czy ma oznaczać, że pochwala pani mój romans z siostrą? Doprawdy, lady Eleonoro, powinna się pani zdecydować. Nic dziwnego, że kobiety uważa się za płoche, skoro nawet osoba tak rozsądna, jak pani, zachowuje się irracjonalnie.

Rozsądna? Czyżby nazwał ją rozsądną?

– Rzecz jasna, nie pochwalam.

– Wspaniale! W takim razie jesteśmy jednego zdania. – Benton pochylił głowę i uśmiechnął się do niej przewrotnie. – Może przejdziemy się wśród drzew? Ścieżka jest dobrze widoczna i w wielu miejscach zacieniona.

Eleonora nagle zamrugała powiekami. Sprytne uwagi Bentona wytrąciły ją z równowagi. Gdyby go nie znała, mogłaby przysiąc, że z nią flirtuje, co było przecież absurdalne.

W pierwszym odruchu chciała odmówić, ale się zawahała. Znalazła się tu dlatego, że nie chciała uczestniczyć w przyjęciu. Cóż jej szkodziło zgodzić się na jego towarzystwo?

Skwapliwie położyła mu dłoń na ramieniu.

– Czy zna pan tę część posiadłości?

– Ani trochę – odparł z rozbrajającą szczerością. – Ale nie jestem na tyle londyńskim mieszczuchem, żebym nie potrafił iść starannie wytyczoną ścieżką. Proszę się nie obawiać, lady Eleonoro. Nie zaciągnę pani w żadne odludzie.

Zaśmiał się cicho, jakby to miał być żart. Eleonora zastanawiała się, czy przypadkiem nie wypił za dużo, jednak nie czuła od niego alkoholu. Uznała, że może zachowuje się zbyt sztywno. Postanowiła nie zwracać uwagi na jego dziwne zachowanie i cieszyć się miłym otoczeniem.

Przecięli rozległy trawnik i skierowali się na ścieżkę prowadzącą do sadu. Eleonora po białych pączkach poznała jabłonie. Drzewa owocowe wkrótce ustąpiły miejsca leśnym, ścieżka wiodła pod górę. Wicehrabia troskliwie trzymał ją pod ramię podczas wspinaczki, grunt bowiem wznosił się coraz bardziej.

Szli w milczeniu i słychać było tylko szmer ich oddechów – a raczej jej oddechu. Stromy stok pagórka i szybkie tempo sprawiły, że się zadyszała, czego nie można było powiedzieć o nim.

– Ach, oto i staw – mruknął, gdy stanęli na szczycie. – Całkiem spory. Może przyjrzymy mu się z bliska?

– Z przyjemnością. – Eleonora chwyciła go mocniej za ramię, gdy schodzili w dół, bojąc się potknąć i upaść.

– Jest pani wyjątkowo miła dzisiejszego popołudnia, lady Eleonoro. Podoba mi się to – stwierdził, unosząc brew.

Już otwierała usta, żeby się odciąć, ale nie zdążyła nic powiedzieć. Szli wśród wielkich drzew, twarz Bentona częściowo przysłonił cień, a w jego profilu i zarysie podbródka było coś takiego, co sprawiło, że serce zaczęło jej bić mocniej.

Co się z nią dzisiaj dzieje? Wystarczyło, że na nią spojrzał, a już traciła rozsądek! Eleonora usiłowała uwolnić się od tych dziwnych nastrojów, koncentrując uwagę na nierównościach ścieżki, ale nadal wyraźnie czuła jego obecność u swego boku.

Gdy stanęli na dole, wiedziała, że nie musi dłużej trzymać się tak mocno jego ramienia, ale jakoś nie potrafiła go puścić. Jakby wyczuwając jej rozterkę, wicehrabia bliżej przyciągnął jej ramię, jakby chciał zamknąć je w pułapce.

Eleonora nie odezwała się słowem.

Staw otaczały po jednej stronie wspaniałe, wiekowe drzewa, których gałęzie niemal dotykały lustra wody. Wszędzie rosło mnóstwo polnych kwiatów, ich żywe barwy cieszyły oko. Eleonora chętnie zerwałby kilka i uśmiechnęła się na myśl, z jakim zdumieniem ojciec powitałby jej powrót na przyjęcie z całym naręczem, co byłoby przecież zupełnie naturalne.

Kiedy zeszli nad wodę, szybko spostrzegła, że nie są sami. Mały chłopiec, mniej więcej pięcioletni, biegł wzdłuż stawu po przeciwnej stronie, a jakaś kobieta, zapewne bona, stała nad brzegiem.

– Nie wiedziałam, że Ashfieldowie mają takie małe dzieci – zauważyła.

– Och, jest ich sporo. Najstarszy ma prawie tyle lat, co ja. Ten malec musi być najmłodszy.

– A może to wnuczek?

Nim wicehrabia zdołał odpowiedzieć, chłopiec zaczął głośno płakać, podczas gdy bona próbowała odciągnąć go od wody.

– Biedaczek stracił swoją łódeczkę – zauważyła Eleonora, wskazując na miniaturowy stateczek dryfujący na środek stawu.

– Rzeczywiście – zgodził się wicehrabia. – A sądząc z jego krzyków, bardzo mu jej żal.

Lament dziecka przybrał na sile, gdy podeszli bliżej, a potem nagle ustał.

– Przepraszam państwa za ten hałas – powiedziała bona z lekkim ukłonem – ale łódeczka Aleksandra zerwała się ze sznurka i odpłynęła. Mówiłam mu, że nie powinien brać jej tu ze sobą, ale się uparł!

– Widzisz, młodzieńcze, co się dzieje, kiedy nie słuchasz kobiet? – spytał malca Benton.

– Tak, sir! – chlipnął chłopiec, próbując się uspokoić.

Wicehrabia spojrzał na staw.

– Obawiam się, że skoro nie ma wiatru, łódka zapewne pozostanie tam, gdzie teraz jest.

– Wiem! – Chłopcu znów oczy zaszły łzami. Wytarł nos rękawem kurteczki i, przygnębiony, zwiesił głowę.

Choć Eleonora również uważała, że dziecko winno było usłuchać bony, zrozpaczona mina malca sprawiła, że ścisnęło się jej serce.

– Głowa do góry, Aleksandrze. – Wicehrabia poklepał chłopca po ramieniu. – Musimy coś wymyślić, żeby odzyskać twoją zabawkę.

– Odzyskać?

– Tak. To bardzo ładna łódeczka. Nie możemy tak po prostu jej zostawić. – Wicehrabia ściągnął żakiet i podał go Eleonorze.

– Co pan robi?! – zawołała przerażona.

Uśmiechnął się w odpowiedzi.

– Wprawdzie to nie fontanna, ale jak pani wie, zawsze ciągnie mnie do wody.

– O Boże, chyba pan nie zamierza zdjąć z siebie ubrania, milordzie?

Benton uśmiechnął się szerzej, nie przestając się rozbierać. Gdy zdjął już haftowaną kamizelkę i rozluźnił halsztuk, podwinął rękawy białej koszuli. Eleonora zauważyła jego smukłe i dobrze umięśnione przedramiona, porośnięte ciemnymi włoskami. Ten widok sprawił, że zakręciło się jej głowie.

– O Boże, jak to słońce przygrzewa! – jęknęła, wachlując się energicznie ręką.

– Niech pani usiądzie w cieniu, milady – podsunęła jej bona. – Cała twarz pani poczerwieniała.

Zakłopotana Eleonora jeszcze szybciej poruszyła dłonią w nadziei, że wicehrabia nie dosłyszał uwagi bony. Z ulgą stwierdziła, że najpewniej nie, bo stał teraz nad stawem, mocno pochylony, i gawędził z chłopcem.

Najwidoczniej ustalił już jakiś plan działania, bowiem śmiało wszedł do wody. Eleonora aż zamrugała oczami, widząc, jak jego pięknie wypolerowane buty z czarnej skóry grzęzną w mule powyższej kostek.

Benton skrzywił się, ale posuwał się dalej, póki woda nie sięgnęła brzegu jego wysokich butów. Eleonora patrzyła, jak pochyla się to w jedną, to w drugą stronę, i przez chwilę sądziła, że wpadnie do stawu.

Z zapartym tchem śledziła jego ruchy, szybko się jednak zorientowała, że usiłuje jedynie zyskać mocne oparcie na dnie. To wyjaśniało, dlaczego nie zdjął butów. Gdy zdołał stanąć całkiem pewnie, pochylił się do przodu i wzburzał powierzchnię wody obydwiema rękami, a potem cofał je gwałtownie. Powtarzał nieustannie ten gest, wywołując drobne fale.

Dopiero po dłuższej chwili fale dotarły do łódeczki, a wtedy zabawka drgnęła, a następnie ruszyła z miejsca, kierując się ku brzegowi.

– To działa! To działa! – wołał Aleksander i, skacząc radośnie, podbiegł bliżej brzegu.

– Spokojnie, chłopcze! – zawołał Benton, niemal równie podniecony, jak chłopiec. – Musisz cierpliwie poczekać, aż łódka do ciebie dopłynie. Jeśli wpadniesz do wody, obaj dostaniemy solidną burę od twojej bony!

Chłopiec roześmiał się, ale usłuchał rady. Dość długo trwało, zanim łódeczka dopłynęła na tyle, by można ją było wyłowić. Eleonorę niemal rozbolały ramiona od samego patrzenia, jak wicehrabia cierpliwie przebiera rękami, a mięśnie karku i ramiona prężą się przy każdym ruchu.

– Mam ją! – wrzasnął Aleksander i uniósł ociekającą wodą zabawkę nad głową.

– Świetna robota, Bentonie! – rozległ się ze szczytu pagórka głęboki głos lorda Atwooda.

Eleonora odwróciła się i ujrzała markiza z żoną, która uwiesiła się jego ramienia, gdy schodzili ze stoku. Za nimi postępowało kilka par; Eleonora zmrużyła oczy w słońcu i zdołała rozpoznać Biankę, lorda Waverly'ego, Dawsona oraz Emmę.

– Mądry mężczyzna nigdy nie traci okazji, żeby odegrać rolę bohatera – odparł wicehrabia, wycofując się ze stawu. – Tyś mnie tego nauczył, Atwoodzie.

– Istotnie! – I obaj ze śmiechem poklepali się po plecach.

– Tym razem też nie rozebrałeś się do rosołu, wchodząc do stawu – dodał Dawson. – Brawo!

– Czemu się tak dziwisz? Potrafię zachować się w cywilizowany sposób, jeśli okoliczności tego wymagają – odparł wicehrabia, opuszczając podwinięte rękawy.

– Uratował moją łódkę! – zawołał Aleksander, wciskając się w środek całej grupy. – Czy to nie wspaniałe?

– Zachowuj się jak należy, Aleksandrze – upomniała go bona, podbiegając do chłopca. – Och, przepraszam państwa najmocniej! Mój podopieczny bywa czasem bardzo uparty, zwłaszcza jeśli bardzo się czymś przejmie.

– Ależ nic się nie stało – odparł wicehrabia, mierzwiąc chłopcu włosy. – Jednakże twoja bona ma rację. Powinieneś się ładnie przedstawić.

Aleksander zasłużył na pochwałę, kłaniając się damom i podając rękę wszystkim panom, którym zaprezentował go Benton. Potem jeszcze raz podziękował wicehrabiemu i odszedł razem z boną.

– Co za uroczy chłopiec – rzekła ze smutkiem lady Dorota.

– Och, niezły z niego urwis – uśmiechnął się Benton. – Jednak jestem zadowolony, że wszystko się dobrze skończyło. Bardzo mu zależało na tej łódeczce.

– W jaki sposób zdołałeś ją wydobyć, nie wchodząc w ubraniu do wody? – spytał lord Waverly.

Wicehrabia wyjaśnił wszystko z humorem i tak obrazowo, że wszyscy zanosili się od śmiechu. Kiedy wracali na przyjęcie, Eleonora z zadowoleniem spostrzegła, że Bianka jest odprężona, rozbawiona i najwyraźniej nie pamięta już o swoim poprzednim zauroczeniu Bentonem.

Uwagę jej całkowicie pochłaniał lord Waverly, który uważał, by nie potknęła się na korzeniach wystających na ścieżce. Ten przystojny młodzieniec, zaledwie kilka lat starszy od Bianki, wydawał się miły. Oczywiście należało zasięgnąć języka, ale najwyraźniej byłby to dobry kandydat na męża dla jej siostry.

– Kto by pomyślał, lady Eleonoro, że nasza mała przechadzka po lesie przeobrazi się w taką przygodę? – spytał Benton, gdy zbliżali się do stołu z napojami chodzącymi.

– Prawdę mówiąc, bardzo się cieszę, że pan się tam znalazł – odparła, biorąc do ust ciasteczko, choć w ogóle nie czuła głodu. – Nie byłabym w stanie pomóc Aleksandrowi.

Wicehrabia nachylił się tak, że jego wargi znalazły się tuż przy jej uchu.

– Nie chce mi się wierzyć, że zostawiłaby pani tego biednego chłopca bez żadnej pociechy.

– Obawiam się, że nie podzielam pańskiej fascynacji wodą, milordzie – odparła, odchylając się do tyłu, by spojrzeć mu w oczy.

– A szkoda. – I znów uśmiechnął się do niej zniewalająco.

Odwzajemniła mu się uśmiechem, zastanawiając się, czy właściwie ocenia jego intencje.

Nie miała zwyczaju demonizować czy osądzać kogokolwiek bezwzględnie. Mimo opinii rozpustnika wicehrabia nie wydawał się taki zły. Kończąc ciasteczko, przyglądała mu się uważnie, z wyraźnym zaciekawieniem. Najwidoczniej pod tą pełną uroku powierzchownością kryło się coś więcej.

Sebastian, oparty niedbale o pień wysokiego dębu, patrzył, jak Eleonora wsiada do powozu. Bianka wkrótce poszła w jej ślady, a jego po raz kolejny uderzyła zaskakująca różnica między tymi dziewczętami. Eleonora nie mogła się równać z siostrą o eterycznej urodzie, ale miała dobrą figurę i jakiś dziwnie zmysłowy wdzięk w ruchach. Gdyby zdjęła te niemodne suknie i całkiem nieodpowiedni kapelusz, niewątpliwie wyglądałaby bardzo atrakcyjnie.

Przybył na to przyjęcie z wyraźnym zamiarem odszukania jej i zadowolony był z rezultatu. Tego popołudnia zrobił dobry początek, choć wiedział, że musi postępować ostrożnie. Eleonora nie była naiwną młodą dziewczyną, ale osobą inteligentną i przenikliwą. Po jej pełnych rezerwy spojrzeniach i zagadkowej minie poznał, że wydaje się jej podejrzany i on sam, i względy, które tak nieoczekiwanie zaczął jej okazywać.

Dojrzał jednak też coś innego, co dodało mu odwagi. Zainteresowanie, a nawet podniecenie. Choć usiłowała z tym walczyć, pociągał ją. On zaś miał zamiar posłużyć się swoją atrakcyjnością, żeby przełamać jej opory i zdobyć zaufanie. Kiedy już tego dokona, reszta okaże się dziecinnie łatwa. Pchnie ją dokładnie tam, gdzie zamierzał.

Jedyną przeszkodą, która go bardzo niepokoiła, okazała się Bianka. Eleonora była do niej szczerze przywiązana i wyjątkowo lojalna. Unikałaby go za wszelką cenę, gdyby czuła, że sprawi tym przykrość Biance. Na samym wstępie popełnił wielki błąd, usiłując zjednać sobie młodszą z córek Hetfielda, ale na szczęście jego krótkie zaloty w niczym jej nie zaszkodziły. Za to zainteresowanie Waverlym wyglądało na całkiem szczere.

Ach, te płoche serca dziewczęce!

Ciekawe, czy serce Eleonory również okaże się takie. Jednakże szybko przestał się martwić. To przecież bez znaczenia. Nie interesowało go jej serce. Zamierzał ją uwieść i posunąć się tak daleko, by zrujnować jej reputację. Na tyle daleko, by sprowokować ojca do pojedynku i zaspokoić trawiący go głód zemsty.

Obmyślając następne posunięcie, podszedł do stołu z napojami, uznając, że zasłużył sobie na kieliszek w nagrodę za dobrą robotę, jaką wykonał tego popołudnia.

8

Następnego ranka, gdy Eleonora haftowała, a Bianka czytała, przyniesiono wspaniałe bukiety. Róże cieplarniane, lilie na długich łodygach, żonkile i pęczki fiołków. Ich żywe kolory rozjaśniły salon, a zapachy wypełniły całe pomieszczenia. Służba przynosiła wazony, w których obie siostry układały kwiaty.

– Fiołki są od pana Hartgrove'a, żonkile przysłał sir Whitney, a wicehrabia Ogden – lilie. Czyż nie są śliczne, Eleonoro? – Twarz Bianki promieniała. – Och, spójrz, te przepiękne róże przysłał lord Waverly!

– Czerwone róże? To chyba z jego strony zbytnia śmiałość. – Eleonora uniosła brwi, choć raczej żartem. – Ale ty nie wydajesz się zaskoczona.

– Ale jestem. Aj! Jakie ostre kolce! – Bianka włożyła do ust krwawiący palec. – Lord Waverly był wczoraj uroczy i bardzo mi nadskakiwał, ale ja wiele nauczyłam się po przygodzie z wicehrabią Bentonem. Zamierzam poczekać, póki nie okaże mi prawdziwego zainteresowania, i dopiero wtedy je odwzajemnię.

– Powinien był przysłać te kwiaty znacznie wcześniej! – odezwał się od drzwi hrabia. – Nie rozumiem, czemu tyle czasu zabrało temu dżentelmenowi zwrócenie na ciebie uwagi, Bianko.

Eleonora obejrzała się gwałtownie. Hrabia był ostatnią osobą, którą spodziewała się tu zobaczyć, bo nigdy nie wstawał tak wcześnie. Poza tym nie wiedziała, co usłyszał z ich rozmowy.

– Bianka zrobiła ogromne wrażenie na wielu mężczyznach – odparła.

– Widzę, widzę. Ten pokój wygląda jak cieplarnia! Dobra robota, dziewczyno.

Bez pytania o pozwolenie wyciągnął rękę i wyjął z dłoni Bianki liściki. Gdy już wszystkie przeczytał, jego twarz nadal pozostawała bez wyrazu. Eleonora zastanawiała się, czy nie szukał wśród nich jakiegoś konkretnego nazwiska.

Hrabia odwrócił się, niczego nie zdradzając. Nim opuścił salon, wszedł lokaj, niosąc ogromny bukiet, wspaniałą wiązankę trzech tuzinów białych róż na długich łodygach. Gdy jednak hrabia wyjął wsunięty między kwiaty bilecik, zmarszczył brwi z niesłychanym zdumieniem.

– Wierzcie albo nie, ale to kwiaty dla Eleonory!

Dla niej? Uniosła dłoń do ust, by stłumić okrzyk zdumienia. Nie chciała dać hrabiemu satysfakcji, okazując zaskoczenie. Podał jej zapieczętowany bilecik i wyszedł bez słowa.

Jego obojętność sprawiła jej przykrość, ale żal szybko minął.

– Doprawdy, Eleonoro, otwórz go wreszcie! – prosiła Bianka głosem pełnym podniecenia.

Mimo że starała się panować nad sobą, serce jej głośno załomotało, kiedy złamała pieczęć.

– „Dziękując za ryzykowne popołudnie. Pani najgorętszy wielbiciel" – przeczytała na głos. Odwróciła kartkę zaintrygowana, ale nie było żadnego podpisu.

– Pozwól, niech obejrzę. – Bianka niecierpliwie schwyciła bilecik. – Śmiały i wyrazisty charakter pisma. Bez wątpienia sam to napisał.

– Ależ spędziłam większą część wczorajszego popołudnia z wicehrabią Bentonem... – powiedziała zmieszana.

Bianka spojrzała na siostrę, szeroko otwierając oczy.

– Myślisz, że to on przysłał?

– Nie mam pojęcia dlaczego.

– Pewnie stał się teraz twoim wielbicielem – podsunęła jej Bianka. – Może jest rozpustnikiem, ale nie głupcem.

– To raczej żart – prychnęła z niedowierzaniem Eleonora.

– Przestań! – ofuknęła ją Bianka. – Przykro mi, że tak nisko się oceniasz. Przecież masz tyle zalet! Jesteś ładna, zgrabna, lojalna, masz bystry umysł. Mężczyzna, który zdobędzie twoje uczucia, powinien uważać się za szczęśliwca.

Eleonora wpatrywała się w kartkę. Śmiałe, zamaszyste pismo znamionowało siłę i zdecydowanie. Pasowało to do Bentona. Czy on przysłał jej róże? A jeśli tak, czemu się nie podpisał? Napotkała spojrzenie siostry.

– Choć nadal uważam za nieprawdopodobne, by list i kwiaty przysłał Benton, czy bardzo byś się tym zmartwiła?

Bianka milczała przez chwilę.

– Nie, ani trochę – odparła w końcu, ujmując rękę Eleonory. – Nie ma powodu, bym miała o nim źle myśleć. Choć jako dobra i wierna siostra czuję się w obowiązku ostrzec cię przed nim. To rozpustnik, niestały do szpiku kości. – Bianka uśmiechnęła się, a wewnętrzny niepokój Eleonory złagodniał.

Jeśli z jakichś szaleńczych powodów wicehrabia rzeczywiście się nią zainteresował, wolno jej będzie go wybadać, gdyby tego pragnęła. A czy rzeczywiście pragnęła? Prawdę mówiąc, sama nie wiedziała.

Ledwie kwiaty poukładano w wazonach, zaczęły napływać zaproszenia. Żałośnie mały stosik, który psuł im humor w pierwszym tygodniu pobytu w Londynie, zmienił się teraz w istną powódź. Eleonora zdawała sobie sprawę, że aprobata lady Doroty otworzyła przed nimi wiele drzwi i była jej wdzięczna za udzielone wsparcie.

Zapraszano je na bale, wieczorki, spektakle teatralne, a także koncerty, obiady i pikniki.

– O Boże, samo czytanie zajmie nam cały tydzień – stwierdziła z satysfakcją Eleonora.

– Na dzisiejszy wieczór mamy co najmniej trzy propozycje – zachwyciła się Bianka. – Na co się decydujemy?

– Obiecałyśmy już pójść do teatru z lady Dorotą – przypomniała jej siostra. – Teść pozwolił im skorzystać ze swej loży. Byłoby bardzo nieuprzejmie odwoływać teraz to spotkanie.

– Myślałam, że umawiałyśmy się na jutro! Sama już nie wiem, co się ze mną dzieje w tych dniach! – Bianka objęła wazę z czerwonymi różami od lorda Waverly'ego i zanurzyła twarz w wonnym bukiecie.

Rozmarzony wzrok siostry uświadomił Eleonorze, o czym Bianka myśli.

– To premierowy spektakl *Snu nocy letniej*. Przyjdą wszyscy. Z pewnością zawrzemy wiele nowych znajomości.

Bianka uśmiechnęła się łagodnie.

– Nie musisz mnie namawiać, Eleonoro. Nie mogę się tego przedstawienia doczekać!

– I ja także – zawtórowała jej Eleonora, spoglądając na wazę pełną starannie ułożonych białych róż. – Sztuki Szekspira zawsze tak mnie poruszają!

Eleonora tylko raz była w teatrze Drury Lane, dawno temu, podczas owego fatalnego londyńskiego sezonu. Zaproszono ją chyba tylko po to, żeby uzupełniła liczbę gości. Początkowo sztuka jej się podobała, ale już po dziesięciu minutach spostrzegła, że wykonawca roli Hamleta jest niesłychanie podobny do Johna Tannera, którego właśnie porzuciła.

Przejęła się tym ogromnie, a ból przeszywający jej serce przypomniał o tym, czego nigdy nie zazna, o miłości, której już z nikim nie podzieli, o utraconych perspektywach.

Walczyła z tym żalem, a nawet uroniła kilka łez w trakcie przedstawienia, wdzięczna Szekspirowi za to, że w swojej tragedii ukazał dużo większe nieszczęścia. Zauważono jednak tę reakcję i na zawsze zyskała opinię osoby przewrażliwionej, co przekreśliło jej i tak mizerne szanse na sukces towarzyski.

Teraz, wchodząc do teatru, całą siłą woli zmusiła się, żeby nie myśleć o tamtym incydencie. Jak się spodziewała, przybycie ich dużej i rozbawionej grupy wywarło spore wrażenie. Kiedy weszli do książęcej loży i zajmowali krzesła, dotarł do niej rosnący gwar.

Eleonora usunęła się, zachęcając Biankę do zajęcia miejsca w pierwszym rzędzie. Chciała, żeby siostra mogła widzieć wszystko, korzystając z tej wyjątkowej sposobności, ale też pragnęła, by Biankę zauważono, a zwłaszcza by zrobił to pewien mężczyzna na parterze.

Książę od razu rozsiadł się na przedzie, mając po prawej Emmę, a po lewej Biankę; przy każdej z nich było wolne krzesło. Tuż za nim zajęli miejsca Atwoodowie, siostra lady Doroty, Gwendolina i jej mąż, Jason Barrington. Eleonora z zadowoleniem przycupnęła w trzecim rzędzie na ostatnim z krzesełek, dwa obok niej były wolne.

Mimo że siedziała tak daleko, świetnie wszystko widziała, więc zajęła się obserwowaniem tłumu na widowni. Wysoko urodzeni pojawili się tam licznie, wystrojeni w jedwabie, atłasy i błyszczący od klejnotów. Rozpoznała wiele osób, jednakże wśród przybyłych było też wiele nowych twarzy. Zafascynowana otoczeniem, wyczuła raczej, niż ujrzała, że ktoś usiadł tuż obok.

– Przepraszam za spóźnienie, ale tłok był niesłychany. Czy ominęło mnie coś interesującego? – spytał głęboki, męski głos.

Przeszedł ją dreszcz. Odwróciła się raptownie i ujrzała, że patrzy na nią para roześmianych szarych oczu.

– Wicehrabio!

– Czy coś się stało?

– Nie. – Eleonora wyprostowała się sztywno i na wpół świadomie oparła ręce na biodrach. – Po prostu jestem zaskoczona. Nie wiedziałam, że pan tu przyjdzie dzisiejszego wieczoru.

– Przepraszam. Czy powinienem był może uprzedzić panią listownie?

– Ostrzegając mnie, postąpiłby pan uprzejmie.

Zaśmiał się cierpko. Kilka głów obróciło się ku nim. Eleonora usiłowała uśmiechem zamaskować rumieniec, ale zupełnie bez powodzenia.

Wicehrabia mrugnął do niej, a potem zajął się resztą osób w loży, pozdrawiając wszystkie damy, w tym również Biankę, z czarującym uśmiechem. Eleonora poczuła, że coś ją dusi w gardle.

Kiedy rozmawiał z innymi, mogła mu się lepiej przyjrzeć. Dostrzegła, że końce jego ciemnych włosów kręciły się tuż nad kołnierzem i uznała to za atrakcyjne. Choć był świeżo ogolony, na jego policzkach zaznaczały się dyskretne baczki. Nie psuło to wcale eleganckiego wyglądu, przeciwnie, ten szorstki rys stanowił efektowny dodatek.

– Książę jest dziś w świetnym humorze – zauważył. – Siedzi między dwiema ślicznymi młodymi kobietami jak cierń pomiędzy różami.

– Powiedzenie chyba brzmi: „jak róża pośród cierni".

– Wiem, ale te słowa nie pasują do księcia. Znacznie bardziej przypomina cierń niż różę.

Eleonora chrząknęła i spojrzała na niego z ukosa.

– Dziwne, milordzie, że wspomniał pan o różach. Dostałam dziś rano piękny bukiet złożony właśnie z róż.

– Nic dziwnego. – Wicehrabia poruszył się w krześle, a potem spojrzał na trzymany w ręku program.

Eleonora zamilkła na chwilę, a potem znów zaczęła mówić, patrząc na niego uważnie:

– Kwiaty były przepiękne, powinnam więc podziękować ofiarodawcy. Dołączono do nich jednak nieco zagadkową kartkę, podpisaną jedynie słowami „Pani najgorętszy wielbiciel".

Wicehrabia uniósł głowę.

– Czy próbuje pani wzbudzić we mnie zazdrość, lady Eleonoro? To zwykła kobieca sztuczka, która rzadko wywiera zamierzony skutek.

Eleonora poczuła, że jej twarz tężeje, lecz nim zdołała coś powiedzieć, wicehrabia dodał:

– Jakiego koloru były róże?

– Białego.

– Hm, jeśli się nie mylę – powiedział z uśmiechem – białe róże często kojarzone są z małżeństwem.

– Proszę mi więc wybaczyć ten niedorzeczny błąd – odparła. – W takim razie nie mogą pochodzić od pana.

Nachylił się ku niej i spytał przyciszonym głosem:

– Jest pani pewna?

Spojrzała na niego surowo, ale on tylko uśmiechnął się przebiegle. Na szczęście dla niej w tej chwili światła zgasły, kurtyna poszła w górę i zaczęło się przedstawienie.

Eleonora skierowała więc wzrok na scenę, ale tekst Szekspira jakoś do niej nie docierał. Była znużona, roztargniona i znów szybko poczuła, że ktoś ją obserwuje. Nad jej górną wargą zaczął się perlić pot, gdy usiłowała patrzeć prosto przed siebie.

Wiedziała bez patrzenia, że wpatruje się w nią Benton, ale nie odwróciła się, żeby mu nie sprawiać satysfakcji.

Prowadził z nią jakąś grę. Intrygowała ją ona, niecierpliwiła, podniecała i zastanawiała. Nie pojmowała jej reguł, co czyniło rezultat bardziej niebezpiecznym.

Po pewnym czasie, który wydał się jej wiecznością, znów zapaliły się światła, a widzowie zaczęli wymieniać różne uwagi. Eleonora niemal osunęła się w swoim krześle, tak wielką uczuła ulgę.

– Czy podoba się pani przedstawienie? – spytał Benton. – Lizander był wspaniały, ale sądzę, że aktor grający Puka jest za stary do tej roli.

– Wszystko wydaje mi się wprost nadzwyczajne – odparła, zdając sobie sprawę, że nie ma pojęcia, co właściwie oglądała, bo jej uwagę tak zaprzątał wicehrabia, że nie była w stanie śledzić akcji.

Odwróciła się celowo, żeby porozmawiać z lady Dorotą, przyjęła też z zadowoleniem propozycję lorda Atwooda, który zaproponował, że jej przyniesie szklaneczkę lemoniady. Zbyt późno pojęła, że byłoby mądrzej towarzyszyć im, bo w ten sposób miałaby okazję, żeby wyjść z loży i jakoś oprzytomnieć.

Benton, jakby przeczuwając, że chce mu się wymknąć, przysunął się do niej z krzesłem.

– Teraz, kiedy zapaliły się światła, musimy obserwować tłum i słuchać, o czym wszyscy mówią.

Eleonora spojrzała na niego z niechęcią.

– Dlaczego wszyscy tak się interesują poczynaniami innych ludzi?

– Bo ich własne życie jest nieciekawe i bez znaczenia. – Benton z westchnieniem przechylił głowę na bok. – Chyba nie uraziłem pani tą uwagą?

Eleonora wiedziała, że powinna się była obruszyć. Cóż by jej kazało mieszać się w sprawy innych ludzi?

– Będę słuchać, milordzie, ale niczego, co usłyszałam, nie powtórzę. Ani jednego słowa. Nikomu.

– Ach, cnotliwa plotkarka. Powinno mnie to powstrzymać od komentarzy, nieprawdaż?

Uniosła brwi, starając się przybrać wyniosły wyraz twarzy, ale on patrzył już z uśmiechem przed siebie, nie dbając o jej reakcję. Wkrótce zrozumiała, że tylko sobie z niej zażartował.

– Szkoda, że nie ma pan przy sobie lornetki, żeby móc zajrzeć do innych lóż – powiedziała. – Bóg jeden wie, co mógłby pan tam odkryć.

– Używają ich tylko amatorzy i wdowcy o słabym wzroku.

Ujął jej dłoń i położył na swoim rękawie, co pozwoliło mu bliżej się ku niej nachylić. Zatrzepotała rzęsami, czując bijący od niego świeży, męski zapach.

– Zawiera się w tym cała sztuka, której musi się pani nauczyć, w dodatku prędko. Proszę się rozejrzeć po teatrze, niby przypadkowo, jakby pani kogoś szukała wzrokiem. Szybko pani spostrzeże, co trzeba, na nikim nie zatrzymując dłużej wzroku.

– Czy w ten właśnie sposób ludzie dobrze urodzeni spędzają czas? – spytała. – Nic dziwnego, że w Izbie Lordów panuje totalny chaos.

– Znając najsmakowitsze plotki, zawsze zyskuje się przewagę. Książę, nasz przyszły król, jest w tym dużo lepszy od innych. Jeśli chce pani tu przetrwać, trzeba sobie przyswoić tę sztukę. Proszę tylko spróbować!

Eleonora wiedziała, że Benton żartuje, lecz nie mogła się oprzeć pokusie. Posłusznie powiodła wzrokiem po tłumie.

– Dobrze poszło?

– Możliwie, jak na pierwszy raz. – Zniżył głos do konspiracyjnego szeptu. – Proszę spojrzeć na parę siedzącą o jeden rząd niżej, po lewej pani stronie.

– Którą parę, milordzie? Proszę mi dokładniej wyjaśnić.

– Dama w żółtym stroju, mająca na głowie stroik najokropniejszy z możliwych.

Eleonora uniosła podbródek i jakby przypadkiem odwróciła głowę. Oczy się jej rozszerzyły, kiedy dostrzegła wskazaną parę.

– Chyba ich zauważyłam.

– Wzbudzili dzisiaj prawdziwą sensację.

– Dlatego że tej damie kompletnie brak gustu?

– Brak gustu jest czymś niewybaczalnym, ale nie dlatego wszyscy o nich mówią. – Wicehrabia przerwał na chwilę. – Mężczyzna po lewej stronie damy to jej kochanek.

Eleonora uniosła brwi, a Benton wzruszył ramionami. Spojrzała jeszcze raz w tamtym kierunku, dziwiąc się, która z dam ma tyle śmiałości, by pokazywać się publicznie z mężem i kochankiem jednocześnie. Mąż spojrzał nagle w górę i dostrzegł, że Eleonora na niego patrzy. Uśmiechnął się do niej szeroko, całkiem świadomie.

– O Boże, zauważył mnie! – szepnęła.

– Dokonała pani podboju. Brawo, lady Eleonoro!

– Nie mogę powiedzieć, żeby mnie to bawiło – powiedziała w nagłym przypływie wesołości.

Spojrzał na nią ze smutkiem.

– Można w ten sposób spędzać czas, kiedy się człowiek nudzi. Przypuszczam, że nielicho zasiliłem ten plotkarski młyn, mogę więc chyba liczyć na pewną wyrozumiałość.

– Przyniosłem pani lemoniadę, lady Eleonoro.

– Dziękuję, lordzie Atwood. – Eleonora z wdzięcznością wzięła od niego szklaneczkę, ponieważ bardzo zaschło jej w gardle.

Pani Barrington, siedząc w swoim fotelu, powoli sączyła wino. Wymieniano uwagi dotyczące sztuki i gry aktorów. Mężczyźni rozprawiali o najnowszych wydarzeniach w polityce, pozornie zgadzając się ze sobą. Nikt nie plotkował, a wkrótce kurtyna znów poszła w górę.

Przez cały drugi akt Eleonora nie spuszczała z oka Bentona. Patrzył bez przerwy na scenę, choć zauważyła, że bębnił lekko palcami po kolanie.

Podczas przerwy wicehrabia wstał i zaproponował, że wyjdzie na zewnątrz z Emmą, żeby zaczerpnąć świeżego powietrza przed finałem. Popatrzyła w ślad za nimi z pewnym żalem. Rozłożyła wachlarz, próbując ukryć rozczarowanie, a przy okazji ochłodzić twarz i szyję. Chętnie przeszłaby do westybulu wsparta na ramieniu wicehrabiego Bentona.

Natychmiast jednak skarciła się w duchu za te niedorzeczne myśli. To, że ją pociągał wicehrabia, było niestosowne i niemądre. Z pewnością wielu kobietom zdołał zawrócić w głowie. Młodszym, ładniejszym, bardziej interesującym. Nie potrzebował dodawać Eleonory do tej listy.

Dobrze, że przynajmniej Bianka przestała się nim interesować. W antraktach cały tłum młodzieńców składał jej wizyty. Był wśród nich również lord Waverly. Bez trudu mogła dostrzec, jak siostra wesoło z nimi flirtuje, zachęcana do tego przede wszystkim przez księcia.

Uwagę Eleonory tak bardzo przyciągał Benton, że ostatni akt nie zdołał wzbudzić w niej najmniejszego zainteresowania. Westchnęła, gdy sztuka się skończyła, ale sama nie wiedziała, czy z ulgą, czy z rozczarowaniem. Może nie była wielbicielką teatru.

Książę oznajmił, że jest zbyt zmęczony, by im towarzyszyć na późnym przyjęciu, lecz inni pragnęli bawić się dalej. Gdy wychodzili z teatru, deszcz znów zaczął kropić, więc wszyscy rzucili się ku powozom.

Eleonora chętnie przyjęła pomoc lokaja w liberii, wsiadając do zaprzęgniętej w cztery konie karety markiza. Sądząc, że Bianka wsiądzie za nią, z ulgą siadła na pokrytej pluszem ławeczce, strząsając krople deszczu z płaszcza.

Drzwiczki powozu były otwarte, wyjrzała więc przez okienko, wypatrując siostry. Zamiast niej wsiadł jednak do środka jakiś mężczyzna, którego twarzy nie rozpoznała w mroku. Siadł dokładnie naprzeciw niej, a potem uniósł głowę i spojrzał na nią z rozbawieniem.

Wicehrabia Benton! Zdumiała się przez moment, zbyt zaskoczona, żeby zdobyć się na jakąś stosowną reakcję.

– Czekam na siostrę – powiedziała wreszcie, przerywając milczenie.

– Widziałem, że lady Bianka wsiadła do powozu Atwoodów. Sądzę, że lady Dorota, Emma i książę też się w nim znajdują.

– A więc to nie kareta markiza?

– Nie. Moja.

– Och, przepraszam. – Zaczerwieniła się z zakłopotania i wstała, by wysiąść, ale wicehrabia ujął ją za rękę.

– Nie trzeba. Jazda będzie niedługa i oboje zmierzamy do tego samego miejsca.

Zabrzmiało to najzupełniej rozsądnie. Byłoby wręcz niegrzecznie i śmiesznie przesiadać się teraz, skoro – jak już powiedział – nie będą długo jechać, a deszcz znów się rozpadał. Czemu jednak ścisnęło ją w żołądku, jakby to było coś zakazanego, a ona w jakiś dziwny sposób wiedziała, że nie powinna przebywać z nim sam na sam?

– Dziękuję. Przyjmuję pańską propozycję, milordzie – odparła trochę nerwowo.

Skinął głową.

– Będę miał jednak drobną prośbę. Nie potrafię jechać tyłem do kierunku jazdy, bo kołysanie pojazdu powoduje u mnie przykre dolegliwości żołądkowe. Czy nie moglibyśmy zamienić się miejscami?

– Oczywiście. Nie może pan cierpieć z mojego powodu – odrzekła z uśmiechem Eleonora.

Rozgniewało go to.

– Czy uważa pani moje dolegliwości za coś zabawnego, lady Eleonoro?

– Ani trochę. Myślałam właśnie o tym, jak bardzo musi się pan męczyć w czasie długiej jazdy.

– W Londynie powóz często jest koniecznością, ale ja prawie wyłącznie jeżdżę wierzchem i jeśli tylko mogę, unikam karety.

Eleonora rozejrzała się po luksusowo wyposażonym wnętrzu powozu.

– Po cóż więc panu tak efektowny wehikuł?

– To część spadku, jaki odziedziczyłem po babce.

– Współczuję panu z powodu straty. Czy to się stało niedawno?

– Miesiąc temu. – Odchrząknął. – Bardzo mi brak babki.

Ból w jego głosie sprawił, że serce jej się ścisnęło. Utrata kogoś bliskiego nigdy nie jest czymś łatwym. Chętnie powiedziałaby coś, aby złagodzić jego smutek i ból, wiedziała jednak, że słowa nie przynoszą wielkiej ulgi.

Wstała i usiadła po drugiej stronie. Przesunęła się w prawo, by wicehrabia miał swobodę przy zamianie miejsc. Eleonora czekała, aż usiądzie, nim ona to zrobi, lecz w tym momencie pojazd gwałtownie przyspieszył.

Krzyknęła z niepokojem i odruchowo wyciągnęła ręce przed siebie, natrafiając na głowę Bentona, a potem osunęła się na niego całym ciałem, mimo że próbowała zachować równowagę.

Natychmiast objął ją w pasie.

– Czy nic się pani nie stało? – spytał.

– Ja... hm... – Eleonora starała się właściwie dobrać słowa, ale dotyk jego mocnych palców sprawił, że w całym ciele poczuła jakieś kłopotliwe, lecz rozkoszne mrowienie.

Przyciągnął ją tak, że jej dłonie oparły się na jego piersi. Spojrzała na wicehrabiego i dostrzegła, że jej się przygląda. Spojrzenia ich skrzyżowały się, a twarze znalazły tak blisko, że dostrzegła jego ciemne rzęsy. Zaskakująco długie, gęste rzęsy okalające oczy, które wpatrywały się w nią intensywnie.

Poczuła się tak, jakby całe powietrze uciekło jej z płuc. Zawsze uważała, że jest przystojny – smukły, mocny, męski. Był wcieleniem najbardziej występnych marzeń, jakie zdarzyło się jej snuć. Ale uderzało ją w nim i przemawiało do niej coś więcej niż tylko fizyczne piękno. Była to niema obietnica, senna zmysłowość obecna w jego spojrzeniu, błysk świadomego, przewrotnego uśmiechu, który mówił jasno, że chętnie spełni jej najskrytsze marzenia o zakazanych cielesnych uciechach.

Przez ułamek sekundy czuła się cudownie ożywiona. Pozwoliła, żeby tym spojrzeniem wniknął w jej zmysły, żeby podniecenie narastało wewnątrz niej w gwałtownym wirze. Wszystko wokół niej zniknęło, istnieli tylko oni dwoje, tkwiąc w swych objęciach i w karecie jak w pułapce.

Zastygli nieruchomo i trwali tak przez dłuższą chwilę, potem jednak Eleonora oprzytomniała, wróciła do rzeczywistości; wiedziała już, kim jest ona i – co ważniejsze – kim jest on, zdała sobie także sprawę ze śmieszności tej sytuacji.

Był przystojnym rozpustnikiem i robił to, co tacy jak on zawsze robili, nawet z tak pospolitymi istotami jak ona. Cofnęła się gwałtownie, odpychając się od jego twardej piersi. Wydał z siebie tylko głuchy dźwięk pełen zaskoczenia i przestał ją trzymać w pasie.

Eleonora opadła na przeciwległe siedzenie zupełnie roztrzęsiona. Benton przyciągał ją do siebie z taką siłą, że była całkiem oszołomiona.

– Czy tak będzie panu lepiej, milordzie?

– Lepiej pod jakim względem? – spytał, marszcząc brwi.

– Mówię o jeździe powozem, który panem rzuca. A raczej rzuca pana na mnie – odparła i uśmiechnęła się promiennie, nie chcąc przed nim zdradzać kłębiących się w niej uczuć. Wiedziała, że teraz może mu się wydać głupia, ale nie dbała o to. Rozmowa, nawet niezręczna, była najlepszym wyjściem w tej sytuacji.

Spojrzał na nią przenikliwie. Światło ulicznych latarni padało na jego twarz tylko z jednej strony, nadając mu wygląd istoty jakby nie z tego świata. Ten widok sprawił, że poczuła się nieswojo. Zadrżała, sama nie wiedząc dlaczego.

Przebyli krótką drogę na przyjęcie bez słowa i Eleonora była z tego zadowolona. Milczenie pozwoliło jej oprzytomnieć, dało czas na pozbycie się nonsensownych myśli. Wicehrabia Benton był doświadczonym rozpustnikiem. Jego pełne zmysłowości spojrzenia niczego nie oznaczały. Były dla niego czymś tak zwyczajnym jak powietrze.

Eleonora nieraz upominała Biankę, żeby nie traciła głowy w jego obecności. Teraz z cierpkim uśmiechem musiała przyznać, że powinna zastosować tę radę do siebie.

9

Dwa dni później w pałacu Hartgrove'ów Eleonora obserwowała tłum wypełniający salę balową. Podobnie jak na wielu innych balach, panował tam taki tłok, że trudno było kogoś dostrzec. Nagle ujrzała Biankę wirującą w tańcu z rozradowaną twarzą. Jej partnerem był sir Reginald Black, młodzieniec o miłej aparycji i najwyraźniej bardzo nią zainteresowany.

Przez cały wieczór poświęcał Biance wiele uwagi, co budziło konsternację lorda Waverly'ego, który tańczył niezbyt blisko tej pary. Eleonora zanotowała w pamięci, że koniecznie powinna zasięgnąć więcej wiadomości o sytuacji materialnej obu młodych ludzi. Musi czuwać nad Bianką, dopóki siostra nie zawrze małżeństwa z odpowiednim, wartościowym mężczyzną.

W tej chwili jednak nie szukała tak pilnie siostry, lecz Bentona. Od czasu powrotu jego karetą z teatru Eleonora nie mogła przestać o nim myśleć. Odczuła wielkie rozczarowanie, gdy nie przyszedł poprzedniego wieczoru na przyjęcie, po którym grano w karty, a jeszcze bardziej przygnębiła ją nieobecność wicehrabiego w Hyde Parku, gdzie nie zażywał konnej przejażdżki w porze uznanej powszechnie za najwytworniejszą.

Nie przyniesiono też następnego bukietu, więc zaczęła myśleć, że chyba nie on przysłał jej białe róże. Ale w takim razie kto to zrobił?

Dołożyła starań, żeby tego wieczoru wyglądać jak najkorzystniej. Miała na sobie piękną suknię ze złocistego jedwabiu, dość śmiało odsłaniającą gors. Włosy upięła w modną fryzurę, włożyła kolczyki z perełkami i naszyjnik po matce.

Żywiła cichą nadzieję, że tego wieczoru zatańczy z wicehrabią, może nawet zawiruje z nim w walcu. Ale jej przygotowania i nadzieje okazały się płonne. Przeszukała już salę balową, salonik karciany, bufet z napojami chłodzącymi i taras, by dojść do przykrej konkluzji, że Bentona nigdzie nie ma.

Westchnęła, usiłując odsunąć od siebie niedorzeczne myśli. Była po prostu zmęczona, a wyczerpanie powodowało minorowy nastrój. Po raz ostatni pozwoliła sobie ulec niemądrej fascynacji osobą Bentona! Przestał się interesować Bianką, więc nie miała już pretekstu, żeby przebywać w jego towarzystwie.

Po upewnieniu się, że Bianka dobrze się bawi, Eleonora wycofała się z sali balowej. Ruszyła bez celu jakimś korytarzem, a potem weszła w następny. Była tak pogrążona w rozmyślaniach, że dopiero po dłuższej chwili zauważyła, jak bardzo oddaliła się od centrum zabawy. Odgłosy z sali balowej ledwie tu docierały. Skręciła za róg i stanęła, usiłując się zorientować, gdzie się znajduje.

Powinna wracać tam, skąd przyszła, obróciła się więc wokół własnej osi. Ledwie jednak ruszyła z miejsca, usłyszała jakiś dźwięk dobiegający z pomieszczenia naprzeciwko. Drzwi były uchylone, we wnętrzu panował mrok, rozświetlony jedynie blaskiem padającym od kominka.

Dopiero po chwili jej wzrok przywykł do ciemności. Gdy zajrzała do pomieszczenia, dostrzegła sięgające sufitu dębowe szafy pełne oprawnych w skórę tomów. Ogromny księgozbiór zrobił na niej wrażenie, toteż weszła głębiej, żeby się rozejrzeć, lecz nagle dostrzegła, że ktoś tam jest. Przy oknie dostrzegła męską postać.

– Lady Eleonoro, czy to pani?

O Boże, zastała tu Bentona!

– Dobry wieczór, milordzie.

Uśmiechnął się nieznacznie.

– Moja obecność najwyraźniej panią zaskoczyła. Zapewniam, że nie wkradłem się tutaj chyłkiem, ale dostałem zaproszenie.

Oczywiście, że ją zaskoczył! Od samego początku szukała go wszędzie, spodziewając się jego obecności tam, gdzie zabawa wre w najlepsze, a nie w tym odosobnionym zakątku. Nie mogła mu tego jednak otwarcie powiedzieć.

Serce załomotało jej gwałtownie.

– To dobrze, bo nie muszę informować gospodarzy o obecności intruza. Przyzna pan jednak, że mogłam się zdumieć, znajdując pana tutaj. W końcu to biblioteka.

– Sugeruje pani, że jestem pozbawiony głębszej kultury? – spytał ironicznie.

– Skądże, choć nie nazwałabym pana molem książkowym. Doprawdy, trudno mi sobie wyobrazić, jaki rodzaj lektury najbardziej panu odpowiada.

– Och, skandaliczne, nieprzyzwoite tomy, gdzie pełno nieprzystojnych słów i... hm... jednoznacznych sytuacji – odparł z rozbawieniem. – Choć niekoniecznie z obrazkami.

– Z obrazkami? – spytała, podchodząc bliżej. – Takimi jak w książkach dla dzieci?

Oparł się niedbale o ścianę i z porozumiewawczym uśmieszkiem skrzyżował ręce na piersi.

– Ilustracje, które miałem na myśli, nie nadają się dla dzieci.

Eleonora zmarszczyła brwi. Dopiero teraz zaczęła rozumieć, że w ilustracjach może być coś niewłaściwego.

– Nigdy nie widziałam takich książek.

– Wcale mnie to nie dziwi.

Eleonora wzdrygnęła się, czując instynktownie, że chodziło mu o coś skandalicznego, ale nie rozumiała, co miał na myśli. Nie chcąc wpatrywać się w Bentona, błądziła spojrzeniem po półkach.

– Co za różnorodna biblioteka – stwierdziła. – Wszystko tu jest, od dzieł o rolnictwie do klasyki w różnych językach, a obok tego najnowsze powieści. Doprawdy, imponujące.

Zbliżył się z wolna do niej i spojrzał na tę samą półkę co ona.

– Dzieła francuskie, łacińskie, greckie. Czy pani czyta we wszystkich tych trzech językach?

Skinęła głową.

– A także trochę po włosku. Widzę po pańskim spojrzeniu, że uznał mnie pan za sawantkę – odparła, posługując się tym lekceważącym określeniem.

– Nigdy nie używam tego epitetu. Jest uwłaczający – powiedział, przyglądając się jej uważnie. – Zawsze uważałem, że inteligentne kobiety są najbardziej interesujące.

– A jednak ogół społeczeństwa każe im ukrywać zalety umysłu.

– Och, do licha z nim. – Stanął tuż przed Eleonorą. Dzieliło ich zaledwie kilkanaście centymetrów. – Punkt widzenia kobiety inteligentnej zawsze jest dla mnie bardzo cenny. Nie zawsze się z nim zgadzam, ale mimo to go szanuję. Tylko jakiś niepewny siebie półgłówek może myśleć inaczej.

Stała w milczeniu, z satysfakcją rozpamiętując jego wypowiedź.

– Cieszy mnie, że nie muszę przed panem ukrywać własnego zdania.

– Doprawdy, nie zauważyłem, żeby pani kiedykolwiek to robiła – stwierdził z rozbawieniem. – Jestem niezwykle ciekaw, co mi pani powie teraz, kiedy już nawiązaliśmy tak jawną nić porozumienia.

Eleonora walczyła z konsternacją. Przecież bywała już wręcz brutalnie szczera wobec Bentona, zwłaszcza gdy chodziło o siostrę.

– Staram się wyrażać swoje opinie oględnie, milordzie.

– Sebastianie. – Wyciągnął rękę i owinął sobie kosmyk jej włosów wokół palca. – Bardzo bym chciał, żeby mówiła mi pani po imieniu. A ja pani – Eleonoro.

Stanął wręcz niestosownie blisko. Czuła ciepło jego ciała i lekki zapach dobrej wody kolońskiej.

– Jest w pani coś nie dającego się opisać, Eleonoro. Zacząłem zdawać sobie sprawę, że w bardzo dziwnych porach dnia myślę o pani. Jak pani sądzi, o czym to świadczy?

Schyliła głowę. Ucieszyło ją, że on też o niej myśli. Ucieszyło, ale nie całkiem przekonało. Przystojni rozpustnicy, tacy jak on, nie szukają starych panien w rodzaju Eleonory. A jednak oddech miał tak samo przyspieszony, jak ona.

Sebastian objął ją jedną ręką w pasie i przyciągnął do siebie, a drugą uniósł jej podbródek. Spojrzała mu w oczy i wtedy zrozumiała, że zamierza ją pocałować.

Ogarnęła ją nagła słabość.

Nie była młodą, niedoświadczoną dziewczyną. Wiele razy całowała się, i to namiętnie, z Johnem Tannerem. Ale to było coś innego. Ten mężczyzna nie żywił względem niej żadnych głębszych uczuć. Nie mogła jednak zaprzeczyć, że ją zauroczył, że bliska obecność Bentona działa na jej zmysły.

Zalała ją fala sprzecznych odczuć. W ramionach Sebastiana czuła się zuchwała, niemal zepsuta.

I podobało się jej to.

Na jego pełnych, kuszących wargach pojawił się lekki uśmiech.

– Pocałuję cię teraz, Eleonoro.

Mimo zaciekawienia cofnęła się natychmiast. Biblioteka była miejscem odosobnionym, ale nietrudnym do znalezienia. Każdy mógł tu wejść, tak jak ona. Gdyby ich tutaj zaskoczono, graniczyłoby to ze skandalem, a co ważniejsze, dałaby zły przykład Biance, gdyby siostra ujrzała ją w tak kompromitującej sytuacji.

Benton musiał wyczuć jej opór. Jedną ręką unieruchomił jej głowę, chwytając za włosy, druga jego dłoń ześlizgnęła się z jej talii, Eleonora zadrżała, czekając, co teraz nastąpi. Od bardzo dawna nie czuła męskich warg na swoich ustach.

Całe jej ciało zesztywniało. Wpatrzyła się w twarz wicehrabiego. Jej wyraz powiedział prawdę – istotnie zamierzał ją pocałować. Znieruchomiała tak, że niemal przestała oddychać. Pozwoliła jednak, by wszystkie poprzednie zarozumiałe obiekcje znikły, i z radością czekała na to, co miało nastąpić. Serce jej biło niecierpliwie. Miała pewność, że pocałunek będzie władczy i równie zachłanny jak błysk w jego oku.

Gdy jednak wreszcie nastąpił, dotyk jego warg był delikatny i czuły. Nie przemożny, nie miażdżący, nie zaborczy. Rozchyliła usta, gotowa na przyjęcie tej delikatności, która obiecywała coś więcej niż samą namiętność.

Leciutko powiódł językiem po jej wargach i zębach, a potem wsunął go głębiej. Poczuła ciepło w całym ciele. Zaparło jej dech i dreszcz przeszył ją na wskroś. Choć znajdowali się w domu, gwiazdy rozbłysły nad jej głową. Przylgnęła do tego ciepła, delektując się każdą jego drobiną.

– Eleonoro.

Nazwał ją po imieniu. Najpierw musnął ustami policzek, a potem zsunął wargi na jej szyję. Te czułe, delikatne pocałunki sprawiły, że poczuła żar w całym ciele i zawrót głowy, a wszystkie myśli o przyzwoitości rozwiały się jak dym. Nie liczyło się nic poza Bentonem i narastającym w jej wnętrzu z każdą chwilą pragnieniem.

Położył dłoń na jej biodrze, a ona instynktownie przylgnęła do niego, ulegając temu porywowi. Usta jego miały cudowny smak. Objął ją ciasno ramionami, tak że dolna połowa jej ciała przywarła do jego brzucha.

Czyżbym miała moc wzniecania namiętności w mężczyźnie tak światowym i wyrafinowanym? – pomyślała ze zdumieniem.

Pocałowała go kolejny raz, a był to pocałunek jeszcze głębszy, gdy zaś zmusiła się, żeby go przerwać, uniosła głowę i napotkała wzrok Bentona. W oczach wicehrabiego żarzył się płynny ogień. Wstrząsnął nią dreszcz. To był oczywisty dowód pożądania. Coś niesłychanego!

Milczenie przepełniały gwałtowne uczucia i pragnienia niemożliwe do wyrażenia słowami. Poczuła się zakłopotana. Nie pocałunkiem, bo był wprost wspaniały, lecz tym, że niezdolni byli do nawiązania dalszej rozmowy.

– To było w najwyższym stopniu niewłaściwe – wyszeptała.

– To tylko pocałunek, Eleonoro. I, jak mi się wydaje, nie twój pierwszy.

Poczerwieniała. Dotknął jej policzka końcami palców jakby od niechcenia, sprawiając, że jej rozpalone ciało przeniknął dreszcz pożądania.

– Prawda, nie pierwszy, ale jeśli nie zapewni mnie pan o swoich uczciwych intencjach, będzie naszym ostatnim.

Ujął jej dłoń i przycisnął do piersi. Poczuła ciężki łomot jego serca.

– Czemu moje intencje nie miałyby się okazać uczciwe?

– Nie jeden raz słyszałam, co pan sądzi o małżeństwie.

– Nie znaczy to – odparł zaskoczony – że nigdy się nie ożenię.

– Owszem, ale faktom nie sposób zaprzeczyć. Podobno zamierza pan ożenić się po czterdziestce. A jeśli już ma pan żonę ukrytą gdzieś w wiejskiej posiadłości?

Roześmiał się. Z przyjemnością patrzyła na drobne zmarszczki, które pojawiły się w kącikach oczu, podobało jej się to, że wygląda teraz beztrosko, jak chłopiec. Był niezwykle przystojny.

– Nie, nie ma tam żadnej – odparł, patrząc jej prosto w oczy. – Przynajmniej jak dotąd. Choć z pewnością może się to zdarzyć, nim dożyję do czterdziestki, jeśli tylko trafię na odpowiednią kobietę.

Przeniknął ją nagły prąd, lecz powstrzymała radość. Przecież nie mógł naprawdę mieć na myśli tego, co sugerował!

– Ano cóż, założę się, że księga zakładów w klubie u White'a pełna jest tych, które dotyczą czasu trwania pańskiego kawalerstwa.

– Istotnie. Przyznam się, że kilka sam wpisałem, żeby bywalcy nadal snuli domysły – wyjaśnił z rozbawieniem. – Chociaż prawdą jest, że mimo iż dotychczas nie poczułem w sobie przemożnej chęci wstąpienia w związek małżeński, nie znaczy to, że nigdy tego nie zrobię.

– Z powodu tytułu i majątku? – spytała, podając najpospolitsze powody, które z niezrozumiałej przyczyny sprawiły, że poczuła żal.

– Nie uważam tych powodów za najistotniejsze. Doprawdy, Eleonoro, czy w małżeństwie nie powinno się bardziej liczyć coś innego?

– Cóż, są jeszcze pocałunki – odparła lekceważąco.

Spojrzał na nią uważnie.

– Pocałunki to tylko początek.

Poczuła, że cała się rumieni w przypływie pożądania.

124

– Czy próbuje mnie pan uwieść?

– A czy pani tego pragnie? – spytał pozornie żartobliwym tonem.

Jednak wyczuła w tym pytaniu podskórną determinację. Czemu się nią właściwie zainteresował? Czy stanowiła dla niego tylko wyzwanie? A może kryło się w tym coś jeszcze?

– Co za bzdury – skłamała, wiedząc, że powinna uwolnić się z jego uścisku i możliwie jak najprędzej wrócić do sali balowej.

Ujął oburącz jej dłonie, a w jego oczach dojrzała coś, co zaparło jej dech.

– Daję pani słowo, że wprawdzie poznanie kogoś – w sensie biblijnym – jest niezwykłym przeżyciem, to jednak prawdziwa więź między mężczyzną i kobietą ma o wiele większe znaczenie.

– Czyżby rozpustnik cenił w kobiecie coś więcej niż ciało?

Och, jakże pragnęła uwierzyć w jego słowa! Przyjrzała mu się uważnie. Odwzajemnił jej spojrzenie, całkiem jakby się domyślił, że wątpi w jego szczerość.

– Albo jest pan oszustem, albo bardzo zręcznym kłamcą – oświadczyła.

– Albo doświadczonym kochankiem, który w kobiecie chce dostrzec coś więcej niż tylko źródło cielesnej rozkoszy. Czy ma pani tyle śmiałości, by domyślić się tej prawdy?

– Nie muszę się domyślać. Pańskie uczynki świadczą o tym, że jest pan mężczyzną, który zna się na flircie i uwodzeniu, ale – jak podejrzewam – nie chce się w pełni angażować. Pan nie chce ryzykować w tej grze swojego serca.

– Chętnie przyznaję, że nie zaznałem prawdziwej miłości. Nie oznacza to jednak, że nie mogę jej poznać.

Przygładził dłonią jej rozburzone włosy i delikatnie ucałował skroń.

Czułość tego gestu sprawiła, że z piersi Eleonory wyrwało się westchnienie. Zdumiało ją, że okazał się niemal tak podniecający, jak jego namiętne pocałunki.

– Jest pan ukrytym romantykiem – rzekła oskarżycielskim tonem.

– Będę temu zaprzeczał do upadłego.

Ironia zawarta w tych słowach wskazywała, że tym razem mówił szczerze. W tym momencie objawił część swej prawdziwej natury, ukrywanej przed światem. Prócz tego uderzył ją pewien zdumiewający rys.

Wicehrabia czuł się samotny.

Ogarnęło ja współczucie. Patrzył na nią, a w jego wzroku dojrzała coś niemal rozbrajającego. W tej chwili serce zaczęło w niej mięknąć.

Uwodzenie córki hrabiego nie we wszystkim przebiegało tak, jak sobie zaplanował. Ogień płonący na kominku w bibliotece rzucał złocisty blask na postać Eleonory, oświetlając ją od czubka głowy do końców pantofelków. Może tylko lśnienie złotych nitek w jej sukni tworzyło takie złudzenie, a jednak wydała mu się zachwycająca.

Nie tak to miało wyglądać. Zamierzał uwodzić ją z całym wyrachowaniem, metodycznie, bo pragnienie zemsty i pożądanie były jedynymi uczuciami, jakie nim teraz kierowały.

Wiedział, że uwodzenie kobiety o inteligencji Eleonory nie będzie fraszką. Nie wystarczą zwykłe komplementy i nieszczere pochlebstwa. Wymagała czegoś ambitniejszego, głębszego. Aby mu się powiodło, musiał wziąć pod uwagę zarówno jej umysł, jak i ciało.

Zbyt długo żyła w cieniu urodziwej siostry, by zdawać sobie sprawę z własnej wartości i uwierzyć, że łatwo może zainteresować mężczyznę. W tym krył się właśnie cały paradoks. Bianka była prześliczna, a jednak wcale Sebastiana nie pociągała.

Z kolei Eleonora bez trudu sprawiała, że całe jego ciało tężało wręcz boleśnie, a jej pocałunki wzbudzały w nim głębokie pożądanie. Kiedy się rozstali, odczuł dotkliwie skutek niespełnionych pragnień. Był na tyle doświadczonym kochankiem, by wiedzieć, że spowodował to nie tylko brak cielesnego odprężenia.

Potrafiła poruszyć w nim coś, co wiązało się nie tylko z czysto fizycznymi, ale i uczuciowymi potrzebami. Wymienione z nią pocałunki sprawiły, że unosiła go jakaś niekontrolowana siła, niczym woda łódeczkę, którą zdołał zwrócić chłopczykowi podczas garden party. Poryw namiętności pchał go wcale nie tam, gdzie zamierzał przywabić Eleonorę.

Mimo że wolała się z nim spierać, co przecież robiła już wcześniej, dobrze się poczuł w jej towarzystwie. Ze zdumieniem stwierdził, że go wręcz zauroczyła. Bystrością, inteligentnymi uwagami i jawnym pożądaniem.

Robił, co mógł, żeby się tym nie przejmować. Przede wszystkim powinien pamiętać, że jest córką wroga, człowieka, który przyczynił się do śmierci jego matki. Zrozumiał jednak, że trzeba będzie wykorzystać bezbronność Eleonory. Do stu piorunów, nie czas, żeby się zadręczać wyrzutami sumienia. W jego planach nie ma miejsca na żadne wątpliwości i wahania.

– Proszę wracać do sali balowej, nim ktoś spostrzeże pani nieobecność – powiedział, udając, że rzuca tę uwagę całkiem od niechcenia. – Jutro wieczorem możemy kontynuować naszą dyskusję. Wybiera się pani na bal u Tauntonów?

– Chyba tak – odparła cicho.

– Znakomicie. Mają jeszcze większą bibliotekę niż tutejsza, a prócz tego mieści się ona w innym skrzydle pałacu niż sala balowa. Spotkamy się tam punktualnie o jedenastej. Proszę dyskretnie opuścić przyjęcie, żeby to zauważono dopiero po dłuższym czasie. Budynek jest rozległy. Jeśli zgubi się pani, proszę spytać służącego, w jakim kierunku iść.

Sebastian zamilkł, obserwując, jaki będzie rezultat tej propozycji.

Eleonora nie robiła już wrażenia rozmarzonej pocałunkami. Na jej twarzy znów pojawiła się podejrzliwość, ale już bez poprzedniej determinacji. Najwyraźniej zastanawiała się nad tym, co powiedział.

Uznał, że powinien w jakiś sposób pogłębić jej zauroczenie, więc nachylił się, by pocałować ją jeszcze raz. Ujawszy jej twarz w obie dłonie, uczynił to władczo i w pełni doznał satysfakcji.

Z trudem oderwał się od ust Eleonory. Była to wręcz tortura. Gdy ją całował, zaczynał pragnąć czegoś więcej i tylko z trudem mógł się temu pragnieniu oprzeć. Nie było to jednak właściwe miejsce.

Wreszcie odsunął się od niej, a jego przyspieszony oddech rozległ się echem w wielkiej bibliotece.

Eleonora niemal omdlała w jego ramionach i musiał ją podtrzymać, by mieć pewność, czy może stać o własnych siłach. Z zadowoleniem stwierdził, że znów ma szeroko rozwarte oczy i wyraz oszołomienia na twarzy.

– Do jutra, Eleonoro. Proszę pamiętać: punkt jedenasta, w bibliotece. Będę na panią czekał.

Nie dając jej czasu na odpowiedź, łagodnie obrócił ją w stronę drzwi. Gdy tylko wyszła, zamknął je pospiesznie, bo kusiło go, żeby wciągnąć ją z powrotem do wnętrza.

Nie pójdzie tam. Oczywiście, że nie pójdzie. To nieprzyzwoite. Skandaliczne. Szaleńcze!

Eleonora powtarzała sobie te słowa w duchu przez cały dzień tym głośniej, im bardziej się przygotowywała do balu u Tauntonów.

– O, zmieniłaś dekolt w tej sukni z niebieskiego jedwabiu! – zauważyła Bianka, gdy siostra zeszła na dół. – Bardzo ci z tym do twarzy.

– Czy nie wygląda zbyt prowokacyjnie? – spytała Eleonora, nerwowo spoglądając w lustro. Mocno dopasowany stanik odsłaniał znacznie więcej niż inne suknie, pozwalając dojrzeć krągłość piersi. Dodało jej to wiary w siebie.

– Kobiety w pewnym wieku mogą się już ubierać, jak im się podoba, bo i tak nikt ich nie zauważy – stwierdził zniecierpliwiony hrabia. – Liczy się tylko to, żeby Bianka wyglądała odpowiednio ładnie oraz niewinnie. A ona właśnie tak się prezentuje.

– Eleonora też wygląda ślicznie, papo – odparła lojalnie Bianka, ale hrabia już tego nie słuchał, tylko zapiął surdut i wyszedł.

Fatalnie się składało, że całkiem nieoczekiwanie tym razem postanowił towarzyszyć córkom. Jego obecność zmroziła Eleonorę, ale kiedy przybyli do pałacu, szybko zapomniała o zgryźliwych uwagach ojca.

Z niepokojem rozglądała się po tłumie gości, prowadząc jednocześnie uprzejmą rozmowę z gospodarzami przyjęcia. Ledwie jednak zdawała sobie z sprawę, o czym właściwie rozmawia, starając się nie sprawiać wrażenia, że czeka na Sebastiana.

Stwierdziła, że go jej brakuje. Zwłaszcza gdy Biankę otoczył wianuszek adoratorów. Patrząc na mężczyzn, pomyślała, że Sebastian zapewne zna większość z nich. Jego opinie o ich charakterze i stanie majątkowym byłyby bezcenne. Gdyby tylko był tutaj i można go o to zapytać!

Niestety, wicehrabia nie przyszedł do niej jako gość, zresztą dotąd tego nie zrobił. Złożenie wizyty uwielbianej damie było akceptowaną powszechnie drogą do zalotów i nieobecność Bentona sprawiła, że Eleonorę zaczął nękać niepokój, który zresztą szybko udało jej się rozproszyć. Sebastian różnił się od innych mężczyzn; nie powinno jej dziwić, że nie zachowywał się tak jak oni.

– Czy szczęśliwym zbiegiem okoliczności jest pani wolna i może teraz zatańczyć, lady Eleonoro?

Odwróciła się gwałtownie i spojrzała prosto w roześmiane oczy Petera Dawsona.

– Zatańczę z panem z przyjemnością.

Przyjęła dłoń, którą jej zaofiarował. Była mocna i ciepła. Chwyciła ją mocno, a Dawson poprowadził ją ku rzędom ustawiających się par.

Uśmiechnęła się do niego, a potem obydwoje ujęli się za ręce i zaczęli ze sobą gawędzić za każdym razem, gdy pozwalały na to figury tańca. Eleonora pamiętała, że był bliskim przyjacielem wicehrabiego, ale choć korciło ją, żeby o niego spytać, powstrzymała się przed tym.

Dawson był znakomitym tancerzem, stąpał lekko, nie deptał jej po palcach i miał wrodzone poczucie rytmu, co wszystko ułatwiało. Jakimś cudem zdołała rozmawiać z nim i śmiać się, choć bawiłaby się znacznie lepiej, gdyby nie była taka zdenerwowana.

Po skończonym tańcu Dawson sprowadził ją z parkietu i kontynuowali rozmowę. Rozległ się ogólny szmer radości, gdy orkiestra zaczęła grać pierwszego podczas tego wieczoru walca. Eleonora odwróciła głowę, by spojrzeć na tańczące pary, i spostrzegła Sebastiana. Stał koło francuskiego okna, rozmawiając z Atwoodem.

O Boże! Serce zabiło jej tak żywo, że straciła kontrolę nad wyrazem twarzy. Czekała, póki się nie odwrócił i nie zobaczył jej, a wtedy posłał jej uśmiech tak szeroki i serdeczny, że ugięły się pod nią kolana. Potrzebowała całej siły woli, by nie podbiec do niego przez całą salę.

– Może ponczu?

– Przepraszam, o co pan pytał? – Eleonora oderwała zahipnotyzowany wzrok od Sebastiana, zwracając się do Dawsona.

– Mam wrażenie, ze jest pani gorąco. Pomyślałem, że poncz pomógłby się ochłodzić.

– O tak, byłby wręcz znakomity.

– Dobry wieczór, lady Eleonoro.

O Boże! O mało nie podskoczyła, tak ją przestraszył. Jak zdołał przejść przez całą salę, że tego nie zauważyła?

– Witam, milordzie. – Eleonora dygnęła.

– Sebastianie – przypomniał jej z przewrotnym uśmiechem.

– Tylko kiedy będziemy sami! – syknęła.

– Wygląda pani dziś wieczór zupełnie wyjątkowo. Błękit jest pani kolorem, madame.

– Dziękuję. – Zarumieniła się, całkiem pewna, że na nią patrzy i widzi jej zmieszanie.

– Miło cię widzieć, Bentonie – rzekł Dawson, podając Eleonorze szklaneczkę ponczu, po czym uścisnął dłoń wicehrabiego.

Spodziewała się, że teraz któryś z nich odejdzie, ale zaczęli ze sobą gawędzić, co uniemożliwiło jej bezpośrednią rozmowę z Sebastianem.

– Czy pani ostatnio czytała jakąś dobrą książkę, lady Eleonoro? – spytał niewinnie Sebastian. – Byłem ostatnio w tutejszej bibliotece i kilka tytułów wpadło mi w oko.

Spojrzała na niego ostrzegawczo, ale on nie przestał się uśmiechać.

– Skończyłam ostatnio *Ivanhoe* sir Waltera Scotta – odparła. – Niezwykle zajmująca lektura, choć jednym z moich ulubionych historycznych dzieł jest *Śmierć Artura*.

– Sir Thomasa Malory'ego? – pytał dalej Sebastian.

– Czy pan to zna?

– Bardzo dobrze. Wbrew powszechnie panującej opinii, nie spędzam całego czasu na piciu, kartach, uganianiu się za kobietami i w ogóle na tym, co czyni niepoprawny hulaka.

– Co ja słyszę? – wtrącił się Dawson z żartobliwym uśmiechem. – Więc przestałeś się też kąpać nago w fontannach?

Sebastian obrzucił przyjaciela miażdżącym spojrzeniem.

– Legendy są fascynującym tematem powieści, nie gorszym niż powstanie i upadek potężnego królestwa. Jednak niezbyt lubię tę opowieść, która kończy się śmiercią króla i wstąpieniem królowej do klasztoru, a główny bohater, rycerz, zostaje mnichem.

– Przyznam, że gustuję w krwawych i pełnych przemocy historiach – przyznał dobrodusznie Dawson. – A tam tego brak.

– Prawda, ale jest też w tej opowieści coś więcej. Artur i jego rycerze usiłują żyć w zgodzie z kodeksem rycerskim – rzekła Eleonora. – Nawet jeśli nie zawsze im się to udaje.

– Domyślam się, lady Eleonoro, że Lancelot z Jeziora zaskarbił sobie pani szczególną sympatię – powiedział Sebastian z lekkim uśmiechem.

– W końcu był ulubieńcem króla Artura – broniła się Eleonora. – Pomagał kobietom w niedoli, a pokonanym w walce okazywał litość.

– Ale nie okazał się rycerzem bez skazy! – zawołał Sebastian. – Uczucie do Ginewry doprowadziło go od dwornej miłości do zdrady, a na koniec do zguby i śmierci Artura.

– Ginewra była tak niegodziwa, że trudno pojąć, czemu Lancelot ją pokochał – Eleonora potrząsnęła głową. – Pragnął czegoś nieosiągalnego, co było poza jego zasięgiem. Czyż to nie cecha ludzkiej natury?

– Sądzę, że nawet sama jej istota. Zgodzisz się ze mną, Dawsonie?

– Owszem. Ale muszę już przerwać naszą rozmowę, bo obiecałem ten taniec pannie Hamilton. Powinienem jej teraz poszukać. Przepraszam was.

Po tych słowach Dawson się oddalił.

– Niestety, ja też już mam partnerkę do tańca – rzekł Sebastian. Eleonora o mało nie zapytała, kto nią jest, ale w porę ugryzła się w język.

– Niech pan nie odchodzi, milordzie...

– Sebastianie... – szepnął z ironicznym błyskiem w oku. – Punkt o jedenastej. Tylko nie chciałbym czekać zbyt długo. Nie jestem zbyt cierpliwy, Eleonoro.

A potem odszedł.

Gdy się oddalał, Eleonora poczuła gwałtowną zazdrość. Nie zaprosił jej do tego tańca! Ale potem, gdy zobaczyła, jak prowadzi na parkiet jakąś podstarzałą jejmość, odetchnęła z ulgą.

Przesunęła się z wolna w koniec sali, uważając, żeby nie patrzeć przy tym na Sebastiana. Unikała również hrabiego, który zamiast pójść z miejsca do karcianego saloniku, co zwykle robił, tańczył z różnymi młodymi kobietami.

Czas wlókł się nieznośnie. Eleonora pilnowała Bianki jak troskliwa przyzwoitka, gawędziła z innymi gośćmi, wypiła kilka razy jakiś napój chłodzący, powtarzając sobie przez cały czas, że nie powinna się odważyć na takie zuchwalstwo.

A jednak gdy wskazówki zegara zbliżały się do jedenastej, ruszyła krętymi korytarzami do biblioteki, do której drogę wskazał jej młody lokaj.

Romans z Johnem Tannerem był, rzecz jasna, tajemnicą. Zbyt wiele ich dzieliło pod względem pochodzenia, nie mówiąc już o tym, że był najemnym pracownikiem jej ojca.

Tym razem nie miała do czynienia z młodzieńcem przeżywającym pierwszą miłość, lecz z doświadczonym lowelasem, który dobrze znał się na sztuce uwodzenia. Już z tego choćby względu nie powinna się godzić na spotkanie i posłuchać głosu rozsądku. Doprawdy, zachowywała się wbrew wszelkim swoim zasadom.

Stała przed drzwiami całą minutę. Wicehrabia nie może zobaczyć, jak bardzo jest niespokojna i jak jej do niego spieszno. Powinna zachować jakąś dozę szacunku dla samej siebie.

Poprawiła pukiel włosów, który wysunął się z fryzury, a ten komiczny gest sprawił, że roześmiała się nerwowo. Potem nabrała głęboko tchu, ujęła mosiężną klamkę i powoli otwarła drzwi.

10

*B*iblioteka była pusta.

Zaskoczona Eleonora rozejrzała się po rozległym pomieszczeniu. Sebastian nie przesadził. Biblioteka Tauntonów była dwukrotnie większa od wszystkich, jakie poprzednio widziała, szafy z półkami pełnymi książek sięgały do sufitu. Musiała zadrzeć głowę, żeby ujrzeć najwyższe.

W jednym rogu znajdowały się ozdobne kręcone schody. Wykonane z kutego żelaza, wiodły na wąską galeryjkę. Zdała sobie sprawę, że tylko w ten sposób można było dotrzeć do książek ustawionych najwyżej.

To niezwykle pomysłowe rozwiązanie zafascynowałby ją także w innych okolicznościach. Weszła w głąb pomieszczenia. Gdy się przekonała, że jest sama, puls jej się uspokoił. Tutaj towarzyszył jej tylko trzask ognia na kominku oraz blask kilku świec.

Zaczęła w niej narastać panika, poczuła mdlący ucisk w żołądku. Dlaczego nie przyszedł? Czyżby z niej zakpił?

Osunęła się, cała drżąca, na obity skórą głęboki fotel. Co ona tutaj robi?

Nagle drzwi się otwarły. Gwałtownie odwróciła głowę, żołądek podjechał jej do gardła, całe ciało zesztywniało z napięcia. Przyszedł!

– Do diabła, spóźniłem się – powiedział, spiesznie podchodząc do niej. – Proszę mi wybaczyć. Lady Agata strasznie się zadyszała pod koniec naszego tańca. Musiałem wyszukać jej krzesełko, żeby mogła usiąść i odpocząć, a potem znaleźć kogoś, kto by się nią zaopiekował po moim odejściu.

– Powinien pan rozważniej dobierać sobie partnerki – odparła Eleonora, przekonując się z ulgą, że jej głos brzmi normalnie, znacznie spokojniej, niż się spodziewała.

– Ograniczanie się do tańców z damami poniżej sześćdziesiątki to mądra rada, ale starsze tak się cieszą, gdy ktoś im okaże względy! Obawiam się, że uraziłbym uczucia wielu kobiet, gdybym nagle przestał spełniać ten towarzyski obowiązek.

Z uśmiechem wyciągnął do niej dłoń.

Eleonora zawahała się tylko przez ułamek sekundy, po czym ją ujęła. Dziwnie na nią działał dotyk jego ciepłych palców. Sebastian zaś poderwał ją gwałtownie na nogi i zamknął w uścisku swych ramion.

– Witaj – powiedział swym głębokim głosem.

Oczy mu błyszczały tak mocno, że powinno ją to przestraszyć, tymczasem poczuła się całkiem swobodnie.

– Dobrze się pan bawił, Sebastianie? – spytała szeptem.

– Dobrze się bawię teraz, Eleonoro.

Ujął jej twarz w obie dłonie, nachylił się nad nią i ucałował w taki sposób, że pozbyła się wszelkich wątpliwości.

Wargi miał ciepłe i mocne. Rozchyliła usta, a on zaczął dotykać jej języka swoim. Eleonora, westchnęła głośno i odwzajemniła pocałunek, obejmując Sebastiana jedną ręką za szyję. Drugą błądziła w jego włosach i karku.

Objął ją mocniej, wydając gardłowy dźwięk. Nie była świadoma niczego poza nim. Czuła tuż przy sobie jego twarde, silne ciało, smak jego języka i ust, oszałamiającą woń wody kolońskiej zmieszaną z jego własnym, męskim zapachem.

Tej nocy przyszła tu dla pocałunków. Po to, żeby pozbyć się choć na chwilę poczucia osamotnienia. Żeby nareszcie odczuwać wszystko intensywnie i szczerze pragnąć. Nie spodziewała się, że aż tyle dla niej będzie znaczyć, że obdarzy go uczuciem. Czy dlatego jego pocałunki tak ją pociągały? A może po prostu od dawna brakowało jej fizycznej czułości ze strony mężczyzny?

Przymknęła oczy, tłumiąc jęk. Przepełniła ją chęć zjednoczenia się z nim. Była zbyt podniecona, by zachować ostrożność, zatonęła w błogości, nie zważając na nic poza jego uściskiem. Sebastian nagle przestał ją całować i oparł czoło na jej własnym. Ich oddechy złączyły się, co było dziwnie intymnym doznaniem. Lekko uniósł głowę, by dotknąć językiem koniuszka jej ucha. Przeniknęło ją uczucie rozkoszy.

– Och, Sebastianie – wyszeptała – sprawiasz, że czuję się taka...

– Taka?

– ...odrodzona.

Uniósł jej podbródek. Odszukała ustami jego wargi. Wyszeptał jej imię, a potem sięgnął znów językiem w głąb jej ust. Przywarła do niego skwapliwie i poddała się namiętnym pocałunkom.

Jego muskularne uda nie pozwalały jej się ruszyć. Eleonora zakołysała biodrami, czując ciepło jego ciała poprzez ubranie, świadoma jego pobudzenia.

– Nigdy jeszcze nie całowałem się tak wspaniale – szepnął. – Nigdy dotąd.

Przesunął z wolna wargami po brzeżku jej ucha. Eleonora zadrżała, odwróciła głowę i zachęcająco podsunęła mu odsłoniętą szyję. Zaczął ją pokrywać ciepłymi, wilgotnymi pocałunkami. Językiem i zębami znaczył ślad na jej ciele, a jego palce błądziły przy krawędzi stanika.

Eleonora zaczęła oddychać intensywnie, jej piersi unosiły się i opadały tak szybko, że dziwiła się, w jaki sposób nie wysunęły się jeszcze z dekoltu. Jakimś cudem nic takiego się nie stało, co jednak nie zniechęciło Sebastiana. Zsunąwszy dłoń, ujął jedną pierś i przesunął kciukiem wokół nabrzmiałego sutka, a potem delikatnie chwycił go w palce. Eleonora poczuła gwałtowny przypływ podniecenia.

– Och – jęknęła, wpijając się palcami w jego ramię.

– Dobrze ci teraz, moja droga? – spytał schrypniętym szeptem. – Czy chcesz jeszcze więcej?

– Tak! – odparła, również szeptem, zdumiewając się brzmieniem swego zdławionego głosu. Nie rozpoznawała się w kobiecie, która teraz się w niej odezwała, i ledwie mogła uwierzyć, że mogła się tak całkowicie zapomnieć.

Zacisnęła powieki, gdy zsunął suknię, na wpół obnażając jej piersi. Chłodne powietrze łagodnie owionęło rozpaloną skórę. To było szaleństwo. Brawurowe. Fantastyczne.

Czuła, że piersi jej nabrzmiewają, a całe ciało pulsuje. Nadal dotykał palcami jej sutków, czuła na nich jego ciepły oddech. Z jękiem wygięła się ku niemu, pragnąc odprężenia, spełnienia, i wiedząc, że tylko on może jej dać to, czego najbardziej potrzebuje i pragnie.

– Jesteś taka wrażliwa – wyszeptał pełnym przejęcia głosem. – I zachwycająca.

– Sebastianie, błagam! – zawołała, błądząc dłońmi po jego piersi.

– Czy tak? – wyszeptał i przesunął językiem po zesztywniałym sutku.

Krzyknęła, z jej gardła wydarł się szloch, a plecy wygięły się w łuk. Czuła, jakby ją całą ogarnął ogień. Zagubiona w tych szaleńczych doznaniach, ledwie zdawała sobie sprawę z tego, gdzie zawędrowała jego dłoń pod suknią. Wśliznąwszy się między jej nogi, przesuwała się w górę, póki nie dotknął miękkich kędziorków i nie zaczął wśród nich poruszać palcami. Przeniknął ją silny prąd rozkoszy. Słyszała własny, urywany oddech, gdy unosiła biodra ku tej dłoni, szukając ucieczki od przemożnego napięcia, jakie w niej narastało.

– Och, Sebastianie, ja chcę, ja pragnę... – dyszała.

– Nic nie mów! Ja wiem. Wyzwól się od tego, Eleonoro – powiedział zdławionym, gardłowym głosem. – Razem ze mną.

Przechylił ją przez swoje ramię i uniósł, wciąż trzymając sutek ustami. Eleonora jęknęła głucho, poruszając nogami. Sebastian bawił się jej piersią, wzmagając te doznania aż do kresu wytrzymałości.

Czuła, że jej ciało staje się coraz bardziej śliskie i gorące w miarę jego pieszczot, które sprawiały, że wznosiła się na jakieś zawrotne wyżyny. Napięcie narastało w niej tak, że była bliska szaleństwa. Sebastian, z niezwykłą przenikliwością odczytując pragnienia jej ciała, przycisnął płasko wnętrze dłoni do rdzenia jej kobiecości, a potem wsunął tam dwa palce.

Nie mogła uleżeć spokojnie. Czuła coś, czego nie sposób opisać słowami. Ciało jej poruszało się spazmatycznie, drgało i wiło się pod tym dotknięciem. Pocałował ją wówczas tak mocno, że oddała się błogości, nie myśląc o niczym więcej, pragnąc, by trwała ona bez końca. Nie była w stanie pohamować ogarniającej ją namiętności. Kilka kolejnych ruchów zwinnych palców Sebastiana sprawiło, że przeszył ją gwałtowny dreszcz, a napięcie nagle znikło. Jej ciało eksplodowało w wybuchu rozkoszy.

Rozległ się głęboki, przenikliwy krzyk. Jej? Czy jego? W uniesieniu rozchyliła nogi, ufając, że Sebastian ją uniesie, trzymając mocno w ramionach.

Sebastian, ciężko dysząc, oderwał od niej usta i sięgnął w dół, by uporządkować spodnie swego wieczorowego stroju. Jego erekcja tak napięła tkaninę, że guziki tylko cudem nie odpadły. Przycisnął plecy Eleonory do obitego brokatem oparcia sofy. Osunęła się na kanapę, a on położył się po jej lewej stronie, by nie przygnieść jej swoim ciężarem.

Czuł, kiedy jej ciało po spełnieniu drżało w krótkich spazmach. Czuł wielką dumę, że dał jej tyle rozkoszy i doprowadził do szczytu, wzmagając własną namiętność.

Przychodząc tu dziś, nie miał zamiaru posunąć się w uwodzeniu Eleonory aż tak daleko. Chciał jedynie dać jej przedsmak, wzbudzić zaciekawienie, zamknąć w sieci zmysłowych doznań.

A tymczasem sam się w tę sieć uwikłał. Płonął pożądaniem, które wymknęło się spod kontroli. Nie miał pewności, czy jest dziewicą. Powiedziała przecież, że w młodości kochała nie dorównującego jej stanem mężczyznę, i oczywiste było, że nie może uchodzić za całkiem niedoświadczoną. Jednak istotny element jej namiętności, natura skłonna do dawania, mówiła o ograniczonej wiedzy.

To, czy była dziewicą, czy też nie, nie miało większego znaczenia. Uniósł jej ramiona nad głowę. Wygięła plecy w łuk, ukazując mu swe nagie piersi. Były pełne, krągłe, a ciemne sutki unosiły się ku górze, gotowe do dalszych pocałunków.

Gdy położył między nimi dłoń, poczuł, jak bije jej serce. Słaby blask kominka dawał niewiele światła, kryjąc ją w cieniu. Oczy miała zamknięte, twarz pełną zachwytu.

Nie wiedział, dlaczego właściwie wydała mu się tak pociągająca. Wprawdzie od kilku miesięcy nie był z żadną kobietą, ale nieraz dłużej obywał się bez seksu. Eleonora nie była podobna do kobiet, z którymi romansował – może właśnie to go zafascynowało?

Gdy się nachylił, by ją pocałować w szyję, nadspodziewanie od drzwi doszedł go hałas. Sebastian oderwał się od Eleonory i zwrócił się w stronę, z której dobiegał dźwięk, chcąc się przekonać, co to takiego.

– Niech to diabli! – zaklął, zrywając się na nogi. Z szybkością, która zdumiała jego samego, zapiął górne guziki spodni, odwrócił się i instynktownie pchnął Eleonorę za siebie, kryjąc ją przed czyimś zaciekawionym wzrokiem.

– To ty, Sebastianie? – spytał bełkotliwy męski głos. – Co tu robisz, łobuzie? Bez wątpienia znalazłeś jakiś smaczny kąsek!

Sebastian zakipiał z wściekłości. Jak ten nędzny typ, Artur Peterson, śmiał tak nazwać kobietę pokroju Eleonory? Odruchowo zacisnął pięść, mając szczery zamiar rąbnąć intruza w jego rumianą i roześmianą gębę.

– Jesteś niewybaczalnie grubiański, Peterson – powiedział stłumionym głosem, pełnym groźby. – Żądam, żebyś się stąd natychmiast wyniósł!

– Nie mówiąc „dobry wieczór" twojej towarzyszce? O, właśnie to byłoby grubiaństwo!

Sebastian zapłonął gniewem.

– Uważaj, bo jeśli zrobisz jeszcze jeden krok, złapię cię za szyję tak, że zsiniejesz.

Eleonora, schowana za plecami Bentona, wydała ledwo słyszalny jęk. Dał jej znak, żeby zamilkła. Ucichła więc, schwyciwszy kurczowo jego rękę.

Na jowialnej twarzy Petersona odmalował się niepokój.

– Nie musisz się zaraz tak wściekać. Tylko zażartowałem.

– Żarty skończone. Teraz się wynoś – warknął groźnie Sebastian.

Peterson nerwowo zwilżył wargi językiem i zaczął się powoli cofać ku drzwiom, nie spuszczając wzroku z Bentona.

– A jeśli dojdą mnie słuchy, że ktoś rozpuszcza o mnie jakieś wstrętne plotki, będę znał ich źródło. I bądź pewien, że bardzo mi się to nie spodoba. Czy wyrażam się jasno?

W oczach Petersona błysnęła na moment złość, ale później skinął niechętnie głową i zgodnie z żądaniem Sebastiana wyszedł pospiesznie z biblioteki, głośno trzaskając drzwiami.

– Czy myśli pan, że mnie zobaczył? – głos Eleonory drżał.

Sebastian wzruszył ramionami, nadal cały zesztywniały z napięcia i gniewu. Peterson pojawił się w najgorszym momencie, jednak jego wtargnięcie mogło dostarczyć Sebastianowi nieoczekiwanej sposobności. Gdyby Eleonorę rozpoznano, jej reputacja byłaby zrujnowana. Całkowicie i nieodwołalnie.

Hrabia poczułby się znieważony. Mógłby zażądać, by Sebastian zachował się przyzwoicie wobec jego starszej córki, bo Eleonora mogła odzyskać honor jedynie, gdyby ją poślubił. Wówczas Sebastian odmówiłby, zmuszając tym samym hrabiego do obrony dobrego imienia rodziny w jedyny możliwy sposób, czyli wyzywając Bentona na pojedynek.

Tak właśnie wyglądał plan Sebastiana od samego początku. Niestety, był to tylko plan. Wicehrabia nie miał pojęcia, dlaczego posunął się tak daleko, by trzeba było Eleonorę chronić. Czy dlatego, że zaskoczył ich tutaj właśnie Artur Peterson, człowiek niegodny szacunku, egzystujący na marginesie przyzwoitego społeczeństwa, który utrzymywał się tam dzięki rozpowszechnianym przez siebie oszczerstwom i plotkom? A może z jakiegoś innego powodu?

Spojrzał na Eleonorę. Zasłoniła już swe obnażone piersi i usiłowała doprowadzić strój do porządku. Cienie i blaski migotały na krągłościach jej ciała i twarzy. Ich spojrzenia się spotkały.

Nie wiadomo dlaczego, nie spodziewał się po niej histerii ani łez. Eleonora miała na to zbyt wiele godności i siły charakteru. Nie zaczęłaby szlochać.

– Czy to był zakład? – wyszeptała.

– Przepraszam, ale nie rozumiem.

– Pytałam, czy pan się z kimś założył. Wiem, że czasem tak się zdarza między dżentelmenami. Podejrzewam, że dla kawału, choć ja nie widzę w tym niczego zabawnego.

Sebastian oniemiał. Nie spodziewał się emocjonalnej reakcji, ale to oskarżenie było zaskakujące.

– Nie ma pani zbyt wysokiego mniemania o mężczyznach, prawda?

– Po prostu patrzę na nich w sposób realistyczny – westchnęła. – Ich wady dorównują kobiecym. I kobiety, i mężczyźni potrafią być okrutni na swój własny sposób. Księgi zakładów w męskich klubach są osławione. Upokarzają one ofiary, bo nazwiska ich podawane są do wiadomości przez dżentelmenów z dobrego towarzystwa, z czego można wnosić o ich charakterze.

Położyła nacisk na słowo „dżentelmeni", a on, choć z zakłopotaniem, musiał jej przyznać rację. Istotnie, mężczyźni czasem zachowywali się jak głupcy, on sam też nieraz znajdował się w ich gronie.

– Nie było żadnego zakładu, Eleonoro. Jest mi przykro, że mogła pani tak myśleć.

Znowu westchnęła i uniosła podbródek. Wydawało mu się, że z trudem wytrzymuje jego wzrok.

– Mogło to być równie dobre jak inne wytłumaczenie, dlaczego się pan mną w ogóle zainteresował.

Miał poczucie winy, choć wcale nie kłamał. Tak, żywił do niej sympatię, lubił ją bardziej, niż sobie wyobrażał. Bardziej niż należało. Jednakże powinna pozostać jedynie środkiem do celu, w przeciwnym razie jego plan zemsty spali na panewce.

– Czy tak trudno dojść do wniosku, że uważam panią za atrakcyjną?

– Dlaczego akurat mnie?

– A dlaczego nie?

– Niech pan się ze mną nie drażni, Sebastianie. Chcę wiedzieć dlaczego. Muszę to wiedzieć.

Zacisnął mocno szczęki.

– Jest pani wrażliwa, nietuzinkowa, inteligentna i lojalna, a całując panią, czułem się jak smarkacz zakochany po raz pierwszy. Wystarczy?

Uśmiechnęła się i kiwnęła głową. Sebastian odetchnął z ulgą. Nie zdawał sobie przedtem sprawy, że wstrzymywał oddech.

– Ja też pana lubię, Sebastianie, a pański uwodzicielski urok uważam za nieodparty.

– Ach, uwodzicielski urok to cecha każdego rozpustnika zasługującego na to miano.

– Zasługuje pan na coś więcej – powiedziała, usiłując się uśmiechnąć. Potem jednak spoważniała. – Muszę wrócić do sali balowej. Groził pan Petersonowi bardzo sugestywnie, ale nie wiadomo, jak długo będzie trzymał język za zębami. Zaskoczył pana w bardzo kompromitującej sytuacji, a to dla niego zbyt wielka gratka, by zachował milczenie. Założę się, że informacją o tym, co zobaczył, podzieli się, nim zabawa się skończy.

Sebastian się skrzywił.

– Obawiam się, że ma pani rację. Ale pani nie może stąd wyjść od razu. Nikt nie powinien widzieć nas razem. Ponadto Peterson będzie skwapliwie śledził każdą kobietę, która wejdzie do sali balowej sama, sądząc, że któraś z nich musiała być tu ze mną.

– O Boże, nie wzięłam tego pod uwagę. – Wyglądała na zmartwioną. – Co mam robić?

– Przede wszystkim pozwolić, żebym poprawił pani suknię.

Skinęła głową, a potem siedziała bez ruchu, gdy porządkował jej strój i zapinał guziki na plecach.

– Dziękuję panu.

Sebastian spojrzał w ciemne okna. Myślał o tym, by otworzyć któreś z nich, a potem pomóc jej przez nie wyjść na taras otaczający dom. Z ogrodu do sali balowej prowadziło wiele drzwi, Peterson nie mógł pilnować wszystkich.

– Czy mogłaby pani wyjść przez okno? – spytał.

– Teraz? – Eleonora spojrzała niepewnie. – Na zewnątrz jest już ciemno, a poza tym trwałoby to długo. Czy nie jesteśmy na piętrze?

– Ma pani rację – przyznał. – To był szaleńczy pomysł. Poczekajmy jeszcze kilka minut, a potem ja wyjdę sam. Gdy tylko znajdę kogoś, kto mógłby nam pomóc, wyślę go tutaj. A ten człowiek odprowadzi panią do sali balowej.

– Kto to będzie?

– Ktoś, komu ufam. Jeśli wejdzie pani do sali balowej z innym mężczyzną, Peterson nie będzie nawet podejrzewał, że jest pani moją „drogą przyjaciółką".

– Plan wydaje mi się logiczny – przyznała. – Ostatnią rzeczą, jakiej bym sobie życzyła, jest skandal. Rozgniewałoby to ojca i źle by się przysłużyło mojej siostrze, zmniejszając jej szanse na dobre małżeństwo.

Sebastian rozważył jej słowa i wyjął płaskie srebrne pudełeczko z wewnętrznej kieszeni. Groźba skandalu przygnębiła Eleonorę, ale w pierwszej kolejności myślała nie o sobie, tylko o siostrze.

Wyciągnął z pudełka cienkie cygaro i spytał, czy może zapalić.

– Tylko wtedy, jeśli i ja będę mogła spróbować.

Sebastian uniósł brwi, a ona uśmiechnęła się szeroko.

– Zawsze miałam na to ochotę.

Włożył cygaro do ust i zapalił je. Kiedy wypuścił kłąb dymu, podał je Eleonorze.

Obejrzała cygaro dokładnie, zanim włożyła je do własnych ust. Jego widok między jej wargami poruszył jego zmysły.

Sebastian wstrzymał dech, a w jego głowie zawirowały obrazy Eleonory całującej go tymi pięknymi wilgotnymi wargami.

– Trzeba je trochę mocniej possać – pouczył ją, czując narastającą bolesność w pachwinie.

– Och! – zakrztusiła się, zakaszlała ostro i wypuściła kilka obłoczków dymu. – Okropność! To ma smak popiołu!

Wyjął cygaro z jej ręki i podał chustkę do nosa, żeby mogła wytrzeć załzawione oczy.

– Myślę, że można to polubić dopiero po jakimś czasie.

– Hmm... – mruknęła, po czym znów zaniosła się kaszlem. – Teraz rozumiem, czemu kobiety tak nie lubią dymu tytoniowego!

Sebastian uśmiechnął się i odebrał jej zapalone cygaro, ale zdołała raz jeszcze wypuścić dym. Sebastian pociągnął mocno kilka razy, nim wyrzucił resztę do kominka, a potem zwrócił się do Eleonory. Choć wolałby tego uniknąć, wiedział, że teraz musi wykonać kolejny ruch w grze.

– Poczeka pani tutaj, jak prosiłem?

Lekko skinęła głową.

Po wyjściu Bentona w bibliotece zapadła głucha cisza. Eleonora chodziła nerwowo po pokoju, za wszelką cenę pragnąc się z niego wydostać. Czuła się jak w pułapce, całkowicie osamotniona. Co będzie, jeśli Peterson natychmiast zacznie paplać o tym, co zobaczył? Wówczas z pewnością zajrzy tu jakiś ciekawski. A potem już wszyscy się dowiedzą, że zaskoczono ją w objęciach wicehrabiego.

Jak wtedy wytłumaczy swoje zachowanie siostrze? A ojcu?

Zimny dreszcz przebiegł jej po plecach. Nie była w stanie nawet sobie wyobrazić, co by zrobił i powiedział hrabia, gdyby wywołała skandal. Jedno wiedziała na pewno: byłby wściekły i potraktowałby ją brutalnie.

Musi stąd uciekać! Natychmiast! Podbiegła w panice do wyjścia i sięgnęła do klamki. Nacisnęła ją, uchyliła drzwi i w tym momencie zawahała się. Jeszcze raz zastanowiła się nad obietnicą złożoną Sebastianowi. Słyszała, że wicehrabia uwikłany był w liczne romanse, ale nigdy nie wywołał wielkiego skandalu, który zbrukałby którąś z jego kochanek. Najwidoczniej umiał je w jakiś sposób ochronić przed kompromitacją.

Powoli zamknęła drzwi. Musiała się zdać na niego. Powiedział przecież, że wszystkim się zajmie. Choć raczej nie miała zaufania do mężczyzn, należało wierzyć, że Benton ochroni również i ją.

Westchnęła, krążąc po bibliotece. Spostrzegła mały kredensik, gdzie zauważyła karafkę wypełnioną złocistym płynem i ustawione przy niej kieliszki. Uniosła kryształową zatyczkę i powąchała zawartość. Brandy!

Nalała trochę do kryształowego kieliszka. Postąpiłaby niemądrze, wracając do sali balowej wstawiona, musiała jednak uspokoić czymś nerwy. Zamiast powoli sączyć trunek, w podnieceniu wypiła go trzema dużymi haustami.

Mocny alkohol rozgrzał jej ciało i trochę złagodził napięcie.

Ktoś zapukał do drzwi. Eleonora, przygryzając wargę, wyprostowała się i uniosła podbródek, a potem ze zdumieniem ujrzała, że do pokoju wchodzi książę Hansborough.

– Lady Eleonora? – spytał, unosząc brwi w sardonicznym uśmiechu, i przyjrzał się jej.

– Witam waszą wysokość... – ledwo zdołała wykrztusić, siląc się na zgrabny ukłon. Gorączkowo rozmyślała, co może znaczyć jego obecność. Czyżby Peterson zdążył już rozgłosić, że zastał tu wicehrabiego? Może książę chce się tylko przekonać, czy to prawda?

Spojrzała na niego i się zawahała.

– Wydaje się pan zaskoczony moją obecnością, wasza wysokość. Nie jestem pewna, ale to Seb... czy wicehrabia Benton pana przysłał?

– Och, właśnie on. Co za arogancki szelma!

– Powiedział panu dlaczego?

– Nie. – Książę roześmiał się, ale zgryźliwie. – Znając Bentona, mogłem się spodziewać czegoś niegodziwego, ale zdumiewa mnie, że chodzi o panią. Myślałem, że jak na kobietę ma pani więcej rozumu.

– Cóż, ja...

Książę machnął ręką ze zniecierpliwieniem.

– Dosyć, dosyć. Nie chcę o niczym wiedzieć. Benton poprosił mnie o pomoc i ja ją zapewnię. Proszę mnie wziąć pod ramię, a zaprowadzę panią do sali balowej.

Eleonora poczuła, że twarz jej płonie. Co za okropność! Najchętniej nie przyjęłaby tej pomocy, ale coś w spojrzeniu księcia przekonało ją, że postąpiłaby bardzo głupio.

Z całą godnością, na jaką było ją stać, ujęła go pod ramię. Mruknął coś z aprobatą i opuścili bibliotekę. Przeszli w milczeniu korytarzem, całkiem inną drogą niż ta, którą się tam dostała. Eleonora głowiła się, jak uniknąć spotkania z gośćmi, ale nie spytała księcia, byłoby to po prostu zbyt żenujące.

Po czasie, który wydał się jej wiecznością, dotarli do sali balowej. Serce waliło jej jak oszalałe, palce zaciskała na ramieniu księcia.

– Głowa do góry, proszę patrzeć prosto przed siebie i spiorunować wzrokiem każdego, kto śmiałby przyglądać się pani z zaciekawieniem – pouczył Eleonorę książę, niemalże ciągnąc ją za sobą. – I, na miłość boską, nie wolno pani wyglądać na winowajczynię.

Z zapartym tchem usiłowała pójść za jego radą. Opanowała się, gotowa stawić czoło każdej sytuacji, a potem stopniowo zdała sobie sprawę, że nie jest to wcale konieczne. Nikt na nią nie spojrzał z nagłym zgorszeniem, nie szeptał zza wachlarza ani nie wskazywał na nią oskarżycielsko palcem.

– Czy moglibyśmy zatańczyć? – spytała księcia.

– Znakomity pomysł.

Dołączyli do ostatniej pary, która ustawiała się właśnie do tańca. Eleonora usiłowała skoncentrować uwagę na figurach, a jednocześnie rozglądała się po sali. Potknęła się na widok Artura Petersona, on jednak ledwie rzucił na nią okiem. Książę podtrzymał ją natychmiast. Spojrzał na nią ze zdziwieniem. Rzuciła mu desperackie spojrzenie.

– Rozsądna z pani osóbka – mruknął.

Uśmiechnęła się szeroko, dopiero teraz zdając sobie sprawę, czego zdołała uniknąć. Nie wyśledzono jej dzięki podstępowi Sebastiana.

Kiedy muzyka umilkła, odprężyła się całkiem i znów gotowa była na wszystko. Ujęła księcia pod ramię, gdy sprowadzał ją z parkietu, i poczuła się na tyle bezpieczna, że pozwoliła sobie wobec niego na pewną poufałość.

– Dziękuję za pomoc, wasza wysokość. Bardzo ją sobie cenię.

Książę się zawahał.

– Nie mam prawa udzielać pani rad, ale jednak to zrobię. Znam Bentona od małego. W ostatnich miesiącach nieco się ustatkował, ale lampart nie zmieni cętek. O ile mi wiadomo, jak dotąd nie zrujnował reputacji żadnej kobiecie dla czystej przyjemności, jednak wszystko jest możliwe. Proszę być z nim bardzo ostrożna, lady Eleonoro, w przeciwnym razie może się pani wplątać w jakąś nieprzyjemną sytuację.

Po tym upomnieniu książę skłonił się jej i odszedł. Patrzyła z mieszanymi uczuciami, jak znika wśród tłumu. Chwilę później poczuła, że ktoś się do niej zbliża. Odwróciła się i z ulgą spojrzała na Biankę.

– Właśnie usłyszałam niesłychanie wręcz skandaliczną plotkę o lordzie Bentonie – szepnęła siostra.

– Doprawdy? – odrzekła Eleonora, cała w nerwach, starając się przybrać nonszalancki ton.

Bianka spojrzała przez ramię, chcąc się upewnić, że nikt nie stoi tak blisko, by ją podsłuchać.

– Dziś wieczór umówił się w bibliotece na schadzkę i dał się zaskoczyć w krańcowo kompromitującej sytuacji. – Siostra urwała, robiąc dramatyczną pauzę. – Obydwoje byli rozebrani do naga!

– Och, to niesłychane! – Eleonora poczuła, że żyłka na szyi zaczęła gwałtownie pulsować. – A kim była ta kobieta?

– Nikt nie wie. Znalazł ich Artur Peterson, ale nie chce zdradzić nazwiska damy, aby ocalić, jak twierdzi, jej reputację. Spytałam lorda Waverly'ego, co o tym myśli, a on odrzekł, że Peterson to jeden z najgorszych plotkarzy w Londynie. Nie mówi zaś, o kogo chodziło, bo najpewniej sam nie wie.

– Hm, a może Peterson nie zdradza szczegółów, bo po prostu nic takiego nie zaszło?

– Nie, mam pewność, że jest w tym trochę prawdy. Lord Waverly sądzi, że Petersonowi brak wyobraźni, by od początku do końca wymyślić coś podobnego. Coś więc musiał widzieć.

Eleonora postarała się, by jej odpowiedź zabrzmiała całkiem obojętnie.

– Pewnie nigdy nie poznamy szczegółów, chyba że wicehrabia Benton zaprzeczy złośliwej plotce i postanowi ukarać tego, kto ją rozgłasza.

Bianka zrobiła wielkie oczy.

– Sądzisz, że wyzwie Petersona na pojedynek? Lord Waverly mówi, że Benton bardzo celnie strzela i jest świetnym szermierzem. Obawiam się, że dla Petersona skończyłoby się to fatalnie.

– Och, wątpię, by doszło do pojedynku – rzekła Eleonora z pewnością siebie, choć sama była ciekawa, jak wicehrabia wybrnie z sytuacji. Zdołał wprawdzie uciszyć plotkarza groźbą, ale wyzwanie

Petersona na pojedynek dodałoby jego oskarżeniu prawdopodobieństwa. Najlepszym wyjściem byłoby wyśmianie tych rewelacji, uznając je za czysty wymysł.

– Wicehrabia Benton jest może skandalistą, ale nie wydaje się krwiożerczym gwałtownikiem.

– Kimkolwiek jest, cieszę się, że usłuchałam twojej rady. Wszystko wskazuje, że nie można go uważać za dżentelmena, który dochowałby kobiecie wierności.

11

Czego pani ode mnie żąda? – wykrzyknął Sebastian, patrząc na Eleonorę w zdumieniu.

– Żeby pomógł mi pan znaleźć męża dla Bianki – powtórzyła ze spokojem.

– A zatem się nie przesłyszałem – stwierdził. – Daję słowo, mowę mi odebrało!

– Hmm. – Eleonora nabrała na łyżeczkę lodów i spojrzała na niego z całą powagą. Rozmawiali ze sobą po raz pierwszy od czasu balu u Tauntonów, który odbył się cztery dni wcześniej. Plotki dotyczące Sebastiana i jego gorszącej schadzki przestały być głównym tematem rozmów dobrego towarzystwa, mogli się zatem bezpiecznie pokazać razem.

Petersona uciszono w sposób, jakiego Eleonora mogła się jedynie domyślać, a nieoczekiwane uprowadzenie panny Allen przez lorda Martleya stało się sensacją dnia. Obydwie rodziny dzielił legendarny wręcz spór, ciągnący się od tylu pokoleń, że nikt już nie pamiętał, kiedy się zaczął.

A jednak tych dwoje zdołało zakochać się, przezwyciężając fatalne dziedzictwo! Świadomi, że bliscy będą się sprzeciwiać ich związkowi, kochankowie zdecydowali się na wspólną ucieczkę.

Damy wzdychały, słuchając szczegółów, dżentelmeni utrzymywali, że w całej historii kryje się coś więcej, a wszyscy twierdzili, że znają całą prawdę. Eleonora w głębi duszy dobrze życzyła tej parze i wdzięczna była, że ich eskapada usunęła pogłoski o skandalu wicehrabiego na dalszy plan.

Dzisiejsza wyprawa do Guntera na lody była dobrym pomysłem i Eleonora ucieszyła się, gdy Sebastian go jej podsunął. Ta ogólnie dostępna cukiernia okazała się doskonałym miejscem na takie spotkanie.

Eleonora czuła zaciekawione spojrzenia, jakimi obrzucano ich stolik. Z pewnością wszyscy się dziwili, czemu wicehrabia Benton postanowił spędzić tu czas z osobą równie pospolitą i skromną jak ona.

Pytanie to nasuwało się w sposób oczywisty i ona sama też je sobie zadawała. Aż do nocy w bibliotece Tauntonów. Nie mogła zapomnieć jego pocałunków i pieszczot. Nie mogła też zrozumieć dlaczego, ale była przekonana, że szczerze jej pragnął. I to sprawiało jej ogromną radość.

– Chyba lody musiały pani zaszkodzić! – odparł wreszcie Sebastian. – Chyba się pani nie spodziewa, że będę jej doradzał w wyborze męża dla siostry.

– Och, mówię jak najbardziej serio – Eleonora pozbyła się zahamowań i po raz kolejny zanurzyła łyżeczkę w lodach. Cytrynowy smak przyjemnie chłodził język i gładko spłynął do gardła. Westchnęła i przymknąwszy oczy, delektowała się przez chwilę pysznym deserem. Było to niezwykłe, wręcz zmysłowe doznanie.

Potem otworzyła oczy, uniosła łyżeczkę i spostrzegła, że Sebastian dziwnie na nią spogląda.

– Czemu pan tak na mnie patrzy? Czy się pobrudziłam? – spytała, wycierając pospiesznie podbródek trzymaną w ręce chusteczką, ale ta pozostała czysta.

– Widok pani jedzącej lody jest prawdziwą torturą dla moich zmysłów – przyznał, zaglądając jej dyskretnie w oczy. – Jeśli pani nie przestanie, to obawiam się, że mógłbym nawet strącić całą porcję na siebie i nawet bym tego nie zauważył.

Eleonora powoli opuściła łyżeczkę. Przecież ona nic nie robiła...

– Nie wiem, co pan ma na myśli.

– Ale ja wiem. – Podniósł się z krzesełka i skrzywił nieznacznie. – To sprawia, że wszystko staje się jeszcze bardziej wariackie.

– Czy próbuje pan zmienić temat? – spytała, mrużąc oczy.

– Droga Eleonoro, próbuję uratować swoją godność. Nie ma to nic wspólnego z pani zdumiewającym żądaniem dotyczącym znalezienia siostrze męża.

Ciągle jeszcze nic nie rozumiała, ale gdy pochyliła się, przekrzywiła nieco głowę i spojrzała od niechcenia na Bentona, dostrzegła imponujące wybrzuszenie w jego spodniach. Nie można się było mylić co do jego natury. Czyżby go podniecał jej widok jedzącej lody?

– Och... – szepnęła.

– Ano właśnie. – Odchrząknął głośno i zmienił pozycję. – Choć uważam pani prośbę za nielogiczną i dziwaczną, rozmowa na tematy matrymonialne bez wątpienia wybawi mnie z... hm... kłopotliwego położenia.

Uśmiechnęła się niepewnie. Pochlebił jej, a ona, choć było to niemądre, przyjęła jego słowa z zadowoleniem. Czuła jednak, że zabrnęła w jakąś niezrozumiałą sytuację. Nie wiedziała, jak reagować na powłóczyste spojrzenia Sebastiana, podjęła więc przerwaną rozmowę.

– Lord Waverly wyraźnie interesuje się Bianką, słyszałam jednak, że tak samo się zachowywał podczas zeszłego sezonu względem pewnej debiutantki, ale się jej nie oświadczył.

– Nie przypominam sobie tego, nie ma w tym jednak nic dziwnego. Plotki matrymonialne nigdy mnie specjalnie nie interesowały. – Uśmiechnął się ledwo dostrzegalnie. – Waverly jest przyzwoitym chłopcem. Pochodzi z dobrej rodziny, choć jego starsza siostra jest afektowana i ma wyjątkowo piskliwy głos. On jednak nic na to nie może poradzić, biedaczysko. Nie pije ponad miarę, nie gra o zbyt wysokie stawki, płaci długi w terminie. Przypuszczam, że byłby odpowiednim mężem.

– Odpowiednim? – Eleonora zmarszczyła brwi. – Chciałabym znaleźć Biance kogoś miłego, o dobrym charakterze, kto ceniłby ją nie tylko za urodę, ale i za czułe serce. Kogoś, kto by ją chronił i szanował. Mocnego mężczyznę, ale nie tyrana, który miałby dość siły i odwagi, żeby stawić czoło jej ojcu.

Sebastian wzruszył ramionami.

– Nie znam Waverly'ego aż tak dobrze, ale może być dobrym kandydatem.

– Może – zgodziła się Eleonora. – Jeśli tylko Bianka uzna, że naprawdę go zechce. Wybór musi należeć do niej. Jak dotąd, niewiele miała do czynieni z mężczyznami i obawiam się, że niełatwo jej będzie podjąć decyzję. – Wzdrygnęła się, przypominając sobie, jak bardzo się siostrze spodobał pompatyczny pan Smyth.

– Bianka to urocza dziewczyna – powiedział Sebastian. – Z pewnością jeszcze cały zastęp kawalerów będzie jej składał wizyty.

– Na szczęście jest ich coraz więcej. Kiedy przybyłyśmy do Londynu, obawiałam się, że pańskie zainteresowanie jej osobą bardzo zmniejszy ich liczbę.

Sebastian nieznacznie zmarszczył brwi.

– Chce pani powiedzieć, że miałbym ich odstraszyć?

– Niech pan nie będzie z siebie taki dumny! Z pewnością nie był to świadomy zamiar.

Sebastian wyraźnie przygasł. Eleonora ukryła uśmiech. Lepiej zachować ostrożność i nie urażać męskiej dumy!

– A więc pomoże mi pan? – spytała.

Spojrzał na nią z namysłem, ale i z uznaniem.

– Prawdę mówiąc, wzdragam się na samą myśl, że miałbym jakiegoś nic nie podejrzewającego nieszczęśnika zwabić w pułapkę, by go doprowadzić do ołtarza. To bardzo niesportowe zachowanie!

– Och, na litość boską, na nikogo przecież nie będziemy zastawiać pułapki – zaprotestowała, rumieniąc się. – Prócz tego sądziłam, że w głębi ducha jest pan romantykiem.

– Może romantykiem, ale nie półgłówkiem. – Sebastian pokazał w uśmiechu wszystkie zęby. – A co otrzymam w nagrodę, jeśli się na tę pomoc zdecyduję?

– Satysfakcję ze spełnienia dobrego uczynku – odparła szybko.

Spojrzał na nią z ukosa.

– Co jeszcze?

– Moją szczerą wdzięczność – zaryzykowała.

Zabębnił gwałtownie palcami blat.

– Jak bardzo szczerą?

– Powiem tylko, że nie spotka pana rozczarowanie.

– Obiecuje pani?

– Słowo honoru.

– Zgoda. – Wyciągnął do niej rękę.

Eleonora przewróciła oczami. Sebastian zaśmiał się i zaczął strzyc palcami dłoni. Zrozumiała, że nie przestanie tego robić, póki ona jej nie ujmie w swoją, wyciągnęła prawą rękę i potrząsnęła jego dłonią uznając, że zawarła dobrą umowę.

Szczerze pragnęła dowiedzieć się czegoś konkretnego o adorujących siostrę mężczyznach i była głęboko przekonana, że właśnie Sebastian dostarczy jej tej wiedzy. Dziwne, że znając go przecież krótko, tak bardzo zaczęła mu ufać. Przynajmniej pod pewnymi względami.

– Co panu wiadomo o sir Reginaldzie Blacku? – spytała, cofając rękę.

– Trochę lekkomyślny typ – stwierdził trzeźwo Sebastian. – Bardzo lubi grać w karty, w kości i inne gry hazardowe. Założył się kiedyś u White'a i wpisał to do jego księgi, że zgadnie, ile kobiet będzie nosiło błękitne suknie na debiutanckim balu jego siostry.

– Raczej ryzykowny zakład – zaniepokoiła się Eleonora.

Sebastian skinął głową.

– Ale, co najzabawniejsze, wygrał! I dostał łącznie ponad sto gwinei od różnych utyskujących dżentelmenów. Czyż to nie świadczy o nim dobrze?

– Że wygrał? O Boże, ani trochę! Skreślam go z listy. Ostatnią rzeczą, jakiej trzeba Biance, to kolejny gracz!

– Kolejny? – zdumiał się Sebastian.

Eleonora wymijająco machnęła dłonią, unikając odpowiedzi. Nie chciała rozmawiać o swoim ojcu.

– A Mark Frost? Bardzo przystojny i wydaje się sympatyczny.

– Rozmowę z nim trudno uznać za ciekawą – mruknął Sebastian. – Mówi tylko o koniach oraz o żniwach w swoim majątku. Ma istną obsesję na punkcie plonów, płodozmianu i najlepszej gleby pod uprawę różnych roślin. To dość przerażające.

– Nie miałam o tym pojęcia – westchnęła Eleonora. – Kiedy spotkaliśmy się w zeszłym tygodniu, myślałam, że porusza te tematy, ponieważ przyjechałam ze wsi. Szkoda, jest bowiem rówieśnikiem Bianki. I bardzo dobrze się prezentuje.

Sebastian nagle zamilkł.

– Sądzi pani, że jest przystojny? – spytał po chwili.

– Wyjątkowo. – Eleonora uśmiechnęła się z satysfakcją. Spodobała jej się zazdrość, jaką dosłyszała w głosie wicehrabiego. – Choć z tymi swoimi blond lokami wygląda trochę zbyt aniołkowato.

– Jest typem mężczyzny, który większość czasu spędza na świeżym powietrzu – dodał Sebastian, ale Eleonora już skreśliła sir Marka ze swojej listy.

– Kim jest ów młodzieniec, który stanął w drzwiach? – spytała.

Sebastian posłusznie odwrócił się w ich stronę.

– To Robert Bywater. W przyszłości odziedziczy wielki majątek, ale obawiam się, że jedynie to przemawia na jego korzyść.

– Och – Eleonora okazała wyraźne zainteresowanie, słysząc o bogactwie. – Wygląda jak wzór młodego dżentelmena.

Sebastian się uśmiechnął.

– Jest dosyć miły, ale raczej nijaki. To znaczy, wręcz zdecydowanie nijaki. Gdyby poślubił Biankę, spłodziłby z nią bardzo ładne dzieci, którym brakłoby rozumu, by wyjść poza utarte schematy.

– Przesadza pan.

– Z pewnością nie. Niech pani spojrzy, stanął w niewłaściwym miejscu.

Wychyliła się w lewo, żeby spojrzeć w tamtą stronę, i stwierdziła, że istotnie Bywater ustawił się nieodpowiednio. Westchnęła.

– O Boże, to fatalne, co teraz będzie?

– W każdym razie pani już udało się zdobyć jedną z najlepszych matrymonialnych ofert w tym sezonie. – Sebastian skrzyżował ręce na piersi i uśmiechnął się do Eleonory z satysfakcją. – Mnie.

Eleonora poczuła, że dławi ją w gardle. Nie była pewna, co o nim myśleć, kiedy wygłaszał te swoje komentarze. W jawny sposób dawał wyraz bardzo określonemu zainteresowaniu jej osobą, ale z pewnością nie były to tradycyjne zaloty.

A jednak serce zaczęło jej bić szybciej, gdy rankiem po nocy w bibliotece Tauntonów otrzymała przesyłkę. Był to oprawiony w skórę tom, rzadkie wydanie *Śmierci Artura*. Do książki nadawca dołączył piękną różę. Temu romantycznemu prezentowi nie towarzyszył żaden liścik, ale też było to zbędne.

Sebastian flirtował z nią, rzucał jej zmysłowe spojrzenia, przekomarzał się z nią i robił, co tylko można, żeby Eleonorę rozśmieszyć. Całował ją przy każdej sposobności, ale nigdy nie posuwał się za daleko. Starał się robić wrażenie, że interesuje się nią z godziwych powodów, ale nie krył się wcale ze swoją reputacją rozpustnika.

Nigdy nie wspominał konkretnie o małżeństwie, nigdy w sposób wyraźny nie oświadczył, że chciałby pojąć ją za żonę. Tak więc właściwie nie wiedziała, co zamierza, a była na tyle trzeźwa, żeby sobie zdawać sprawę, że Sebastian może w ogóle nie myśleć o małżeństwie.

Mógł natomiast dążyć do tego, by została jego kochanką.

Już sama ta myśl powinna ją zaszokować i znieważyć. Była cnotliwą córką hrabiego, osobą wartą wszelkich względów i szacunku. A zasady obowiązujące w towarzystwie mówiły, że małżeństwo jest jedyną drogą, jeśli idzie o fizyczną więź między kobietą a mężczyzną.

Jednak nie była już tak uległa wobec tych nakazów jak dawniej. Eleonora przymknęła na moment oczy i poczuła, że wszystko wokół niej wiruje. Czyżby sama siebie przekonała, że zostanie jego kochanką? Mimo że Sebastian nawet o tym nie wspomniał?

– Eleonoro, co się z panią dzieje? – spytał szeptem.

Otworzyła oczy. Zażenowana rozejrzała się wokoło, ale nikt jakoś nie zwracał na nią uwagi.

– Proszę mi wybaczyć. Moje myśli wzięły górę nad dobrymi manierami.

– Sądząc z rumieńca, musiały to być bardzo niestosowne myśli. Czy myślała pani o mnie? – spytał z nadzieją w głosie.

Zaśmiała się nerwowo.

– Myślałam o przyszłym mężu Bianki i wyobrażałam sobie, że będą żyć długo i szczęśliwie.

– A co z pani marzeniami i z pani szczęściem?

Zawahała się.

– Jestem zbyt trzeźwa, żeby czekać na księcia z bajki.

Sebastian parsknął śmiechem.

– Mam nadzieję, że nie! Regent jest chyba najbardziej zepsutym mężczyzną w całej Brytanii. Nie nadawałby się na pani męża.

A kto by się nadawał? On sam? Eleonora nie miała jednak tyle odwagi i pewności siebie, żeby go spytać.

– Nie mówimy teraz o mnie, tylko o mojej siostrze. Obawiam się, że jeśli nie znajdę dla niej kandydata, zrobi to mój ojciec.

Spojrzał jej w oczy. Próbowała zachować spokój, nie chcąc zdradzać swoich problemów. Hrabia był jej osobistym demonem.

– Nie ufa pani mądrości ojca?

– Nie!

Słowo to wyrwało się jej, nim ugryzła się w język. Zirytowana zjadła ostatnią łyżeczkę lodów.

– Skończone! – oznajmiła, siląc się na uśmiech, i wstała.

Sebastian również wstał.

– Może jeszcze jedną porcję? – spytał.

Potrząsnęła głową.

– Natomiast chętnie poszłabym na spacer wzdłuż stawu Serpentine. Moglibyśmy popatrzyć na łabędzie i omówić charaktery kilku dżentelmenów.

Wyczuła, że chciał zaprotestować i dokładniej wysondować jej komentarz odnoszący się do hrabiego. Na szczęście, widząc wyraz jej twarzy, zmienił temat, bo nagle z uśmiechem podał jej ramię i powiedział:

– Jak pani sobie życzy.

Później tego samego wieczoru Sebastian wszedł do swego klubu. Rozejrzał się za gazetą, chciał też spokojnie zjeść kolację, nim znów wybierze się gdzieś w nocy. Żegnając Eleonorę, dowiedział się, że będzie na obiedzie u Wardsworthów, gdzie go zaproszono, ale odmówił.

Po chwili namysłu uznał, że lepiej zrobi, jeśli się z nią nie spotka drugi raz tego samego dnia. Prowadził subtelną grę, która szła mu jak po maśle. Eleonora zaczynała się nim interesować, w jego towarzystwie zachowywała się coraz swobodniej i coraz chętniej przebywała w jego towarzystwie. Wiedział, że najważniejsze, żeby się jej w zbyt jawny sposób nie narzucał, musiał jednak zachować czujność i posuwać się coraz dalej przy każdej sposobności.

Uwaga dotycząca ojca zaintrygowała Bentona, ale Eleonora zacisnęła wargi i wyraz jej twarzy wskazywał wyraźnie, że nie należy drążyć tego tematu. Szkoda, bo w ten sposób poznałby lepiej osobowość swego wroga.

Zamówił właśnie danie i trunki, gdy dostrzegł księcia Hansborough w skórzanym fotelu koło kominka, zagłębionego w lekturze gazety. Sebastian zbliżył się szybko i zajął wolne miejsce. Chrząknął głośno, a potem czekał, aż książę go zauważy.

– Benton?

– Witam waszą wysokość. – Sebastian pochylił głowę w ukłonie. – Nie miałem sposobności, żeby panu podziękować za pomoc podczas przedwczorajszego balu. Jestem ogromnie wdzięczny.

Książę prychnął i zaszeleścił gazetą.

Sebastian ponownie chrząknął i ciągnął:

– Sytuacja wymknęła mi się całkowicie spod kontroli, kiedy...

Książę uniósł dłoń.

– Proszę mi oszczędzić ładnej zapewne bajeczki. Poprosił mnie pan o pomoc i otrzymał ją, ale nie zrobiłem tego wyłącznie ze względu na pańską osobę, lecz również z uwagi na damę.

– Mimo to dziękuję.

– Zasługuje na coś lepszego – burknął książę.

– Och, pod tym względem zgadzamy się najzupełniej. – Sebastian uśmiechnął się żartobliwie.

Książę z wolna opuścił gazetę, a potem przygwoździł go wzrokiem.

– Lady Eleonora zakochała się w panu, zresztą nie ona jedna. Otwórz oczy, człowieku, i zapnij spodnie! Mogłeś się tak zachowywać jako żółtodziób, ale nie jako dorosły mężczyzna. To nie tylko w złym guście, lecz również okrutne zostawiać za sobą tak wiele złamanych serc.

Sebastian nagle poczuł, że robi mu się zimno. Tak wiele złamanych serc?

– Nie rozumiem, co pan chce przez to powiedzieć.

Książę przechylił głowę na bok i spojrzał mu w oczy.

– Proszę tylko pomyśleć. Nie jest pan głupcem, choć czasami nieźle takiego udaje.

Sebastian zjeżył się cały, czekając na dalszy ciąg reprymendy, poruszony tym, co usłyszał. Ale książę nie chciał dłużej go karcić. Jednym szybkim ruchem rozpostarł przed sobą gazetę i najwyraźniej przestał myśleć o Sebastianie. Rozmowa była skończona.

– Do widzenia, wasza wysokość.

Sebastian skłonił się i odszedł. Jednak gdy jadł kolację, słowa księcia wciąż brzmiały mu w uszach i czuł, że jest w nich ziarno prawdy.

Następnego ranka Eleonora poszła z Bianką do wytwórcy wachlarzy, a potem do krawcowej. Nie była w najlepszym nastroju. Sebastian nie pojawił się na proszonym obiedzie zeszłego wieczoru i odczuła jego nieobecność bardziej, niż chciałaby przyznać. Bez niego rozmowy okazywały się nudne, nie miała z kim żartować, flirtować ani się śmiać. Spędziła wyjątkowo nieciekawy wieczór.

U krawcowej zastały tylko dwie inne klientki. Właścicielka zakładu, madame Claudette, wybiegła im naprzeciw z uprzejmym uśmiechem na twarzy.

– Czym mogę dziś paniom służyć? – zapytała skwapliwie.

– Chciałybyśmy obstalować dwie – nie, trzy nowe suknie dla mojej siostry – oznajmiła Bianka.

Eleonora odłożyła zwój zielonego jedwabiu, który przypadł jej do gustu, i zwróciła się do siostry:

– Bianko, nie! – Ojciec dostanie apopleksji, kiedy zobaczy rachunek.

Bianka jednak z uporem potrząsnęła głową.

– Koniecznie musisz je mieć, nalegam! Madame Claudette z pewnością dobrze wie, jak załatwić sprawę, żeby papa się nie złościł. Prawda, madame?

Krawcowa energicznie przytaknęła i Eleonora poczuła, że jej opór słabnie. Dotąd nosiła wszędzie dwie suknie, które Bianka po cichu zamówiła dla Eleonory po ich przyjeździe do Londynu. Byłoby cudownie mieć coś nowego, ale hrabia wpadłby w straszną złość, gdyby odkrył ich podstęp. Eleonora wiedziała, że powinna zdecydowanie zaprotestować, ale potem jeszcze raz spojrzała na szmaragdową tkaninę.

– Ach, milady ma znakomity gust! – Krawcowa zdjęła zwój z półki i przyłożyła do Eleonory.

– Ach, jak ci w nim do twarzy! – zawołała Bianka. – Ten odcień podkreśla złoty kolor twoich włosów i wydobywa blask oczu. Musimy ci uszyć taką suknię!

– Wiem, jaki fason będzie najlepszy – oznajmiła madame. Pogrzebała w stosie papierów na pobliskim stoliku i wyciągnęła najnowszy egzemplarz „La Belle Assemblée". Niecierpliwie przerzucała strony, wreszcie wydała okrzyk triumfu, znalazłszy to, czego szukała. – O, ten. Pasuje do pani fryzury i wyeksponuje wszystkie jej zalety.

Bianka wydała odgłos, zdaniem siostry, przypominający pisk. Eleonora musiała jednak przyznać, że madame miała rację. Wysoki stan, riuszki pod biustem i eleganckie, wydłużone linie stroju nadałyby jej iście królewski wygląd.

– Madame Claudette musi wziąć miarę, żeby suknia dobrze leżała – powiedziała Bianka, ciągnąc Eleonorę w stronę przymierzalni na tyłach sklepu.

Eleonora się poddała – bardzo jej to odpowiadało, chciała bowiem, żeby Sebastian ujrzał ją w tak wspaniałym stroju. Poszła więc za pomocnicą madame.

Przymierzalnia była skromnie umeblowana: wisiał tam rząd kołków na ubrania, stał fotel i mały taboret, na którym krawcowa stawała przy braniu miary.

Eleonora już zaczęła zdejmować z siebie suknię, gdy ktoś niecierpliwie zapukał do drzwi. Sądząc, że to Bianka lub krawcowa, zawołała:

– Proszę wejść!

W drzwiach stanął jednak Sebastian i uśmiech Eleonory ustąpił miejsca zaskoczeniu. Rzuciła mu pełne zdumienia spojrzenie, zbierając rozchyloną na piersiach suknię.

– Czyż to nie urocza niespodzianka? – spytał, biorąc ją pod brodę. – Zauważyłem cię, patrząc na witrynę i wstąpiłem, by się przywitać.

Policzki jej zaczerwieniły się i za wszelką cenę usiłowała uspokoić przyspieszony oddech.

– Straciłeś rozum? – syknęła. – Nie wolno ci tu być razem ze mną! A jeśli ktoś nas zobaczy?

– Cóż by to szkodziło? – spytał lekceważąco.

– Doszłoby do skandalu! – syknęła ponownie. – Zresztą dobrze wiesz!

Spróbowała obejść Sebastiana dokoła, żeby otworzyć drzwi i wypchnąć go na zewnątrz, ale zastąpił jej drogę.

– Uspokój się, Eleonoro. Po prostu sobie zażartowałem. Nikogo innego nie ma w tym sklepie. W przeciwnym razie nie wszedłbym tutaj.

– To bardzo znany sklep, uczęszczany przez wiele kobiet z najlepszego towarzystwa – odparła gniewnie. – Z pewnością zaraz ktoś tu się pojawi.

– Mam inne zdanie. – Podszedł o krok bliżej. – Wsunąłem madame do ręki kilka monet, by na jakiś czas zamknęła sklep.

Serce waliło jej w piersi jak oszalałe. Czy naprawdę pozwolił sobie na takie zuchwalstwo, żeby spędzić z nią kilka chwil na osobności? Spokojna mina sugerowała, że mówił prawdę. Nie do wiary!

Sebastian zbliżył się jeszcze o krok, tak że poczuła ciepło jego ciała i zapach wody kolońskiej. Ostry, męski zapach w kobiecym wnętrzu. Eleonora próbowała odwrócić od Bentona wzrok, wiedząc, że jej słabnący opór załamie się, jeśli tylko spojrzy mu w oczy. Za wszelką cenę starała się też nie ujawniać swoich prawdziwych odczuć i próbowała się uspokoić, nabierając głęboko powietrza w płuca.

Ręka Sebastiana wysunęła się ku przodowi i jego dłoń zaczęła gładzić ją po plecach, póki Eleonora się nie odprężyła. A potem nachylił głowę i dotknął ustami jej karku, sprawiając, że przebiegł ją cudowny dreszcz.

– Co robisz? – szepnęła.

– Witam się z tobą, jak należy.

Próbowała zachować równowagę umysłu, ale dotyk Sebastiana miał w sobie coś narkotycznego. Roztapiała się wręcz pod jego działaniem, delektowała siłą jego twardego ciała. Nie musiała go dotykać, by wiedzieć, że jest podniecony. Oddychał płytko i z trudem, a jego dłonie lekko drżały, kiedy ją pieścił.

Cieszyła się świadomością, że jej pragnął, a jednocześnie sama czuła narastające podniecenie. Dotknęła Bentona. Pocałowała. Głęboko, z tęsknotą. Sebastian jęknął głucho, ich języki się zetknęły, jakby naśladując cielesne zespolenie, którego nie zaznali.

Eleonora poczuła mrowienie w całym ciele i nagle zapragnęła, by naprawdę byli sami, aby w całkowitym odosobnieniu mogli się poddać przemożnej namiętności. Choć sklep został na jakiś czas zamknięty, nadal przebywała w nim obsługa, a także Bianka.

Eleonora stłumiła narastające pożądanie i cofnęła się.

– Musimy przestać. Madame Claudette zaraz wróci, żeby wziąć miarę.

– Chętnie jej przy tym pomogę – mruknął. – Może powinienem pomóc ci zdjąć koszulę?

– Sebastianie! – Eleonora trzepnęła go po ręce, którą sięgał do haftek jej bielizny, po czym zaczęła naciągnąć na siebie suknię.

Ujął jej twarz w obie dłonie.

– Nareszcie jesteśmy sami, Eleonoro. Nie traćmy cennego czasu.

– Co chcesz przez to powiedzieć? – spytała nieufnie.

– Żebyśmy się razem oddali zakazanym rozkoszom, najdroższa. – Nachylił się ku niej i szepnął jej do ucha: – Pamiętam, co czułem, kiedy trzymałem cię w objęciach, a tobie sprawiało to radość.
Potrzeba mi więcej wspomnień tego rodzaju, Eleonoro.

Objął ją tak czule, że łzy stanęły jej w oczach. Rozum mówił,
że jest nierozważna i niemądra, ale serce nie chciało słuchać. Ach,
jakież było głupie!

Sebastian objął ją jeszcze mocniej, przesuwał wargami po jej
skroniach, całował szyję, wodził ustami po wrażliwym brzegu ucha.
Chwytał w nie perły kolczyków i żartem próbował ich zębami. Eleonora z zamkniętymi oczami pozwoliła się porwać fali namiętności.

Wymknęło się jej zdławione westchnienie. Dłonie, kurczowo
przytrzymujące suknię, osłabły i otwarły się, pozwalając, by z cichym
szelestem zsunęła się na podłogę. Eleonora chwyciła brzeg żakietu
Sebastiana, chcąc znaleźć się tuż przy nim, pragnąc poczuć dotyk
jego nagiej skóry. Poczuła pod palcami chłodny jedwab kamizelki,
a gdy przycisnęła je mocniej, także jego twarde mięśnie. Śmiało
położyła ręce na jego piersi. Sebastian syknął gwałtownie, poczuła,
że wstrząsnął nim dreszcz.

Świadomość, że w każdej chwili ktoś może ich zaskoczyć, sprawiła, że przyspieszyli tempo.

– Nie powinniśmy tego robić – wyjąkała słabym głosem.

– Wiem – zgodził się z nią. – I właśnie dlatego musimy.

Parsknęła śmiechem. Pocałunki Sebastiana były jak narkotyk,
jego ręce budziły jej ciało do życia, a jego serce wnikało w jej duszę.
On sam był zaś najważniejszą pokusą. Jak mogła mu się oprzeć?

Wszystkie te myśli pierzchły, gdy Sebastian rozwinął różowe,
jedwabne wstążeczki w rozcięciu jej koszuli. Odsłonił jej pierś i objął sutek wargami. Jęknęła, gdy zaczął go ssać, póki nie stwardniał,
a potem zrobił to samo z drugim.

Cała drżąca, objęła go mocno za szyję, chcąc oprzytomnieć.
Ale pożądanie przesłoniło wszystkie odczucia. Zamknęła oczy,
wdychając ciepło, jakie z niego emanowało. Skóra niemal ją paliła,
a doznania zmysłowe stały się wręcz bolesne.

Westchnęła, napawając się odczuciami, które przenikały całe jej ciało. Czuła intensywny zapach Sebastiana i pragnęła, by ich zuchwały, przejmujący, urzekający uścisk trwał całą wieczność. Czuła na sobie jego dłonie, a gdy dotknął miejsca między jej nogami, wstrząsnął nią konwulsyjny dreszcz.

– O Boże, jesteś już gotowa – mruknął, gdy rozchyliła uda. – Muszę tego spróbować.

Ukląkł przed nią na dywanie. Nie od razu zrozumiała, co ma na myśli, ale gdy tylko dotknął jej tam językiem, wyrwał się jej jęk zaskoczenia.

– Sebastianie, ty chyba nie...

– Nie mów nic! To cudowne. Wierz mi, moja droga. Wiem, co powinienem robić. – Pociągnął Eleonorę, tak że znalazła się na podłodze, tuż przed nim. Położył ją na plecach i uniósł rękami jej pośladki. Język jego wślizgnął się poniżej jej brzucha, szukając czegoś gorącymi wargami. Zażenowana, usiłowała wyswobodzić biodra, ale trzymał ją zbyt mocno.

Czuła, jak cała się spręża, gdy osuwał się coraz niżej, potem jednak poniechała wszelkiej myśli o oporze. Rozkosz, jaką dawał jej ten przewrotny pocałunek, była wprost niewyobrażalna. Lekki jak piórko i zarazem zmysłowy, docierał do samego rdzenia jej duszy. Ciało jej zaczęło się otwierać, pozwalając, by Sebastian kierował nią w tej niezwykłej podróży.

Eleonora bezwstydnie poruszała biodrami, przywierając do jego ust i języka. A ten niezwykle zwinny język dokładnie wiedział, gdzie jej dotknąć, gdzie zataczać kręgi. Czuła, że gdzieś spada, daleko od rzeczywistości, tracąc poczucie czasu i miejsca.

Czuła niesłychany, niemal bolesny napór, podczas gdy jej biodra nadal gwałtownie uderzały w jego ciało. Wszystko wokół wirowało, z trudem chwytała powietrze i ledwo zdawała sobie sprawę z tego, że urywane dźwięki, które słyszy, wydobywają się z jej własnych ust.

Nagle, niemal bez uprzedzenia, rozkosz zaczęła gwałtownie narastać i Eleonora krzyknęła, a potem zalały ją fale błogości. Sebastian podtrzymywał ją delikatnie, dotrzymując jej kroku aż do samego końca, przynaglając do spełnienia. Sprawiał, że czuła się przy nim bezpieczna, piękna, godna pożądania.

Ciężko dysząc, opadła, zupełnie bezwolna. Czuła, że Sebastian porusza się tuż przy niej, i odwróciła się, obejmując go za szyję, zatracając się w uścisku jego ramion. W euforii, nasycona od stóp do głów, ale też pełna czułości tak dogłębnej, jakiej nigdy przedtem nie doświadczyła.

Uniosła podbródek i spojrzała mu w oczy.

– Czy ci się to podobało? – spytał z lekkim uśmiechem.

Odpowiedzią był rumieniec.

– Ale co z tobą? – spytała, patrząc na jego lędźwie.

– Nie jest to łatwe, ale potrafię dawać, niczego nie biorąc – powiedział przez zaciśnięte zęby. – Poza tym w tych drzwiach nie ma zamka i ktoś mógłby nam przerwać w każdej chwili.

Nie było tam zamka! Eleonora wpadła w panikę. Zerwała się na równe nogi, szukając sukni i modląc się w duchu, żeby ktoś tu nie wtargnął. Niezręcznie szamotała się z ubraniem, nie dopinając haftek i nie wiążąc tasiemek.

Sięgnęła do włosów, usiłując przygładzić rozsypane kosmyki.

– Brak mi jednego kolczyka! – oznajmiła zmieszana.

– Może go połknąłem.

Mimo całej paniki się zaśmiała.

– Milordzie, to doprawdy skandaliczne!

Uśmiechnął się.

– Sądzę, że potrafiłabyś mnie skłonić do zjedzenia wszystkiego, droga milady. Rozkoszowałbym się każdą odrobiną.

Eleonora zaczerwieniła się, nagle zażenowana.

– Nie pragnęłam wcale, żebyś zjadał moją biżuterię.

– Do diabła z biżuterią. Kupię ci inną, jakiej tylko zapragniesz.

– Jako kobieta niezamężna nie powinnam przyjmować tak kosztownych darów od mężczyzny.

– Póki tylko chcesz przyjmować moje pocałunki, będę zadowolony – odparł, sięgając pod jej suknię, żeby mocniej zawiązać tasiemki koszuli. – Lepiej zostawić suknię rozpiętą, tak żeby madame mogła zdjąć miarę.

Eleonora skinęła głową w nadziei, że szwaczki nie przerwą im szybko.

– Czy sądzisz, że ona się domyśli? Tego, że...

Sebastian uśmiechnął się, doprowadzając strój do porządku .

– Uroczo się rumienisz – oświadczył, wkładając kapelusz. – Wystarczy, że na ciebie spojrzy, a natychmiast nabierze podejrzeń.

Eleonora jęknęła, a on ciągnął łagodnie:

– Na szczęście jest tylne wyjście, z którego za chwilę skorzystam. A Bianka i tak się niczego nie domyśli – rzekł, obrzucając ją wymownym pojrzeniem

Spojrzał na nią tak, że Eleonorze niemal zaparło dech.

– Kiedy znów cię zobaczę? – spytała Eleonora z trudem.

– Chyba jutrzejszego wieczoru. Będę na balu u Sinclairów. Przyjdziesz tam?

– Nie miałam tego w planach, ale jeśli ty się tam wybierasz...

Pochylił się, by pożegnać Eleonorę długim pocałunkiem.

– Niełatwo mi będzie doczekać jutra. A dziś wieczór?

– Idziemy do teatru, zaprosił nas lord Waverly.

– Nawet jeśli tam się zjawię – powiedział Sebastian wyraźnie zmartwiony – to ledwie cię zdołam zobaczyć. Nie możesz pójść gdzie indziej? Reese-Jonesowie urządzają wieczorek muzyczny.

Eleonora gwałtownie pokręciła głową.

– Bianka poważnie interesuje się Waverlym. Ja pełnię rolę jej przyzwoitki, nawet jeśli pozwalam sobie na coś takiego jak dziś z tobą, co sprawia, że nie pilnuję jej najlepiej. Jeśli z nią nie pójdę, sama się tam nie wybierze.

Sebastian westchnął przeciągle. Pochlebiło jej to jego rozczarowanie, ale odpowiedź nasuwała się sama.

– Możemy się spotkać już za parę godzin, gdybyś po południu złożył nam wizytę. Dlaczego nigdy tego nie zrobiłeś?

Istotnie, Sebastian nigdy ich nie odwiedził, jak przystało przyzwoitemu wielbicielowi. Nie wiedziała, czy przypadkiem nie uderzyła w jakąś bolesną strunę lub nie odkryła prawdy. Właściwie nie chciała znać odpowiedzi, choć czuła, że jest ona ważna. Czekała na nią z niepokojem.

Nim zdołał odpowiedzieć, przerwał im słaby odgłos. Jakaś kobieta gwałtownie nabrała tchu. Obydwoje odwrócili się ku drzwiom. Eleonora odetchnęła z ulgą, widząc, że stoi w nich madame Claudette z ręką na klamce.

– Przepraszam, milady. Wrócę później...

– Nie, nie, proszę wejść – przerwał jej wicehrabia. – Ja już wychodzę.

Oczy ich się spotkały i Eleonora odczuła siłę jego spojrzenia. Zaskoczyło ją to tak, że ledwie zauważyła, gdy się jej ukłonił, a potem opuścił przymierzalnię, nie odpowiadając na jej pytanie.

12

Aura zmysłowej błogości otaczająca Eleonorę utrzymywała się przez cały dzień, w nocy i następnego ranka, a stała się jeszcze bardziej wyrazista, gdy przysłano jej jedną białą różę. Nie mogła się na niczym skupić, umysł odmawiał posłuszeństwa, nie była w stanie wykonywać nawet najprostszych codziennych czynności, łapała się na tym, że niewłaściwie wypełnia swoje obowiązki.

Dała kucharce trzy różne egzemplarze całotygodniowego jadłospisu, wprawiając w ogromne zdumienie zdezorientowaną sługę. Gdy usiadła przy biureczku, by napisać zwykłe podziękowania, przez godzinę wpatrywała się bezmyślnie w pustą kartkę. Kazała lokajowi przynieść cztery wazony, ale zapomniała poprosić o kwiaty, które chciała w nich ułożyć.

Pogrążona w marzeniach na jawie, nie mogła się doczekać teatralnego party z lordem Waverlym, które okazało się ożywionym spotkaniem grupy ludzi zaprzyjaźnionych ze sobą i bardzo hałaśliwych. Była zadowolona z tej sytuacji, ponieważ jej myśli tak zaprzątał Sebastian, że nie była w stanie udawać zainteresowania konwersacją.

Mimo rozpaczliwych wysiłków, nie mogła się powstrzymać, i przymknąwszy oczy, wciąż ożywiała w pamięci te zmysłowe, występne chwile, które spędzili razem w przymierzalni madame Claudette. Znów czuła na sobie dłonie Sebastiana, jego wargi przesuwające się po jej drżącym ciele, jego spojrzenie pełne namiętności. Za każdym razem, gdy przywoływała tę scenę w pamięci, czuła potajemny przypływ szczęścia.

Wiedziała, że był rozpustnikiem i doświadczonym kochankiem, ale nigdy sobie nie wyobrażała, by mógł w niej wzbudzić te niezwykłe erotyczne doznania. Czuła się teraz odmieniona, bardziej kobieca i światowa.

Schodząc w ślad za Bianką do salonu, by przyjmować popołudniowe wizyty, ujrzała przelotnie swoje odbicie w lustrze. Nieustanne rozmyślania o Sebastianie sprawiły, że cała jej twarz promieniała, zdradzając, co się w niej dzieje, lecz prawie się tym nie przejęła.

Były to odczucia zbyt nowe i zbyt silne, by je z kimkolwiek dzielić. Na szczęście uwagę Bianki tak bardzo pochłaniał romans z lordem Waverlym, że nie miała czasu, by zastanawiać się nad przyczyną roztargnienia Eleonory.

Lord Waverly, w czym nie było oczywiście nic dziwnego, zjawił się tego popołudnia jako pierwszy gość. Wkrótce po nim przyszło kilku innych dżentelmenów, stanowiących legion wielbicieli Bianki, oraz kilka dam. Mężczyźni skupili się wokół Bianki, Waverly zaś stał tuż przy niej, jakby chciał ją chronić, i popatrywał na nich groźnie. Bianka odbierała hołdy w jednym krańcu salonu, Eleonora wraz z damami siedziała w drugim.

Miała nadzieję, że goście dostarczą jej jakiejś rozrywki i sprawią, że czas będzie płynął szybciej. Zostało jeszcze całe osiem godzin! Osiem godzin, póki nie pójdą sobie na bal u Sinclairów; póki ona nie zobaczy Sebastiana.

O Boże, jak zdoła przetrwać ten czas?

Eleonora wpatrywała się w swoją filiżankę herbaty, z roztargnieniem obserwując kobaltowe zdobienia. Gdy uniosła głowę, zdała sobie sprawę z chwili kłopotliwej ciszy i zauważyła, że lady Mary oraz pani Farnsworth, jej matka, wymieniają zaskoczone spojrzenia. Najwyraźniej któraś z nich o coś ją zapytała.

– Być może – rzuciła od niechcenia, dolewając sobie herbaty do pełnej już filiżanki.

Pani Farnsworth spojrzała na nią niepewnie, ale była zbyt dobrze wychowana, żeby cokolwiek powiedzieć. Eleonora przez chwilę głowiła się, o co ją właściwie pytano, ale potem doszła do wniosku, że nie musi się tym przejmować. Zegar wybił kolejne pół godziny. O Boże, jeszcze siedem i pół godziny, nim ujrzy Sebastiana.

Postanowiła rozmyślać o czymś zupełnie innym i usiłowała skoncentrować się na chwili bieżącej. Desperacko próbowała słuchać uwag pani Farnsworth, zdając sobie sprawę, że musi być uważna, jeśli nie chce wyjść na idiotkę.

Wystarczy, że coś mruknie w odpowiedzi, skinie głową i uda zainteresowanie tym, o czym te kobiety rozprawiają. Nawet przy swoim obecnym roztargnieniu zdoła sobie jakoś poradzić, jeśli się tylko postara.

Gdy po dziesięciu minutach tej tortury Eleonora gratulowała sobie, że zupełnie dobrze jej o idzie, do salonu wszedł Harrison i zaanonsował:

– Wicehrabia Benton przyszedł z wizytą, milady.

– Kto?

– Wicehrabia Benton.

– Teraz? Teraz do nas przyszedł?

Harrison wyglądał na zaskoczonego i Eleonora zdała sobie sprawę, jak śmiesznie to musiało zabrzmieć. Oczywiście, że przyszedł teraz; to właśnie kamerdyner powiedział. Teraz! On był tu teraz!

Serce podskoczyło jej do gardła tak, że nie mogła wykrztusić słowa. Sebastian nigdy nie składał popołudniowych wizyt. Niedawno przecież zwróciła mu na to uwagę. A jednak znalazł się tutaj. Poczuła się tak szczęśliwa, że niemal odjęło jej głos. Rzuciła siostrze rozpaczliwe spojrzenie. Bianka skinęła głową, wstała z krzesła i podeszła do niej.

– Wicehrabia Benton przychodzi do nas z wizytą, to wprost zachwycające! Poproś, żeby wszedł – oznajmiła wręcz królewskim tonem.

Eleonora, usiłując zachować spokój, odstawiła filiżankę z herbatą i uśmiechnęła się bezmyślnie do obu pań Farnsworth w nadziei, że w ten sposób nie uzewnętrzni swoich prawdziwych uczuć. Nieźle potrafiła udawać obojętność, póki Sebastian nie wszedł do salonu.

Jego widok sprawił, że znów powróciła myślą do ich potajemnego *rendez-vous* i poczuła, że twarz jej płonie. Sebastian zatrzymał się w drzwiach, jakby zaskoczony sporą liczbą gości.

– Lady Eleonoro... lady Bianko... – powiedział, składając elegancki ukłon – jakże mi miło widzieć was obydwie.

Choć Eleonora nie wyciągnęła do niego ręki, ujął jej dłoń w swoją. Gwałtownie zaczerpnęła tchu. Dotknięcie jego smukłych, mocnych palców sprawiło, że niemal się rozpłynęła ze wzruszenia. Mogła myśleć jedynie o tym, jak jego dłonie zręcznie przesuwały się po jej skórze poprzedniego ranka, jak drżała pod tym dotknięciem, jak pulsowało w niej podniecenie.

Jakimś cudem zdołała oprzytomnieć i spokojnie spojrzeć mu w oczy.

– Witam, wicehrabio.

– Dziękuję za miłe przyjęcie – rzekł ceremonialnie, po czym nachylił się i szepnął jej do ucha: – Ostatnio usłyszałem, że składam za mało grzecznościowych wizyt, postanowiłem więc się poprawić.

Przez moment mocno ścisnął palcami jej dłoń. Ten intymny gest sprawił, że zadrżało w niej serce i Eleonora nie ośmieliła się spojrzeć mu ponownie w oczy, pewna, że straciłaby zimną krew.

– Milordzie, chciałabym pana przedstawić... – Spojrzała na dwie kobiety siedzące na sofie i pamięć odmówiła jej posłuszeństwa. Jakże one się nazywają?

Sebastian odchrząknął.

– Nie jest to konieczne – rzekł gładko. – Znam obie panie. Lady Mary... pani Farnsworth... bardzo mi miło.

167

Kobiety przyjęły jego pozdrowienie sztywno. Nastąpiła długa, niepokojąca pauza. Eleonora szukała gorączkowo jakiegoś odpowiedniego tematu, ale żaden nie przyszedł jej na myśl.

– Piękny jest dziś wieczór, prawda? – podtrzymała rozmowę Bianka.

– O tak, słoneczny, ale nieco za ciepły – odparł Sebastian.

– Wiosna to chyba moja ulubiona pora roku – ciągnęła Bianka.

– Niewątpliwie. – Sebastian spojrzał przelotnie na Eleonorę, a potem odwrócił wzrok.

Panie Farnsworth nie powiedziały nic. Nastąpiła kolejna, przerażająca pauza. Eleonora sięgnęła po filiżankę, zajrzała do niej i powiedziała do lokaja:

– Herbata już się kończy. Proszę przynieść nowy dzbanek.

Sebastian usiadł blisko Eleonory. Bianka z uśmiechem skinęła głową i wróciła do kręgu swoich wielbicieli.

– Co za piękna suknia, lady Mary – zwrócił się Sebastian do panny Farnsworth. – Czy nie jest to przypadkiem jedna z kreacji madame Claudette?

Eleonora o mało nie zakrztusiła się herbatą.

– Nie myli się pan, wicehrabio. To jej oryginalny fason – odparła lady Mary, prychając wyniośle.

– Ach, ma doprawdy wielki talent. Ale nietrudno szyć na kobietę o pani urodzie. – Sebastian uśmiechnął się, ukazując swoje równe, białe zęby. – Ostatnio miałem sposobność odwiedzić jej pracownię i stwierdziłem, że stroje od tej pani są najwyższej jakości.

Pani Farnsworth zrobiła niezwykle zaciekawioną minę.

– A cóż pan robił w pracowni damskiej krawcowej, milordzie?

– Oglądałem dla czystej przyjemności towar, którym handluje – odparł natychmiast. – Madame Claudette ma najlepsze tkaniny, jakie zdarzyło mi się widzieć. Albo dotykać.

Eleonora poczuła, że robi się jej gorąco. Rzuciła mu ostre spojrzenie, lecz on jedynie przymrużył oko w odpowiedzi. Sięgnęła po białą chusteczkę i dyskretnie przetarła nią kark. Ależ była rozpalona! Może zamiast herbaty należało podać mrożoną lemoniadę?

168

Raz jeszcze spojrzała podejrzliwie na Sebastiana. Gawędził przyjaźnie z jej gośćmi, gestykulując przy tym elegancko. Niechęć pań Farnsworth zaczęła topnieć pod jego urokiem, choć wciąż jeszcze były trochę najeżone. Miała pewność, że gubią się w domysłach, po co tu właściwie przyszedł.

Kosmyk ciemnych, miękkich włosów opadł mu nagle na czoło. Odgarnął go, ale uparte pasemko opadło w dół po raz drugi. O mało nie uniosła ręki, tak bardzo pragnęła dotknąć go, owinąć niesforny loczek wokół własnego palca. Najchętniej siadłaby mu na kolanach i przytuliła się do jego twardej piersi, zbliżyła swoje usta do jego warg i...

– Czyż nie tak, lady Eleonoro? – spytał.

– Absolutnie tak. – Uśmiechnęła się szeroko, próbując oprzytomnieć.

Spojrzał na nią z porozumiewawczym uśmiechem, a potem mówił dalej. Panie Farnsworth ledwie mogły spokojnie usiedzieć na miejscu. Nie tylko słowa, jakich używał, ale sam sposób ich wypowiadania przykuwał uwagę wszystkich.

Eleonora stwierdziła, że chyba nigdy ją nie znuży słuchanie jego głębokiego barytonu, gdy nagle tuż obok siebie usłyszała dyskretne kaszlnięcie. Podniosła wzrok i ujrzała, że goście wstają z krzeseł. Czyżby zamierzali już wychodzić?

– Musimy panią pożegnać, lady Eleonoro, czeka nas jeszcze kilka innych wizyt – oznajmiła lady Mary.

Eleonora wstała. Sebastian również podniósł się z miejsca, więc przez chwilę wpadła w panikę, sądząc, że on również zbiera się do wyjścia. Odruchowo wyciągnęła ku niemu rękę. Zdumiało go to wyraźnie i odwrócił się ku obu damom z wymownym gestem.

Eleonora zdołała w końcu wykrztusić:

– Dziękuję za wizytę. Było mi bardzo miło widzieć obydwie panie – dodała, mając nadzieję, że nie widać po niej satysfakcji, jaką jej sprawiło ich odejście.

– Myślałem, że już nigdy się stąd nie wyniosą – szepnął do niej Sebastian, gdy zostali sami.

– Tak, to było okropne – zgodziła się. – Zaczynam rozumieć pańską awersję do składania wizyt.

– Przejdźmy się po ogrodzie – zaproponował.

– Nie mogę zostawić Bianki, jestem jej przyzwoitką! – jęknęła.

Jakby dla podkreślenia jej słów, mężczyźni z drugiego końca pokoju zaśmiali się donośnie.

– Do licha, czyżby w tym domu nie było żadnego kąta, gdzie można by porozmawiać w cztery oczy? – spytał zaskoczony. – Czy jest tu gdzieś biblioteka?

Eleonora się roześmiała. Sebastian był niepoprawny!

– Może tam znajdziemy trochę spokoju – odparła, wskazując na alkowę.

– Pójdę pierwszy, a pani po chwili podąży w ślad za mną – powiedział rozkazującym tonem, odwracając się na pięcie.

Gdy tylko weszła do alkowy, przycisnął ją mocno do siebie.

– To była istna tortura – powiedział schrypniętym głosem, biorąc Eleonorę w ramiona i całując gwałtownie.

Odwzajemniła pocałunek, oplatając ramionami szyję Sebastiana, obydwoje przywarli do siebie w tym cichym zakątku. Kiedy odsunęła usta od jego warg, uznała, że zrobiła to za wcześnie.

– Nie możemy tu zostać zbyt długo – uprzedziła go.

– Eleonoro... – Sebastian ujął jej twarz w obie dłonie i pochylił się nad nią.

Czułość jego pocałunku była wręcz niewyobrażalna. Zadrżała, pełna pragnienia. Pełna miłości.

Po kolejnym pocałunku z trudem oderwali się od siebie. Milczeli – Sebastian patrzył na nią w szczególny sposób, który sprawiał, że czuła się niezwykła i cenna.

Odpowiedziała jedynie uśmiechem, choć tak naprawdę pragnęła następnych pocałunków. Sebastianowi błysnęły oczy, jakby się tych pragnień domyślił i jakby je odwzajemniał. Niestety, nie był to odpowiedni czas ani miejsce, by dawać upust namiętnościom, o czym wiedzieli obydwoje.

– Zobaczymy się jutro wieczorem? – spytała.

– Z całą pewnością.

Eleonora pozostała w alkowie, póki nie odszedł. W końcu oprzytomniała i wysunęła się stamtąd, po czym wchodząc do salonu, o mało się nie zderzyła z ojcem.

– Do diabła ciężkiego, po co się tam schowałaś, Eleonoro?! – spytał ostrym tonem hrabia.

Eleonora poczuła, że cała sztywnieje. Dlaczego ojciec zawsze musi odnosić się do niej tak nieuprzejmie? Odetchnęła z trudem, a obejrzawszy się przez ramię, zdała sobie sprawę, że w pokoju jest pusto.

– Wszyscy już poszli?

– Prawie wszyscy. Bianka rozmawia akurat z pewnym dżentelmenem w moim gabinecie. Spodziewam się wkrótce dobrych nowin.

Dobrych nowin? Eleonora zaczęła gorączkowo myśleć, bo zadowolona mina ojca mówiła sama za siebie. Sądząc po niej, można by pomyśleć, że chodzi tu o oświadczyny, i to takie, na których hrabia wyraźnie zyska finansowo.

Rozpromieniła się. Nareszcie! Widocznie lord Waverly podjął w końcu decyzję i oświadczy się Biance. Interesował się nią bardzo wyraźnie i to z wzajemnością. Byłoby to dla obojga dobre małżeństwo, a dzięki jego tytułowi i zamożności korzystne również dla ojca.

Niespokojna i podniecona, czekała na ukazanie się szczęśliwej pary. Po chwili drzwi się otwarły i do salonu weszła Bianka, lecz mężczyzną, który jej towarzyszył, nie był wcale lord Waverly, tylko wicehrabia Farley.

Eleonora, patrząc na nich, poczuła bolesny skurcz w żołądku. I ona, i Bianka spotkały lorda Farleya tylko jeden raz i nie zrobił na nich dobrego wrażenia. Odpychający, o tłustych włosach, z zawsze skrzywioną, irytującą i niesympatyczną twarzą.

Teraz jednak był tak ożywiony, że cały aż poróżowiał. Wyciągnął ramię do Bianki, która odsunęła się od niego z przeciągłym, głośnym westchnieniem. Eleonora domyśliła się wszystkiego. Podbiegła do siostry.

– Co się stało? – spytała.

Twarz Bianki była blada, w jej oczach malowało się przygnębienie.

– Lord Farley mi się oświadczył.

– Dobry Boże, przecież on jest starszy od ojca!

Bianka wodziła nerwowo wzrokiem od hrabiego do lorda Farleya, oni zaś podeszli do kredensu, żeby się napić.

– Myślę, że są chyba w tym samym wieku – szepnęła siostra.

– Przyjęłaś jego oświadczyny?

Bianka unikała jej spojrzenia.

– Poprosiłam go, żeby dał mi nieco czasu na rozważenie jego uprzejmej i wielkodusznej oferty.

– Czy straciłaś rozum? Czemu z miejsca nie odrzuciłaś tej propozycji? Miałabyś go z głowy.

– Nie mogłam. – W oczach Bianki zalśniły łzy. – Zdaje się, że papa jest mu winien bardzo dużo pieniędzy, bo powiedział mi, że muszę je przyjąć. Och, Eleonoro, co mam robić? Lord Farley jest po prostu okropny! Kiedy po oświadczynach podał mi rękę, z trudem powstrzymałam obrzydzenie. Ciągle powtarzał, że będę dla niego odpowiednią żoną i że bardzo mu pilno do małżeństwa!

Zgnębiony ton Bianki sprawił, że Eleonora aż zakipiała ze złości. Jak siostra mogła postąpić tak niemądrze? Właśnie podobnej sytuacji obawiała się najbardziej i chciała jej zapobiec. A sądziła, że jest taka ostrożna i zręczna! Najwyraźniej nie doceniła desperacji hrabiego, a teraz Bianka to odcierpi.

– Kiedy masz dać mu odpowiedź?

– Jeszcze dzisiejszego wieczoru. Papa chce oznajmić o moich zaręczynach podczas balu u Sinclairów.

Nie miały zatem wiele czasu. Eleonora usiłowała opanować narastający w niej lęk.

– A co będzie z lordem Waverlym? Wyraźnie mu się przecież spodobałaś.

– Powiedział, że mnie kocha. – Oczy Bianki napełniły się łzami. – A ja jego także kocham.

– Głowa do góry, Bianko – powiedziała, patrząc na jej zgnębioną twarz. – Nie będziemy czekać bezczynnie jak dwie głupie gęsi

172

na to, co ma się stać. Jeśli Waverly naprawdę się kocha, powinien poruszyć niebo i ziemię, żeby zapobiec ogłoszeniu tych zaręczyn.

– W jaki sposób? – spytała Bianka, kładąc drżącą dłoń na ramieniu siostry.

Eleonora głęboko zaczerpnęła powietrza, mimo że cała się trzęsła, starała się spokojnie zebrać myśli.

– Musisz natychmiast do niego napisać. Jeśli przebije ofertę Farleya, ojciec może da się namówić, żebyś nie przyjmowała jego oświadczyn, i zgodzi się wydać cię za Waverly'ego.

– Ale lord Waverly jeszcze nie deklarował chęci małżeństwa. – Bianka zarumieniła się nieznacznie. – Jakże więc miałabym z nim o tym mówić? Dama nie może oświadczać się mężczyźnie. Tego się nie robi!

Eleonora spojrzała na nią z gniewem.

– Do licha, Bianko, to nie jest odpowiednia chwila, żeby brać pod uwagę dobre maniery! Jeśli nie przedsięweźmiesz żadnych kroków, z pewnością zostaniesz żoną Farleya.

Bianka wygięła usta w podkówkę. Eleonora pożałowała ostrych słów, ale nie mogła postąpić inaczej. Żeby mieć jakąkolwiek szansę na zburzenie hrabiowskich planów dotyczących małżeństwa młodszej córki, należało działać szybko i zdecydowanie,

– Och, Boże, z pewnością masz słuszność, Eleonoro. – Bianka zniżyła głos: – Ale jeśli nawet odważę się poprosić Waverly'ego o pomoc, jak mu przesłać list? Przecież nie wiadomo, gdzie się w tej chwili znajduje. Nie mogę kazać służącemu, by go szukał po całym Londynie.

Eleonora z przeciągłym westchnieniem spojrzała na ojca i lorda Farleya. A gdyby spróbowała porozmawiać z hrabią i namówić go, żeby nie spieszył się z ogłaszaniem zaręczyn? Jeśli Waverly istotnie żywi względem Bianki tak silne uczucia, jakimi ona darzy jego, nie pozwoli jej sobie odebrać. Trzeba tylko trochę czasu.

Ujrzała, że ojciec nachylił się do Farleya i szepnął mu coś do ucha. Farley skinął głową, a potem uśmiechnął się od ucha do ucha, ukazując braki w uzębieniu. Hrabia, podniósłszy wzrok, napotkał spojrzenie córki. W jego oczach błyszczał triumf.

Eleonora z przygnębieniem zdała sobie sprawę z sytuacji. Hrabia nie miał zamiaru zwlekać. Nawet gdyby zdołały odnaleźć Waverly'ego, ten ostatni, chcąc zapewnić sobie rękę Bianki, musiałby wystąpić z dużo hojniejszą ofertą niż Farley.

Nie miała jednak zamiaru potulnie godzić się z klęską.

Z determinacją położyła dłoń na ramieniu siostry.

– Napisz ten list, Bianko. Wiem, jak się szybko porozumieć z lordem Waverlym.

Sebastian, żegnając się z Eleonorą, nie spodziewał się, że tak szybko znów ją spotka, lecz bilecik dostarczony mu przez lokaja głosił zwięźle:

„Muszę cię pilnie zobaczyć. Spotkaj się ze mną najszybciej, jak to możliwe. Najważniejsze, by nikt prócz służby o tym nie wiedział. Proszę cię, pospiesz się".

Sebastian, zaintrygowany, spełnił jej życzenie i zjawił się w ciągu godziny. Bez trudu udało mu się wślizgnąć niezauważalnie tylną bramą i odnaleźć miejsce wskazane przez Eleonorę. Przybiegła tam po chwili, mocno zdyszana.

Nim zaczęła mówić, Sebastian objął ją wpół i nakrył jej usta swoimi. Ona jednak nie odwzajemniła pocałunku, tylko lekko odsunęła się od niego.

– O Boże, nie mam teraz na to czasu!

– Powinienem się chyba obrazić.

Zaczerwieniła się po same uszy.

– Twoje pocałunki ogromnie mnie absorbują, a sprawa jest zbyt pilna. Musisz możliwie jak najszybciej znaleźć lorda Waverly'ego. Wręcz mu ten list i przekonaj, by go niezwłocznie przeczytał.

– A czy nie powinienem go przy tej okazji spytać, czy zrozumiał jego treść? – spytał z uśmiechem Sebastian. Dlaczego kobiety zawsze uważają sprawy sercowe za najpilniejsze? Spojrzał pod światło na list, który Eleonora wcisnęła mu do ręki, jakby usiłując go odczytać.

– Co w nim właściwie jest?

– Sebastianie, proszę cię! – Wyrwała mu kopertę. Piersi jej falowały gwałtownie. – To nie żarty!

– Hm, wygląda na to, że nie.

Eleonora zacisnęła usta.

– Wybacz – powiedziała z wahaniem – wiem, że się zachowuję...

– ...jak wariatka?

– Raczej dziwnie – odparła.

Sebastian spojrzał na nią uważniej. Nigdy jeszcze nie widział jej tak wzburzonej.

– A zatem nie przysłałaś mi bileciku, żeby się tu ze mną całować, lecz po to, bym przekazał Waverly'owi list? Zapewne od Bianki?

– Tak. Jej przyszłemu szczęściu grozi straszne niebezpieczeństwo. – Eleonora mocniej zacisnęła wargi. – Ojciec chce ją zmusić do małżeństwa z wicehrabią Farleyem.

– Co, z tym starym kozłem? Nic dziwnego, że jesteś taka zgnębiona.

– Trzeba natychmiast zawiadomić Waverly'ego. Bianka wyjaśnia wszystko w liście, a także pisze, co trzeba zrobić, żeby zapobiec tej katastrofie – mówiła ze śmiertelna powagą Eleonora. – Jesteś jedynym człowiekiem, do jakiego mogę się zwrócić, Sebastianie, a także jedynym, któremu mogę zaufać.

Dobry Boże, co też ona mówi! Czekał na dalsze wyjaśnienia, ale Eleonora była tak roztrzęsiona, że zrozumiał, iż więcej się od niej nie dowie. Wzrokiem błagała go o pomoc.

Dziwne, ale nie zawahał się ani chwili, tylko bez słowa sięgnął po list.

– Jestem zawsze twoim oddanym sługą, Eleonoro. Nie zawiedziesz się na mnie.

Ujrzał na jej twarzy ulgę. Uściskała go pospiesznie, a potem, choć z niepokojem, pozwoliła mu odejść. Sebastian opuścił ogród tą samą drogą, którą do niego wszedł, choć zdumiewało go, skąd się u niego wzięła ta nagła, impulsywna chęć niesienia rycerskiej pomocy i dlaczego sprawia mu ona tak wielką satysfakcję.

Później tego samego wieczoru Sebastian stał w wypełnionej po brzegi gośćmi sali balowej Sinclairów i, oparty o ścianę, słuchał, jak hrabia Hetfield obwieszcza o zaręczynach swojej córki, lady Bianki, z lordem Waverlym. Świeżo upieczony narzeczony z przejęciem wygłosił krótką mowę, wychwalając liczne zalety swojej przyszłej żony w sposób tak wzruszający, że połowa kobiet obecnych na sali sięgnęła po chusteczki.

Sebastian czułby większą satysfakcję, gdyby na skutek jego działań hrabia zawrzał gniewem, ale wcale się na to nie zanosiło. A jednak dzięki owym działaniom znaczył teraz dużo więcej dla Eleonory. Kiedy zdołał się z nią spotkać na osobności, przekonał się o tym dobitnie.

Sposobność trafiła się dużo szybciej, niż się spodziewał. Eleonora stała obok siostry podczas ogłaszania zaręczyn, ale gdy Waverly skończył swoją przemowę, utorowała sobie drogę wśród tłumu i wyślizgnęła się na taras. Sebastian podążył za nią.

Blask „strategicznie" rozmieszczonych pochodni oświetlał mu drogę. Poczekał, aż Eleonora się zatrzyma, a potem podszedł do niej.

– A więc tutaj się ukryłaś? Dziwne, że nie obstąpiły cię wszystkie damy, żeby się czegoś dowiedzieć o nadchodzącym ślubie.

– Podejrzewam – odparła z uśmiechem – że o niczym innym nie będzie się mówić, póki małżeństwo nie zostanie zawarte.

– Waverly wyglądał na mocno przejętego.

– Wybuch uczuć kobiety może oszołomić każdego mężczyznę. Równie podniecone jak Bianka są jego obydwie siostry i matka, podejrzewam zresztą, że ta zacna dama już rozpoczęła przygotowania do ślubu.

– Pozwól, nich zgadnę: czy ona chce urządzić wielki ślub w kościele św. Jerzego na Hanover Square? – spytał z dyskretnym uśmiechem.

– Nie zgadłeś. Zawrą za miesiąc małżeństwo w majątku Waverly'ego. To ich rodzinna tradycja, jeśli dobrze zrozumiałam.

– Wyobrażam sobie, jaki tam będzie tłum.

– Zapewne. – Eleonora lekko wzruszyła ramionami.

– Czy mogę mieć nadzieję na zaproszenie?

– Przecież zalecałeś się do narzeczonej! – odparła nadąsana.

– Bardzo krótko.

– Odnoszę wrażenie, że matka Waverly'ego uznałaby to za rzecz w złym guście. Bierze wszystko na serio – odparła sceptycznie Eleonora. – Mam nadzieję, że nie rozczarujesz się zbytnio, jeśli cię tam nie zaproszą.

– Jakoś to przeżyję. Muszę im jednak przesłać jakiś imponujący prezent, żeby utrzeć nosa lady Waverly.

W oczach Eleonory błysnęło rozbawienie.

– To jest myśl!

– Nigdy nie chciałbym się żenić wśród tłumu gości. Pamiętam, jaki straszny ścisk panował na ślubie Atwooda. Aż się człowiekowi w głowie kręciło. Wiesz, złapałem bukiet – powiedział, patrząc na nią spod oka.

– Przepraszam, o czym ty mówisz?

– Bukiet ślubny. Lady Dorota rzuciła nim prosto we mnie. Takie już ma poczucie humoru.

– Szkoda, że tego nie widziałam – odparła z uśmiechem.

– Rzeczywiście, wyglądało to dość zabawnie – przyznał. – Najpierw złapałem bukiet lady Atwood, a potem odegrałem rolę Kupidyna w sprawie Waverly'ego. Najwyraźniej zaczynam coraz więcej znaczyć w tym zakresie. Przyznam, że trochę mnie to drażni.

– Weź sobie te sygnały do serca, Sebastianie – zaśmiała się cicho. – Pomagając lordowi Waverly'emu nie działałeś jednak jak Kupidyn, lecz raczej jak skrzydlaty posłaniec Merkury.

– Trafna uwaga. No i udało mi się.

– Owszem, wszystko poszło dużo lepiej, niż sobie wyobrażałam.

– Sądzę, że los Bianki jest już zabezpieczony. Teraz twoja kolej.

Orzechowe oczy Eleonory błysnęły w świetle księżyca.

– Wyjść za mąż? Śmieszny pomysł. Któż by mnie zechciał?

– Ja.

Sebastian ze zgrozą zdał sobie sprawę, że mówi szczerą prawdę. Pragnął jej o wiele bardziej, niż się spodziewał. Bardziej niż chciałby się do tego przyznać.

Różniła się od wszystkich znanych mu kobiet. Nie mógł sobie uświadomić, co było w niej wyjątkowego i tylko jej właściwego, co sprawiało, że żadnej innej nie przypominała. Sprawiała, że czuł coś, czego normalnie nie odczuwałby wcale. Niestety, była córką jego wroga.

Gdyby jego pragnienia były końmi, to wszyscy żebracy mogliby jeździć powozami.

Sebastian ujął rękę Eleonory, splatając jej palce ze swoimi. Chciał ją namówić, żeby z nim uciekła. Zrujnowałby w ten sposób jej reputację i w rezultacie dokonałby swej zemsty. Gdy jednak spojrzał jej w oczy, widoczna w nich nadzieja sprawiła, że omal z tego nie zrezygnował. Ogarnęło go gwałtowne poczucie winy.

Choć było przemożne, odepchnął je bezlitośnie. Wyobraził sobie wściekłość hrabiego i jego wstyd, kiedy się dowie o hańbie córki. Kiedy zrozumie, że nie ma wyboru i musi bronić swego honoru.

– Chętnie bym się ożenił we własnym majątku, podobnie jak Waverly. Pastor, który w nim rezyduje, wiele razy powtarzał, że czułby się tym zaszczycony. Stanowczo jednak chciałbym, żeby to się stało szybko i dyskretnie, bez fanfar i najazdu krewnych.

– Wspaniały pomysł. – W głosie Eleonory zabrzmiał nerwowy ton. – Tylko że w tym celu trzeba otrzymać specjalne zezwolenie.

Sebastian wstrzymał oddech i poklepał się po kieszeni.

Długa chwila ciszy, jaka potem zapadła, sprawiła, że poczuł się nieswojo. Niemal sobie życzył, żeby Eleonora mu odmówiła; gdyby jednak tak zrobiła, musiałby uknuć inny plan, który zakładałby bardziej jawną, publiczną hańbę.

Nagle uśmiechnęła się i powiedziała całkiem spokojnie:

– Na co więc czekasz, milordzie?

13

Nawyk unikania ciągłych utarczek z ojcem przynajmniej raz dobrze się przydał Eleonorze, czyniąc schadzkę z Sebastianem czymś śmiesznie łatwym. Dwa dni po ogłoszeniu zaręczyn Bianka odjechała wczesnym rankiem do majątku Waverly'ego i słabo zaprotestowała, gdy Eleonora uznała, że nie będzie jej towarzyszyć. Była to doskonała okazja, by Bianka poznała przyszłych powinowatych. Prócz tego matka lorda i jego dwie siostry miały już doświadczenie w urządzaniu ślubu na wsi. Nie musiała więc zabierać ze sobą Eleonory.

Upewniwszy się, że siostra bezpiecznie odjechała, Eleonora spakowała mały sakwojaż ukryty na dnie szafy. Żeby nie wzbudzać żadnych podejrzeń, przez następne dwie godziny zajmowała się tym co zwykle. Gdy nadszedł umówiony czas, wzięła sakwojaż i bez pośpiechu wyszła frontowymi drzwiami, powiadamiając Harrisona, że wróci dopiero wieczorem następnego dnia. Zauważyła, że kamerdyner niemal niedostrzegalnie uniósł brwi, lecz oczywiście nie powiedział słowa.

Szybkim krokiem udała się do odosobnionej części Hyde Parku, gdzie Sebastian wyznaczył jej spotkanie. Jak obiecał, nie ujrzała tam nikogo, tak wczesną porę uważano bowiem za nieodpowiednią. Podniecenie jej rosło z każdym krokiem. Odganiała od siebie energicznie złe przeczucia, jakie w niej budziły te potajemne przygotowania, powtarzając sobie, że niezależnie od tego, co się wydarzy, gotowa jest ponieść wszelkie konsekwencje.

Przybywszy na miejsce, nie dojrzała jednak Sebastiana ani jego powozu. Z bijącym sercem, pełna niepokoju odszukała umówioną kępę drzew. Musiała zmrużyć oczy, wąskie rondo kapelusika niezbyt dobrze chroniło ją przed jaskrawym porannym słońcem. Poczuła bolesny ucisk w żołądku, lecz po krótkiej chwili dostrzegła Bentona, który wyszedł zza grupy rosnących tu dębów. Blask słoneczny otaczał go złocistym kręgiem. Eleonora dobrze jednak wiedziała, że nie jest aniołem.

Odwrócił się, jakby wyczuwając jej obecność, i uśmiechnął się do niej z twarzą rozjaśnioną taką radością, że serce załomotało nagle w piersi Eleonory. Usiłowała jednak zachować spokój, gdy się zbliżał zamaszystym, pewnym krokiem. Podszedłszy, wyjął z jej rąk sakwojaż i postawił na ziemi, po czym chwycił jej obie dłonie i uniósł do ust.

– Przyszłaś!

Eleonora parsknęła nerwowym śmiechem.

– Czyżbyś się obawiał, że tego nie zrobię?

– Istotnie.

Wymruczał pod nosem jakieś niewyraźne przekleństwo i chwycił Eleonorę w ramiona. Czując dłonie Sebastiana na plecach, przywarła do niego całym ciałem. Nachylił się i pocałował ją mocno, głęboko.

Gdy poczuła na wargach jego usta i język, wstrząsnął nią dreszcz. Pocałował ją jeszcze raz, a potem się cofnął. Spojrzeli sobie w oczy, oddychając gwałtownie.

– Jak się cieszę, że cię widzę – szepnęła.

Objął ją mocniej i mruknął:

– Czy bez kłopotu udało ci się wyjść z domu?

– Jak najbardziej.

– Nikogo nie zdziwi twoje zniknięcie?

Spojrzała na niego podejrzliwie.

– Prawdę mówiąc, wcale nie zniknęłam. Powiedziałam służbie, że wrócę jutro późnym wieczorem. Nikt nie będzie się mnie wcześniej spodziewał.

– A twój ojciec?

Eleonora spuściła oczy.

– Hrabia większość czasu spędza poza domem. Wątpię, czy w ogóle zauważy moją nieobecność.

Sebastian drgnął i przestąpił z nogi na nogę. Miał zatroskaną minę, co ją zaniepokoiło i wprawiło w zakłopotanie. Już szukała w myślach jakiejś odpowiedzi, ale opuściła ją zwykła przytomność umysłu. Jak potrafiłaby wyjaśnić, że ojciec ma ją po prostu za nic?

Na szczęście Sebastian przestał o niego wypytywać. Eleonora już uniosła stopę, by wsiąść do powozu, gdy nagle zamarła bez ruchu.

– Masz jakieś wątpliwości, najdroższa? – szepnął jej do ucha.

– Skądże! – Potrząsnęła głową. – Nie, po prostu przypomniałam sobie o twojej chorobie lokomocyjnej i cierpieniach, jakich przysparza ci dłuższa jazda. Jak wytrzymasz podróż?

– Jadąc obok na koniu. – Westchnął głęboko. – Wprawdzie, co jest fatalne, stracę przyjemność podróży we dwoje, ale nie ma rady. W czasie jazdy powozem mój żołądek się buntuje, co bardzo utrudnia życie.

– Ale słońce dziś tak mocno praży!

– Więc cóż? – spytał ironicznie, a Eleonora poczerwieniała, choć z uśmiechem. – Czy na pewno nie masz nic przeciw samotnej jeździe? – spytał, pomagając jej wsiąść.

– W porządku. Tak będzie bezpieczniej, zważywszy twoje dolegliwości... I miłosne intencje.

– A to dopiero. – Nachylił się i ucałował ją w czubek nosa. – Zniechęcasz mnie, mówiąc w ten sposób.

Eleonora ze śmiechem opadła na siedzenie obite brązowym aksamitem. Widziała, jak Sebastian dosiada konia. Uniósł szybko dłoń w geście pozdrowienia i wkrótce zniknął jej z oczu. Zrozumiała, że pojedzie inną drogą niż powóz, co uznała za rozumne posunięcie. Wsunęła się w ciemny kąt, nie chcąc, by ją ktoś rozpoznał, i usiłowała zachować spokój.

Nie przyszło jej to łatwo. Gdy pojazd jechał ulicami Londynu, znów ogarnęło ją zdenerwowanie i zaczęła się zastanawiać nad słusznością powziętej decyzji. Uznała w końcu, że ucieczka z Sebastianem albo będzie najcudowniejszym epizodem w jej życiu, albo najgorszym nieszczęściem.

Nie chcąc, żeby w czasie długiej jazdy nachodziły ją refleksje i różne wątpliwości, otworzyła książkę, którą przed ucieczką włożyła do torebki. Wiersze Byrona nieznacznie złagodziły jej nastrój, ale całkowity spokój był nieosiągalny. Za każdym razem, gdy pojazd utykał wśród stłoczonych powozów, czuła obawę, że ktoś otworzy drzwi i odkryje jej obecność.

Odzyskała równowagę dopiero wtedy, gdy kareta wyjechała na peryferie Londynu. Sebastian pojawił się ponownie za okienkiem, co dodało jej odwagi. Droga też była lepsza. Powóz miał dobre resory i był wygodny, a stangret zręczny i uważny.

Eleonora przerwała lekturę, odchyliła głowę do tyłu i przymknęła oczy. Wkrótce powóz stanął. Wyjrzała przez okno, spodziewając się, że zajechali przed oberżę. Zamiast niej ujrzała obszerną budowlę z szarego kamienia.

– Witaj w Chaswick Manor, milady.

Eleonora ujęła dłoń Sebastiana i wysiadła. Było późne popołudnie, słońce szybko gasło, ale zdołała dostrzec dwór i rozległe pola. Zbudowany przed kilkuset laty średniowieczny zamek przebudowywano i ulepszano przez całe wieki.

Na środku fasady umieszczono dość nowoczesny, kolumnowy portyk z szerokimi marmurowymi stopniami wiodącymi do frontowych drzwi, te jednak były zamknięte. Czyżby służba nic nie wiedziała o ich przyjeździe?

Eleonora wyprostowała się, starając się nie zwracać uwagi na nerwowy skurcz żołądka.

– Cóż za imponująca rezydencja – rzekła. – Czy tu się wychowałeś?

– Tak. – Sebastian uśmiechnął się przepraszająco przy tej zwięzłej odpowiedzi. – Ale rzadko tu zaglądałem potem, kiedy już dorosłem. Prawdę mówiąc, ostatnio byłem tu na pogrzebie babki.

Och, Boże. Chciała pogładzić go po ręce, ale Sebastian cofnął dłoń.

Frontowe drzwi otwarły się i wyszedł z nich jakiś starszy mężczyzna, zapewne kamerdyner.

– Dzień dobry, wicehrabio.

– Och, Higgins, zajmij się z łaski swojej bagażami i odprowadź mojego konia do stajni. Trzeba go nakarmić i porządnie oczyścić.

– Oczywiście, milordzie.

Eleonora uśmiechnęła się niepewnie, gdy kamerdyner złożył im kolejny ukłon i przeszedł obok niej, spuszczając wzrok, całkiem jakby jej wcale nie zauważył. Uznała, że Sebastian postępuje dość nieuprzejmie, nie anonsując jej. Czyżby był typem arystokraty, który uważa, że służby nie należy traktować jak ludzi?

Szybko jednak o tym zapomniała, kiedy weszli do środka, a ich kroki odbiły się echem od biało-czarnej marmurowej posadzki. Hol był ogromny i mroczny, dominowała w nim wielka klatka schodowa z bogato rzeźbioną balustradą. Eleonora nigdy jeszcze nie widziała czegoś w tym rodzaju.

– Maszkarony na słupkach balustrady to pomysł babki – powiedział Sebastian. – Zamówiła je, kiedy przybyła tutaj jako młoda małżonka. Czyż nie są odrażające?

– Gotycka architektura cieszyła się wielką popularnością w jej pokoleniu – odparła Eleonora, ale w duchu uznała, że całkiem się z nim zgadza.

Przerażające rzeźby podkreślały i tak już ponury nastrój westybulu, który – jak zawsze uważała – powinien być przyjazny i zachęcający. Miała nadzieję, że reszta domu wygląda inaczej. Jednak gdy szli do salonu, Eleonora stwierdziła, że atmosfera staje się coraz bardziej posępna.

Zauważyła, że umeblowanie jest wprawdzie dobrej jakości, ale w stylu niemodnym od co najmniej trzydziestu lat. Wnętrza, utrzymane w ciemnych barwach, były przytłaczające. Wprawdzie eleganckie, lecz niezbyt wygodne. Eleonora zrozumiała, dlaczego Sebastian spędzał tu tak mało czasu.

Salon prezentował się nieco lepiej. W kominku płonął ogień, podłogę pokrywały grube dywany z Aubusson barwy turkusu i kości słoniowej. Dobrane kolorem zasłony z ciężkiego aksamitu, wykończone frędzlami, zakrywały okna. Eleonora zdołała jednak dojrzeć fragment wspaniałego ogrodu z wysypanymi żwirem ścieżkami, starannie przyciętymi bukszpanowymi szpalerami i rabatami pełnymi barwnych kwiatów.

Wzruszyła się tym, że jej przyszła rezydencja jest tak pięknie położona. Ogarnęła ją radość, że wkrótce zostanie panią tego wspaniałego majątku. Nietrudno będzie przekształcić ten dom w wygodną siedzibę dla niej i Sebastiana. Wystrój i kolorystykę można przecież zmienić, dodać kolorowe dywany i interesujące dzieła sztuki. Sebastian przeprosił ją, mówiąc, że chce zadysponować posiłek. Wrócił niebawem.

– Obawiam się, że mam złe wiadomości – powiedział zaniepokojonym tonem. – Otóż proboszcza wezwano do Shropshire, żeby zaopiekował się chorą matką. Wróci dopiero jutro, późnym wieczorem.

Nie było pastora? Oznaczało to, że nie pobiorą się dzisiejszego popołudnia, jak planowali. Starając się nie okazywać niepokoju, Eleonora zaczerpnęła głęboko tchu.

– Przykro mi to słyszeć. Będę się modlić o szybki powrót do zdrowia jego matki.

Sebastian uśmiechnął się krzywo.

– Po herbacie pójdziemy do wioski. Poślę służącego, żeby zamówił dla ciebie nocleg w miejscowej oberży i sam cię tam odprowadzę. Nie jest zbyt elegancka, ale czysta. Jedna z pokojówek pójdzie też z tobą dla niepoznaki, a żeby ci zapewnić bezpieczeństwo, poślę tam też Jamesa, mojego najbardziej zaufanego lokaja. Będzie spał pod twoimi drzwiami.

– O Boże, to brzmi, jakbym się znalazła we Francji w samym środku działań wojennych.

Sebastian westchnął gwałtownie i przesunął palcami po włosach.

– Nie możesz tu zostać bez przyzwoitki.

Eleonora przygryzła dolną wargę.

– Któż się o tym dowie?

– A służba?

– Prawda, ale sądzę, że jest ci oddana. – Ponieważ Sebastian milczał, ciągnęła dalej: – A przynajmniej będą siedzieć cicho, bojąc się stracić pracę. Prócz tego jeśli pastor wraca jutro, możemy się pobrać za specjalnym zezwoleniem i nic się już więcej nie będzie liczyło.

– Moglibyśmy pojechać do Gretna Green – podsunął jej Sebastian, jednak bez entuzjazmu.

184

– Nie zamierzam odbywać podróży Wielkim Północnym Traktem niczym kryminalista uciekający przed prawem! – oświadczyła. – Uzgodniliśmy, że zawrzemy małżeństwo w twoim majątku. – Czuła, że zaczął się wahać, ale nie był jeszcze w pełni przekonany. Próbując go nakłonić, Eleonora położyła mu palec na wargach. – Chcę tutaj zostać i już.

Nagle zdała sobie sprawę, że mówi czystą prawdę. Dała się uprowadzić temu mężczyźnie i mimo całej niestosownej sytuacji nie chciała go opuścić. Nawet na jedną noc.

– Jesteś pewna? – spytał stłumionym głosem.

– Tak.

Ich oczy spotkały się na moment, po czym Sebastian spojrzał w bok.

– Chętnie bym spędził noc w stajni, byle tylko zapewnić ci samotny nocleg w tym domu – odparł z nagłym rozbawieniem. – Ale gdy tylko poczuję zapach siana, zaraz kicham.

Uśmiechnęła się, wyobrażając go sobie z zatkanym nosem. Nie był to zbyt czarujący obraz, ale uczynił Sebastiana bardziej wzruszającym i ludzkim. Mógł być wyrafinowany i dużo więcej od niej wiedzieć o życiu, ale uspakajała ją świadomość, że jest tylko człowiekiem.

Przyniesiono herbatę. Podała ją gospodyni. Pęk kluczy podzwaniał wesoło przy każdym jej kroku. Eleonora spojrzała na nią spod oka, ciekawa, co też ona sobie myśli. Widocznie było czymś niezwykłym, żeby wicehrabia sprowadzał tu kobiety bez przyzwoitek. Co powiedział służbie o niej?

– Dziękuję, pani Florid – odezwał się. – Lady Eleonora i ja obsłużymy się sami.

Gospodyni zawahała się i spojrzała uważnie na Sebastiana, po czym skinęła głową. Wychodząc z salonu, nagle zatrzymała się w progu.

– W imieniu całej służby i moim własnym chciałabym pogratulować pani i jego lordowskiej mości nadchodzącego ślubu. Mamy nadzieję, że będziecie państwo bardzo szczęśliwi.

Eleonora się uspokoiła. Najwyraźniej Sebastian uprzedził służbę, że przywozi narzeczoną. Albo też powiedział to przynajmniej tej jednej osobie, co w sumie zupełnie wystarczało. Wiedziała z doświadczenia, że plotki szerzą się wśród służby szybciej niż pożar.

– Dziękuję za miłe słowa, pani Florid – odparła z uśmiechem. – Spodziewam się, że później spotkam całą służbę i będzie nam się w przyszłości dobrze razem układało.

Gospodyni dygnęła pospiesznie i z szerokim uśmiechem opuściła pokój. Eleonora sięgnęła po srebrny dzbanek, napełniła filiżankę i podała ją nastroszonemu Sebastianowi.

– To było całkiem nieoczekiwane – oświadczył, dolewając sobie mleka. – Doprawdy, uśmiechała się do nas niczym czuła babcia.

Eleonora położyła mu dłoń na ramieniu.

– Kobiety niezależnie od wieku zawsze przejmują się wieścią o bliskim ślubie.

– Prócz ciebie, na całe szczęście. – Splótł palce Eleonory ze swoimi i powiódł powoli kciukiem po wnętrzu jej dłoni. – Pani Florid ma co najmniej sześćdziesiąt lat. Wydawało mi się, że już nie powinna się tak łatwo przejmować.

– A ja sądzę, że to było urocze.

Sebastian parsknął z niezadowoleniem. Eleonora nalała sobie herbaty, nie chcąc się z nim kłócić. Cała scena wprowadziła ją w nastrój kontemplacyjny, którego nie miała ochoty psuć.

Zjedli trochę herbatników i ciastek. Eleonora zadała Sebastianowi kilka pytań dotyczących posiadłości i spędzonego tu dzieciństwa. Chętnie opowiedział parę historyjek o swoich chłopięcych przygodach, które mocno ją rozśmieszyły, zwłaszcza jedna, o tym jak w wieku pięciu lat próbował zostać zbójcą.

– I sąsiadka naprawdę oddała ci szmaragdową kolię?

– Razem z kolczykami do kompletu. – Uśmiechnął się, a to wspomnienie sprawiło, że oczy mu na chwilę rozbłysły. – Byłem bardzo dumnym zbójcą, zuchwałym i stanowczym.

– Wierzę ci w zupełności.

Sebastian wybuchnął śmiechem.

- Nadal pamiętam, w jaką dumę wbił mnie ten sukces. Pobiegłem prosto do matki, żeby pokazać moją zdobycz. O mało nie zemdlała, kiedy jej powiedziałem, co zrobiłem. Oczywiście musiałem natychmiast zwrócić klejnoty. Matka kazała mojemu preceptorowi, żeby mi spuścił solidne lanie, a potem płakała głośniej ode mnie, kiedy już mi złojono skórę. Babka broniła mnie zażarcie, twierdząc, że matka powinna być dumna z tak odważnego i przedsiębiorczego syna. A lady Gately, moja bezbronna ofiara, potraktowała małego zbójcę nadzwyczaj łagodnie. Z uporem twierdziła, że nic takiego się nie stało, a potem wyznała, że nie ma serca karać chłopca, który się chowa bez ojca.

- W jakim wieku go straciłeś?

- Byłem jeszcze niemowlęciem i wcale go nie pamiętam – odparł z bólem w głosie.

Eleonorze ścisnęło się serce.

- A matka? Kiedy umarła?

Sebastian zesztywniał.

- Miałem wtedy niewiele lat, ale na nieszczęście jej śmierć pamiętam doskonale, ze wszystkimi bolesnymi szczegółami.

Zaczęło ją dławić w gardle. Dobrze zapamiętała własny żal, gdy jako mała dziewczynka straciła matkę. Bez słowa ujęła rękę Sebastiana, gładząc ją delikatnie, póki nie poczuła, że się odpręża.

- Powiedz, co chciałeś robić, kiedy nie udało ci się osiągnąć sukcesu w rozbójnictwie.

Sebastian ścisnął jej dłoń.

- Oczywiście, wziąłem się za piractwo. Piraci rabują wspólnie, a więc odium spada na każdego z bandy. Zwerbowałem więc kilku wiejskich chłopaków i zaplanowaliśmy pierwszy atak.

- Przecież twój majątek leży na lądzie – zdumiała się Eleonora.

Sebastian roześmiał się głośno, odrzucając głowę do tyłu.

- To żadna przeszkoda dla bandy smarkaczy, którzy chcą coś spsocić.

Eleonora zaśmiała się, a on opowiedział jej kilka swoich pirackich przygód. Zdumiewało ją, jak zdołał namówić do tego innych chłopców, ale w końcu zrozumiała, że nawet w młodym wieku potrafił przewodzić innym. Dopiero gdy stojący na gzymsie kominka zegar z pozłacanego brązu wybił godzinę, zrozumiała, że zrobiło się już późno.

– Powiem pani Florid, by podała kolację godzinę wcześniej, żebyś miała czas na kąpiel – powiedział, wstając. – Jestem pewien, że zechcesz to zrobić po podróży.

Tylko gdyby się zgodził wykąpać razem z nią! Poczuła, że robi się jej gorąco na tę myśl. Skąd przyszedł jej do głowy ten pomysł? Jednak spojrzawszy w szare oczy Sebastiana, wolała o nic nie pytać.

Lepiej było nie wyrażać głośno podobnych sugestii. Przyjdzie na nie czas jutrzejszego wieczoru. Zaczerwieniła się jak pensjonarka na samą myśl, że podzieli z nim łoże. Na szczęście Sebastian jakby zapomniał o jej kłopotliwej sytuacji.

Ich kroki rozlegały się głośnym echem, gdy szli po marmurowych stopniach i potem gdy prowadził ją najpierw szerokimi, kręconymi schodami, a następnie wąskim korytarzem. Zatrzymał się przed drzwiami w połowie korytarza.

– To twoja sypialnia.

Eleonora poczuła zaskoczenie, ale nic nie powiedziała. Oczywiście, musiała mieć swój własny pokój, przynajmniej dla niepoznaki. Nie miała jednak zamiaru spać w nim, jeśli nie będzie tam Sebastiana.

– A twój pokój?

Wskazał na ostatnie drzwi po przeciwległej stronie holu.

– Zamknę się w nocy na klucz. A tobie doradzam to samo.

Eleonora chciała się uśmiechnąć, ale Sebastian miał tak poważną minę, że zrezygnowała z tego zamiaru. Sebastian zachowywał się dziwnie. Całkiem jakby chciał jej coś powiedzieć. Coś bardzo istotnego i ważnego, ale z jakiegoś powodu nie mógł tego zrobić.

– Niebezpieczeństwo może przybrać różne formy, Eleonoro. Pamiętaj o tym.

Wyciągnął rękę i odgarnął jej z twarzy niesforny kosmyk włosów. Dotyk jego ciepłych palców na policzku uspokoił ją i pocieszył.

Przymknęła oczy i otarła się twarzą o wnętrze jego dłoni niczym zadowolona kotka.

– Ale ja się z tobą czuję bezpieczna, Sebastianie.

Gwałtownie cofnął rękę. Eleonora się zdumiała. Miał twarz zesztywniałą, zupełnie bez wyrazu.

Coś tu jest nie w porządku, pomyślała.

– Kolację podadzą o ósmej – rzucił szorstko. – Przyjdę po ciebie i zaprowadzę cię do jadalni.

– Będę gotowa – odparła, ale on już się odwrócił i wyszedł.

Sebastian szedł długimi, miarowymi krokami. Bał się, że jeśli zaraz nie odejdzie, gotów będzie zażądać, żeby stąd odjechała. Przeklinając się w duchu za nagły atak wyrzutów sumienia, który groził zniszczeniem całego starannie uknutego planu, skierował się do stajni.

Choć stajenni już oczyścili i nakarmili jego konia, ujął zgrzebło i zaczął nim przeciągać po zadzie wierzchowca. Zazwyczaj to zajęcie go uspokajało, ale teraz nie przyniosło mu ulgi.

Kipiała w nim złość. Eleonora czyniła wszystko zbyt łatwym. Miał nadzieję, nikłą co prawda, że zgodzi się zanocować w wiejskiej oberży, ale nie zdziwił się, kiedy odmówiła. Ufała, że Sebastian dotrzyma obietnicy i poślubi ją. Że zapewni jej bezpieczeństwo.

Odegrał swoją rolę dobrze, prawdę mówiąc, aż za dobrze. Całkiem ją otumanił, tak bardzo, że cały jej zdrowy rozsądek gdzieś zniknął. Czuł gwałtowny ucisk w piersi i głębokie poczucie winy, bo wiedział, że gdyby miał sposobność, najpewniej zrobiłby wszystko jeszcze raz. Nic nie da mu zadowolenia, póki nie zemści się na Hetfieldzie.

Dlaczego więc nie raduje go zwycięstwo, które jest teraz o krok?

Z ponurą miną przełożył zgrzebło i zaczął czyścić drugą stronę końskiego zadu. Wierzchowiec potrząsnął łbem i się cofnął. Sebastian westchnął z niechęcią, rzucił zgrzebłem w kąt i zaczął krążyć po stajni. Jak zdoła przetrwać tę noc z Eleonorą śpiącą pod jego dachem, kilka pokoi dalej?

W miarę jak mijało popołudnie i zaczął się wieczór, Sebastian wpadał w coraz bardziej ponury nastrój. Bez słowa zaprowadził na kolację Eleonorę, która zdążyła się odświeżyć i w pięknej zielonej sukni wyglądała bardzo elegancko, co jeszcze bardziej rozstroiło jego nerwy. Kolację zjedli w napięciu. Jedzenie nie było zbyt wyszukane, ale starannie przyrządzone i obfite, co dobrze świadczyło o służbie, zważywszy, że nie uprzedzono jej wcześniej.

Jednak ani Sebastian, ani Eleonora nie docenili jej starań. Wprawdzie Eleonora uprzejmie dziękowała lokajowi wnoszącemu dania i chwaliła kucharkę, Benton zauważył, że jadła niewiele, raczej przekładając kąski na talerzu z miejsca na miejsce.

Sebastian nie próbował nawet rozwikłać tej zagadki. Sam w ogóle nic nie jadł, jedynie pił. Polecił lokajowi, by postawił butelkę wina przy jego nakryciu, i nie pozwalał, by kieliszek pozostawał pusty. Od czasu do czasu chciał nalać i Eleonorze, ale ona piła niedużo.

Sebastian zdumiewał się, czemu zatraciła inteligencję i dlaczego nie powróciła do kwestii nieobecności pastora, który miał im udzielić ślubu. Była bystrą, rozumną kobietą, a więc powinna zacząć go podejrzewać.

– Już późno. Z pewnością musisz być zmęczona – powiedział, gdy żadne z nich nie tknęło deseru. – Powiem Jamesowi, by cię odprowadził do pokoju.

– Wolę poczekać na ciebie.

Do licha! Uśmiechnęła się błogo, a w nim zaczęła niebezpiecznie pulsować krew. Eleonora wręcz zapraszała, by ją uwiódł, czemu opierał się z największym trudem. Dzięki Bogu, nie byli sami, bo w przeciwnym razie uległby swoim pragnieniom, porwał ją w ramiona i całował bez opamiętania.

Pragnął mieć ją nagą w swoim łóżku, gdzie mógłby delektować się nią do woli, biorąc ją raz po razie przez całą noc. Zaklął i osuszył kieliszek. Szaleńcze wyobrażenia sprawiły, że cały zesztywniał i dopiero po dłuższej chwili oraz wypiciu kolejnej butelki wina mógł odejść od stołu. Zerwał się na nogi, omijając z daleka Eleonorę.

– Sebastianie, poczekaj!

Lokaj, przestraszony jej krzykiem, szybko odsunął ciężki fotel z wysokim oparciem, pomagając zaskoczonej Eleonorze wstać. Sebastian za wszelką cenę chciał iść sam, ale dobre maniery przeważyły. Nie mógł pozwolić, żeby powlokła się za nim jak wierne psisko.

Zatrzymał się więc, choć niechętnie, odwrócił i podał ramię. Uchwyciła się go kurczowo. Była tak blisko, że mógł spojrzeć z góry na jej głęboko wycięty dekolt. Kremowe półkule piersi stanowiły cudowny widok, pokusę wręcz nieodpartą. Sebastian zdawał sobie jednak sprawę, że musi ją przemóc.

Odwrócił wzrok, ale oprzytomniał dopiero po kilku sekundach. Jakimś cudem zdołał wspiąć się na schody i ruszyć korytarzem. Podczas tej przeprawy Eleonora coś do niego mówiła gardłowym, wabiącym głosem.

Sebastian starał się jej nie słuchać.

Wreszcie doszli do drzwi jej sypialni. Zachwiał się nieco, stając przed wejściem. Niech to wszyscy diabli, nie powinien był tyle pić!

Wiedząc, że zamroczony alkoholem nie potrafi jasno myśleć, próbował pospiesznie wepchnąć Eleonorę do środka.

– Życzę ci dobrej nocy.

– Zaczekaj! – Uniosła głowę z przerażeniem w oczach. – Nie pocałujesz mnie na dobranoc?

Sebastian zaklął. Powinien był przewidzieć to żądanie! Jasne, że oczekiwała jakiejś oznaki uczucia. Wierzyła, że jutro zostanie jego żoną. Zmusił się, żeby do niej podejść, odchylić jej głowę do tyłu i ucałować ją pospiesznie, byle jak.

– No, już. A teraz naprawdę dobranoc, Eleonoro.

Wyciągnęła ręce, ale uchylił się od uścisku.

– Czy mam się spodziewać, że przyjdziesz potem do mojej sypialni? – spytała otwarcie.

Do pioruna, ona go wprost zabija!

– Nie jesteśmy jeszcze małżeństwem.

– Ale wkrótce będziemy. – Oczy ich się spotkały. – Proszę, zostań dziś ze mną na noc.

Zaschło mu w ustach, zdołał tylko wykrztusić:

– Nie mogę!

– Dlaczego? – Zbliżyła się ku niemu, przechylając zachęcająco głowę.

Bo ją lubił. Bo mu zależało, żeby jej nie skrzywdzić. Bo czuł do niej coś poza fizycznym pożądaniem. Bo zasługiwała na więcej, niż mógł jej dać. Bo się nią posłużył, chcąc dokonać zemsty na jej ojcu, a być może nawet odebrać mu życie.

Sebastian siłą woli trzymał ręce przy sobie.

– Pomówimy o tym rano – odparł gburowatym tonem. – Śpij dobrze, Eleonoro.

Po tych słowach odwrócił się i odszedł.

Powinien być dumny ze swego, jak uznał, szlachetnego postępku. Gdzie tam! Czuł się okropnie. Był rozgoryczony, wściekły, a nawet nieco zgnębiony.

Narastało w nim uczucie żalu, które szybko stłumił. Przywiózł tu Eleonorę, żeby wywołać skandal, ale nie chciał wykorzystywać jej bezbronności. Już samo spędzenie nocy pod jednym dachem, jedynie w obecności służby, wystarczało do zrujnowania jej reputacji. Chciał zmusić hrabiego do pojedynku i dopiąć swego.

Mógł pragnąć Eleonory desperacko, z tak przemożną, niewyobrażalną siłą, ale nie chciał jej znieważać, uwodząc i odbierając dziewictwo.

Przynajmniej tyle był jej winien.

14

*E*leonora poczuła się tak, jakby uderzono ją w twarz. Spojrzała za odchodzącym Sebastianem. W głowie miała zamęt. Co to wszystko znaczyło? Dlaczego ją zostawił? Czy przestała mu się podobać i już go nie pociąga? A może przyczyna zagadkowego zachowania tkwiła w jego dzieciństwie? W każdym razie przeżyła jawne rozczarowanie.

Powoli otworzyła drzwi sypialni i weszła do środka, zamykając je z trzaskiem. Usiadła na brzegu krzesła i potarła nos, usiłując doszukać się w tym wszystkim sensu.

Ktoś cicho zapukał. Serce zaczęło jej gwałtownie bić. Z westchnieniem ulgi podbiegła do drzwi i otworzyła je na oścież.

– Wiedziałam, że tylko żartujesz... – zaczęła. Zamilkła jednak natychmiast, widząc przed sobą panią Florid.

– Dobry wieczór, milady. – Gospodyni dygnęła pospiesznie. – Chciałam spytać, czy nie trzeba w czymś pomóc, skoro nie przyjechała z panią pokojówka.

– Co się stało z Lucy? – spytała Eleonora, mając na myśli służącą, która przedtem pomogła się jej wykąpać i przebrać do kolacji.

– Ma dużo do roboty w izbie czeladnej – wyjaśniła szybko pani Florid – ale mogę ją tu przysłać, jeśli pani sobie życzy...

– Nie trzeba. Chciałabym tylko, żeby ktoś mi rozpiął guziki na plecach.

Pani Florid weszła do sypialni, zamykając za sobą drzwi. Eleonora wyczuła, że gospodyni ma ochotę na pogawędkę, ale nie robi tego z szacunku dla niej. Sprawnie pomogła jej zdjąć wieczorową suknię, a potem bezszelestnie się wycofała.

Eleonora usiadła w samej bieliźnie przy gotowalni i spojrzała na swoje odbicie w lustrze. Nie tak sobie wyobrażała tę noc. Sądziła, że Sebastian będzie ją rozbierał, całując każdy skrawek ciała.

Tymczasem została sama i czuła ogromne rozczarowanie. W zadumie podeszła do szafy i otworzyła ją. Zdjęła z siebie resztę odzienia i włożyła nocną koszulę, a potem wróciła do gotowalni, żeby zobaczyć, jak w niej wygląda. Nowa koszula, pożyczona od Bianki, była na nią nieco za ciasna w biuście i unosiła jej piersi wysoko, tak że wyłaniały się ze zbyt głęboko wyciętego dekoltu.

Ten zmysłowy strój powinien był sprawić, by poczuła się godną pożądania, ale po cóż go włożyła, skoro nikt jej w nim nie podziwiał? Eleonora z westchnieniem zaczęła wyjmować szpilki z fryzury, pozwalając by jej włosy opadły aż do talii. W zamyśleniu przebierała wśród nich przez chwilę palcami, a potem sięgnęła po szczotkę.

Dlaczego Sebastian zostawił ją samą? Przecież przez ostatnie kilka tygodni robił, co mógł, byle znaleźć się z nią na osobności. Eleonora zarumieniła się na myśl o jego namiętności i pragnieniach, jakie w nim budziła.

Najwyraźniej był szczęśliwy, kiedy ją dziś zobaczył: gorące uściski i pocałunki wymownie o tym świadczyły. Co się zmieniło? W czym kryła się różnica?

Eleonora odłożyła szczotkę i z przygnębieniem spojrzała na swoje odbicie w lustrze. Mogłaby tak siedzieć do rana, zadając sobie pytania, rozmyślając, snując przypuszczenia. Mogła też poznać prawdę, pytając Sebastiana wprost.

Zapewne wolał teraz być sam, ale nie pozwoliła, by ją to odwiodło od śmiałego zamiaru. Nie chciała się zastanawiać nad swoimi nieprzemyślanymi posunięciami. Włożyła na nocną koszulę dobrany kolorem szlafrok, mocno zawiązała pasek, a potem opuściła sypialnię. Boso przeszła korytarzem i stanęła przed drzwiami pokoju Sebastiana.

Z lekkim drżeniem ujęła mosiężną klamkę. Spodziewała się, że drzwi będą zamknięte, Sebastian uprzedzał, że tak właśnie zrobi, ale kiedy ją nacisnęła, otwarły się na oścież. Skrzypnięcie zawiasów rozległo się na korytarzu głośnym echem.

Prawie nic nie widziała w ciemnościach, zamrugała więc kilkakrotnie powiekami i weszła. W sypialni nie zapalono świec, jedynie od kominka padał słaby blask, rozpraszając mrok panujący w pokoju.

– Co tu, u diabła, robisz?

Eleonora znieruchomiała, słysząc jego głos. Siedział po drugiej stronie pokoju w dużym fotelu koło kominka, ze stopami opartymi na podnóżku. Zdjął wieczorowy żakiet, halsztuk i kamizelkę. Górne guziki białej koszuli były rozpięte, co pozwalało dojrzeć fragment muskularnej piersi pokrytej czarnymi włosami. Serce zaczęło jej bić szybciej.

– Pytałem, co tu robisz? – powtórzył.

Eleonora odruchowo cofnęła się o krok, pełna napięcia. Sebastian patrzył na nią z rozdrażnieniem, a na jego pociągłej twarzy

194

malowało się niezadowolenie. Eleonorze przypominał niedźwiedzia w klatce, którego widziała raz na wiejskim jarmarku. Rozgniewane zwierzę pomrukiwało wściekle, gotowe rozerwać na strzępy każdego, kto ośmieliłby się do niego zbliżyć.

– Byłeś chyba w złym nastroju, kiedy życzyliśmy sobie dobrej nocy – powiedziała, zbliżając powoli do niego. – Chciałam się upewnić, czy wszystko w porządku.

– Co za bzdury!

Eleonora zamarła. Sebastian, patrząc gdzieś w przestrzeń, z trudem przełknął ślinę i przymknął na chwilę oczy.

– Przepraszam cię – powiedział. – To było z mojej strony niewybaczalne grubiaństwo.

– Za to całkiem szczere, co doceniam mimo szorstkości twojej uwagi. – Zrobiła kilka kroków, zatrzymała się tuż koło jego podnóżka. Kładąc mu łagodnie dłoń na kolanie, dodała: – Miałeś jednak rację. Przyszłam tu nie tylko po to, by się przekonać, co robisz. Powinniśmy być wobec siebie uczciwi. Nie sądzisz, że to bardzo ważne?

Sebastian wzdrygnął się tak gwałtownie, jakby go dźgnęła nożem, a potem spojrzał na niemal pusty kieliszek, który trzymał w dłoni, i ścisnął jego nóżkę tak mocno, że zbielały mu kostki palców.

– Myślę, że to wyjątkowo niemądra myśl, moja droga.

– Naprawdę?

Sebastian dopił resztkę bursztynowego płynu, jaka jeszcze została w kieliszku, a potem spojrzał na nią.

– W porządku, niech i tak będzie. Nie powinno cię tutaj być, Eleonoro. Czy to przyzwoite zachowanie?

– Co za bzdury – powiedziała i osunęła się na kolana. Objęła mocno rękami jego wyciągnięte nogi. – Przecież obydwoje pragniemy spędzić tę noc razem. Obydwoje tego potrzebujemy.

– Nie. – Sebastian chwycił ją za nadgarstki, usiłując strząsnąć z siebie jej ręce.

Eleonora nie chciała go jednak puścić.

W pokoju zapanowała pełna napięcia cisza. Groźne spojrzenie Sebastiana sprawiło, że Eleonora dostała gęsiej skórki, ale nie cofnęła się. Sebastian zajął obronne stanowisko, nie był pewien tego, co robi, najwyraźniej ciążyła mu jakaś myśl. Widać było, że cierpi. Eleonora czuła, że tylko ona może mu w jakiś sposób pomóc.

Z niepokojem czekała, jak się zachowa. Siedział bez ruchu i bez słowa tak długo, że poczuła się nieswojo. Gdyby tylko chciał ją pocałować, wszystko by się zmieniło. Pocałunek wyzwoliłby namiętność, którą za wszelką cenę starał się pohamować. Wznieciłby pożądanie, z przecież tego obydwoje pragnęli.

Skupiła uwagę na jego ustach. Nie zamierzał jej jednak pocałować. Mogła to wyczytać z jego oczu, ze sposobu, w jaki staranne jej unikał. Tylko jedno mogło temu zaradzić. Eleonora wstała z kolan, pochyliła się raptownie do przodu i przywarła do jego ust.

Wyczuła, że Sebastianem wstrząsnął jej zuchwały postępek. Przez chwilę siedział nieruchomo, biernie, a ona poczuła paniczny strach na myśl, że zrobiła coś bardzo niewłaściwego i że on ją odepchnie. Zamiast tego oplótł ją jednak ramionami i przyciągnął ku sobie.

Wniknął językiem w jej usta, a to sprawiło, że poczuła, jak znów wraca jej życie. Poruszyła biodrami, wyczuwając jego rosnące podniecenie, i odniosła całkowity triumf. Nareszcie doznała bliskości, za którą tak tęskniła. Połączy się duszą i ciałem z ukochanym mężczyzną.

Przyszła tu, żeby się z nim kochać, co nagle stało się realne. Sebastian zwrócił na nią uwagę, gdy nikt jej nie zauważał. Obdarzył ją uczuciem i względami. Zaznała tego niegdyś tylko dzięki Johnowi Tannerowi.

Wtedy, przed laty, jako młoda dziewczyna, nie umiała skorzystać z tego, co znalazło się w zasięgu jej ręki. Może jednak wówczas było za wcześnie, a może John nie był tym jednym jedynym? Zakochała się naiwnie, bez pamięci, ale zdobyła wówczas dosyć doświadczenia, by wiedzieć, czym jest miłość.

Chociaż pod wieloma względami wciąż pozostawała dla niej tajemnicą, Eleonora wiedziała, że swoją miłością wzbogaciła życie Sebastiana. Co za szczęście, że romans z Johnem skończył się we właściwym czasie! Dzięki temu Sebastian wkroczył w jej życie, kiedy była już na tyle dojrzała, by należycie docenić rzadki dar, jaki przypadł jej w udziale.

Pocałunki z wolna zaczęły zmieniać charakter. Eleonora przesunęła dłonią po gęstych włosach Sebastiana, a potem zaczęła go całować, chcąc przekazać mu wargami, językiem i rękami głębię swoich uczuć. Początkowo odwzajemniał pocałunki, lecz ni stąd, ni zowąd zaklął pod nosem, oderwał od niej usta i odsunął ją od siebie na odległość ramienia.

– Nie powinno cię tu być! – warknął, dysząc ciężko. – Nie powinniśmy tego robić!

– Czemu to mówisz? – Desperacja widoczna na jego twarzy poruszyła ją głęboko. Łagodnie pogładziła go po policzku. – Chyba już zdołałeś poznać mnie na tyle, żeby zrozumieć, że rzadko bywam posłuszna.

Uśmiechnął się krzywo.

– Napijesz się?

– Czemu nie?

Dostrzegła, że jej odpowiedź go zdumiała. Mimo to ostrożnie odsunął ją od siebie, a potem z pewnym trudem wstał. Ujrzała na stoliku obok opróżnioną do połowy karafkę. Napełnił kryształowy kieliszek i podał jej w milczeniu.

– To brandy – wyjaśnił po chwili.

– Świetnie – odparła, pociągając łyczek, zdając sobie sprawę, że to mocny alkohol.

Z zadowoleniem zauważyła, że sobie nie nalał kolejnego kieliszka. Oparł się o gzyms kominka i z niezadowoleniem skrzyżował ręce na piersi. Twarz miał posępną.

Wyglądał na niebezpiecznego mężczyznę. Przez chwilę wyobraziła go sobie jako pirata w jego białej koszuli rozchylonej na piersiach, czarnych butach do kolan i obcisłych spodniach ze skóry kozłowej, podkreślających długie muskularne nogi, trzymającego w ręce ostry nóż. Promieniował groźną męską urodą. Eleonorze niemal zaparło dech.

– Smakuje ci? – spytał.

– Bardzo. Pierwszorzędna brandy.

– Piłaś już przedtem tak często, by móc to stwierdzić? – Odrzucił głowę do tyłu i roześmiał się donośnie.

Ucieszył ją ten dźwięk.

– Chyba nie, ale znam cię już na tyle, żeby się domyślać, iż będziesz miał u siebie najlepszą. Na pewno przeszmuglowano ją z Francji.

– Zniesiono już embargo i teraz nie trzeba szmuglować żadnych francuskich towarów do Anglii.

– Jeśli można nabyć brandy legalnie, odbiera to całą przyjemność!

– Masz wyjątkowo cięty język. Nie zdawałem sobie z tego sprawy.

– Podobnie jak z wielu innych rzeczy, które mnie dotyczą, Sebastianie, ale to się zmieni.

Odwróciła się, by postawić kieliszek na podłodze, i podkuliła nogi pod siebie. Coś pulsowało natrętnie w jej brzuchu, gdy przybrała pozę, która, jak sądziła, była podniecająca.

– Porozmawiaj ze mną. Co jest nie w porządku?

Sebastian milczał. Eleonora czekała. Rzucił jej posępne spojrzenie, pełne tęsknoty. Była w nim cała czułość i miłość, które ona sama również czuła. Musiało się to uwidocznić na jej twarzy, bo jęknął głucho, odsunął się od kominka i podszedł do niej.

– Nie wezmę cię do łóżka. Nie mogę. A także nie mogę ci wyjaśnić dlaczego – powiedział. W jego głosie brzmiała usilna prośba. – Musisz stąd odejść, Eleonoro. Proszę cię.

Pragnął jej wprost niewyobrażalnie. Był tak podniecony, że chodzenie sprawiało mu ból. Teraz odczuwał skutki całych tygodni uwodzenia Eleonory. Gotów był rzucić się na nią jak wygłodzone zwierzę na swój pierwszy łup.

Musiał ją przepędzić ze swojej sypialni! Była taka prowokująca, taka czarująca. Urok jej sprawiał, że krew mu zawrzała w żyłach i całe jego ciało ożyło. A przecież nawet jej nie dotknął.

Ostrożnie podszedł bliżej. Na widok jej twarzy zaparło mu dech. Szlafrok z niej opadł, ukazując koszulę nocną i prowokujące, kremowobiałe piersi. Poczuł gwałtowny przypływ pożądania.

– Nie mogę teraz odejść, Sebastianie. Widzę, że mnie pragniesz, czuję, że mnie potrzebujesz. – Wstała i przywarła do niego całym ciałem. – Jeśli nie chcesz się ze mną kochać, pozwól przynajmniej, żebym ci ulżyła.

– O Boże! Eleonoro, co ty robisz? – jęknął.

Położyła dłonie na jego piersi. Gwałtownie zaczerpnął powietrza i pochylił się do przodu, gdy zaczęła zuchwale badać jego ciało. Przesuwała dłońmi po jego piersiach i żebrach. Przez koszulę dotknęła jego sutków, a potem wilgotnymi wargami pocałowała go w szyję.

– Jesteś wspaniały – wyszeptała. – Taki mocny, taki muskularny.

Poczuł gwałtowny ucisk w piersi. Przez jego ciało przebiegł nagle prąd, zupełnie nie związany ze zmysłowymi pragnieniami; wyzwolił go szczery zachwyt w jej głosie. W tym momencie zrozumiał, że pragnie Eleonory zbyt mocno, by się jej oprzeć.

Mocowała się ze srebrnymi spinkami u mankietów. Ujrzał jej triumfalny uśmiech, gdy udało się jej wyciągnąć je z dziurek. A potem ściągnęła z niego koszulę, odsłaniając tors.

Sebastian przestał się opierać, pozwalał, by jej palce błądziły po jego skórze. W duchu przyznawał, że przegrał tę batalię. Silne pobudzenie owładnęło nim całkowicie. Wiedział, że weźmie ono górę, zwłaszcza że Eleonora zamierzała go uwieść z niezwykłą determinacją.

– Chodźmy do mojego łóżka – wyszeptał, odsuwając od siebie wszelkie inne myśli. Rankiem Eleonora go znienawidzi, ale tej nocy chciała należeć do niego. On też tego pragnął ponad wszystko.

Obydwoje poszli więc w stronę łóżka. Po drodze zniknął gdzieś szlafrok Eleonory i buty Sebastiana. Materac ugiął się pod ich ciężarem, gdy spoczęli na środku posłania. Sebastian wyciągnął ręce i ujął w dłonie jej piersi, które wychyliły się raptownie spod nocnej koszuli. Eleonora jęknęła i przylgnęła do niego całym ciałem. Pokusa uchwycenia wargami jednego z jej nabrzmiałych, różowych sutków była przemożna, uległ jej bez walki.

Jednocześnie niecierpliwie usiłował pozbyć się spodni. Z głuchym jękiem, niemal na oślep, uderzył nabrzmiałą męskością w jej krągłe kształty. Z głębokim westchnieniem zanurzył twarz w miękkiej masie splątanych włosów. Zapach Eleonory uderzał mu do głowy.

– Chcę cię dotykać – wyszeptała. – Wszędzie.

Gdy przesunęła palcami po włosach poniżej jego pępka, wygiął plecy w łuk. Opuszką palca delikatnie dotknęła okrągłej główki członka. Sebastian znów jęknął głucho, kiedy musnęła nim wokół rowka na jego powierzchni. Zadrżał cały gwałtownie, gdy powtórzyła ten gest.

– Eleonoro – wydyszał, chwytając mocno jej miękkie uda – wolniej, moja miła, inaczej wszystko skończy się za szybko!

Schwyciła go drugą ręką za ramię i otarła się twarzą o jego kark.

– Proszę cię. Ja chcę to zrobić.

Wyciągnął dłoń, żeby dotknąć jej policzka. W zupełnej niemal ciemności błyszczały tylko jej oczy. Nigdy nie wyglądała piękniej i bardziej pociągająco. Pocałował ją, dotykając jej języka swoim, a przez ich ciała przebiegł prąd.

– Pogładź go – powiedział zdławionym szeptem. – Nakryj go całkowicie dłonią.

Posłusznie objęła nasadę jego przyrodzenia i zacisnęła palce. Przeszył go gwałtowny dreszcz. Sprężył się wewnątrz jej dłoni.

– Czy w ten sposób? – spytała głosem pełnym podniecenia.

– Mocniej! – mruknął. – I szybciej!

Spełniła jego życzenie, odnajdując właściwy rytm, póki jego biodra nie zaczęły falować. Sebastian czuł, że lada chwila straci kontrolę nad swoim ciałem, a tym samym przestanie panować nad całą sytuacją.

– Sebastianie!

– Spójrz na mnie – szepnął ochryple, doprowadzony do ostateczności. – Popatrz, co ze mną zrobiłaś!

– Widzę – mruknęła. – Jakie to piękne! A teraz kolej na mnie.

Nachyliła się nad nim i objęła wargami jego sutek.

Sięgnął ręką między nogi i z głośnym okrzykiem zacisnął palce wokół jej dłoni, osiągając szczyt. Czuł, jak gorące nasienie tryska im na ręce gęstym wilgotnym strumieniem.

Gdy było już po wszystkim, ciężko dysząc, opadł na wznak. Eleonora przez chwilę leżała przy nim, ale później zorientował się, że wstaje z łóżka. Pragnął, żeby wstała, ale nie był w stanie wyrzec słowa.

Szybko wróciła z ręcznikiem i oczyściła go zręcznie, a on leżał nadal bezwładnie na łóżku. Czuł się oszołomiony i zarazem zaspokojony, ale umysł miał zbyt zamroczony alkoholem, by zrozumieć, jak do tego doszło. Czuł zbyt wielką ulgę, żeby sobie tym zaprzątać głowę. Kiedy skończyła, położyła się obok niego.

– Dobrze się czujesz? – spytał w końcu, znajdując w sobie jakimś cudem tyle siły, żeby unieść się na łokciach i spojrzeć w jej zarumienioną, uradowaną twarz.

– Jestem najzupełniej szczęśliwa, dziękuję ci – odparła z powagą.

– To było wprost... niewiarygodne. Ja także ci dziękuję.

Zaczerwieniła się mocniej i spuściła głowę. Uniósł jej dłoń, nerwowo skubiącą skraj kołdry, i powoli ucałował kolejno wszystkie palce.

– Nigdy nie przypuszczałem, że jesteś kobietą tak śmiałą, bez żadnych zahamowań. Uważam to za bardzo podniecające.

– Cieszę się. – Odwróciła głowę, wpatrując się w sufit.

– Ale wstyd mi, że tak haniebnie potraktowałem damę.

– Wstyd ci? Dlaczego?

– Mężczyzna, który szanuje kobietę, nie pozostawia jej bez należytej satysfakcji.

– Wcale nie czuję, żeby tak właśnie ze mną było.

– Mam w tej sprawie inne zdanie.

Uniósł się nieco i pocałował ją mocno, głęboko. Odwzajemniła ten pocałunek skwapliwie, dorównując mu zręcznością w posługiwaniu się językiem. Gdy oboje ponownie zaczerpnęli tchu, uśmiechała się.

– Daj mi dwadzieścia minut, moja droga, a dokładnie ci wyjaśnię, co miałem na myśli – mruknął gardłowo.

– Dwadzieścia?

– Ach, w gruncie rzeczy wystarczy mi nawet piętnaście, jeśli mnie znów pocałujesz w taki sam sposób.

Piętnaście minut? Naprawdę? Eleonora spojrzała na niego i zrozumiała, że wcale nie przesadzał. Choć nie zrobiła nic, tylko patrzyła, jego przyrodzenie zaczęło sztywnieć i unosić się w górę.

– Wydaje się, że to niemożliwe, a jednak... – Urwała zdumiona.

– Nie zawsze tak bywa – zgodził się z nią, patrząc nad nią spod oka. – Ale choć ja już doznałem satysfakcji, nadal cię pragnę. Z namiętnością bliską szaleństwa.

– Niemożliwe – szepnęła i otarła się o pierś Sebastiana, przywierając do niego całym ciałem.

Uśmiechnął się i zaczął zdejmować z niej koszulę. Eleonora posłusznie uniosła w górę ramiona, a Sebastian ściągnął i rzucił zbędną już koszulę na podłogę.

Powinna czuć się zażenowana, ale myślała wyłącznie o tym, żeby i on się rozebrał. Sięgnęła do jego spodni, lecz Sebastian ją wyprzedził i zdjął je sam, rzucając je tam, gdzie leżała jej koszula. Puls jej przyspieszył na widok jego smukłych, muskularnych ud i przyrodzenia wznoszącego się dumnie wśród gąszczu ciemnych włosów.

Był wcieleniem nieokiełznanej siły, która fascynowała ją, intrygowała i wzmagała namiętność.

Wyciągnęła do niego ręce, a on uczynił to samo. Dotykali wzajemnie swoich twarzy, ale potem Sebastian łagodnym ruchem odsunął jej rękę.

– Teraz moja kolej, żeby ci dać satysfakcję – oznajmił stanowczo, wodząc lekko palcami po jej nabrzmiałych piersiach.

Jęknęła z rozkoszy, kiedy nachylił się i ujął jeden z sutków wargami, a Eleonora poczuła przejmującą falę błogości. Wstrząsnął nią dreszcz, a on nadal to robił, kołysząc głową nad jej piersiami, podczas gdy ona kurczowo zaciskała dłoń na jego włosach.

Oddech jej przyspieszył i stał się płytki, gdy Sebastian sięgnął dłonią między jej uda. Poczuła tam wilgoć, gdy wsunął ją głębiej i gładził w tym miejscu końcami palców.

Czuła wzrastającą namiętność. Z jękiem wypowiedziała na głos jego imię, a ręce jej błądziły po jego plecach, po pośladkach.

– Błagam cię – wyszlochała. – Och, błagam, Sebastianie!

– Powiedz, że mnie pragniesz, Eleonoro – wyszeptał, poruszając się nad nią. – Powiedz tak, moja miła.

– Pragnę cię szaleńczo. Tylko ciebie. Chcę cię mieć w sobie, kochany.

Eleonora uniosła ramiona, żeby go objąć i przyjąć z radością w siebie. Kolano Sebastiana wślizgnęło się pomiędzy jej uda. Czuła, jak wnika w wilgotną głębię.

Dysząc ciężko, uchwyciła się kurczowo jego ramion, podczas gdy on posuwał się coraz głębiej. Czuła, że coś ją wypełnia i rozpiera. Nie był to właściwie ból, ale mimo wszystko jej podniecenie gwałtownie przygasło.

– Sebastianie...

– Przepraszam, kochana, ale nie sposób temu zaradzić – mruknął.

Jego słowa sprawiły, że poczuła gwałtowny przypływ pożądania. Zaszumiało jej w uszach. Sebastian wniknął w nią głęboko, twardo. Na moment przestała oddychać, a całe jej ciało stało się jednym, pełnym napięcia oczekiwaniem na nieznane. Potem Sebastian wykonał gwałtowny, ostry ruch biodrami.

Krzyknęła, czując nagły, rozdzierający ból, ale on to przewidział i nakrył jej usta swoimi, tłumiąc ten dźwięk. A później znieruchomiał.

Eleonora otworzyła oczy. Sebastian uniósł się, wsparty na przedramionach, i spojrzał jej w twarz. Oczy mu pociemniały z namiętności, ale widniała w nich także troska, a siła tego spojrzenia przeszywała ją do głębi.

– Poczekam chwilę, póki się do tego nie przyzwyczaisz – obiecał i ucałował ją w czubek nosa.

– Sebastianie! Jeśli nawet będziemy to robić przez najbliższe pięćdziesiąt lat, czego zresztą gorąco pragnę, to i tak nigdy nie zdołam się przyzwyczaić.

Po tych słowach poczuła w całym ciele ciepło i odprężenie. Poruszyła biodrami i z ulgą przekonała się, że ból nie był już taki dotkliwy, ale obiecana rozkosz nadal pozostawała niespełniona.

Sebastian jęknął i nadal leżał z głową wspartą na jej piersiach, walcząc o utrzymanie kontroli nad własnym ciałem.

– Czy chce mnie pani uśmiercić, madame, czy to tylko pechowy efekt uboczny? – stęknął.

Roześmiała się i znów poruszyła biodrami, nie mogąc uwierzyć, iż równie intymny akt potrafi budzić tak odmienne uczucia. Rozkosz, ból, śmiech – wszystko było zdumiewające, wspaniałe, cudowne, bo dzieliła je z Sebastianem.

Czując przypływ wiary w siebie, wpiła się palcami w mięśnie jego pośladków i uniosła biodra. Sebastian cofnął się, ale jego następne pchnięcie sięgnęło jeszcze głębiej. Ruch ten dał Eleonorze tak wielkie wrażenie spełnienia, że oczy zaszły jej łzami.

Sebastian poruszał się w rytmie, który szybko podjęła, wyginając się i przyjmując go głęboko w swoje ciało, a także w swoje serce. Dysząc gorączkowo, cieszyła się każdym jego ruchem, a wraz z towarzyszącym temu tarciem wzmagała się też jej błogość. Nagle eksplodowała, zalewana kolejnymi falami błogości.

Krzyknęła, a całym jej ciałem wstrząsnął dreszcz. Przywarła do Sebastiana. On zaś ponawiał pchnięcia, wyginając jej ciało pod takim kątem, by móc w nie wniknąć jak najgłębiej.

Dopiero gdy żar wewnątrz niej zaczął słabnąć, Eleonora zdała sobie sprawę, że Sebastian wciąż w niej jeszcze pozostaje, nie mogąc osiągnąć własnego spełnienia. Objęła go więc jeszcze mocniej, przynaglała mruczeniem jakichś nonsensownych słów o miłości, a on zanurzył się jeszcze głębiej w jej chętne ciało.

Nagle znieruchomiał, a potem targnął nim ostry wstrząs. Eleonora poczuła, że całe jego ciało zadrgało i wypełniło ją coś gorącego. Wydawało się, że trwa to wieki, lecz nagle Sebastian opadł na nią, z twarzą wtuloną w jej włosy. Pogładziła go po lekko i ucałowała zwilgotniałe skronie, rozpamiętując to niezwykłe doznanie.

Przez kilka długich minut Sebastian leżał, przygniatając ją do posłania. Czuła, że ostatnie oznaki napięcia stopniowo znikają z jego ciała. Wydał jakiś dźwięk, ni to westchnienie, ni jęk, a potem ją pocałował.

Szepcząc jej imię, odwrócił się na bok, pociągając ją za sobą. Eleonora przytuliła się, opierając głowę na jego ramieniu. Serce jej stopniowo odzyskiwało normalny rytm, czuła nieodparte pragnienie rozmowy o tym, co wspólnie przeżyli. Chciała go spytać, dlaczego wahał się przed zawładnięciem jej ciałem, a także czy jest mu teraz dobrze.

Ale błogość i nasycenie sprawiły, że wkrótce ogarnęła ją senność. Sebastian oddychał miarowo, co oznaczało, że już zasnął. Ciepło jego ciała sprawiało, że czuła się pokrzepiona i bezpieczna. Z sercem pełnym miłości zamknęła oczy i, podobnie jak Sebastian, pogrążyła się we śnie.

15

T ej nocy nie było sposobności do rozmowy. Eleonora spała krótko, bez snów, i zbudziła się, czując ciepłą, wilgotną tkaninę między nogami. Otwarła oczy i ujrzała Sebastiana. Stał przy łóżku i delikatnie manipulował ręcznikiem. Wyglądał na tak przerażonego widokiem jej krwi, że chciała go pocieszyć.

– Bolało mnie tylko przez chwilę.

– Przepraszam – powiedział i drgnął gwałtownie. – Nigdy nie sądziłem, że tak się stanie. Że dojdzie do czegoś podobnego.

– Ale ja jestem szczęśliwa, że się stało – odparła, a potem siadła na łóżku i objęła go za szyję.

Pocałunek i czuła pieszczota szybko pociągnęły za sobą co innego. Sebastian położył się koło niej i wziął ją w ramiona. Wkrótce potem przekręcił się na plecy i Eleonora nagle znalazła się nad nim, z nogami po obu stronach jego ud. Zadrżała cała, przewidując, co się teraz stanie. Niejasno wyczuwała jego zamiary, ale nie była całkiem pewna, jak to będzie wyglądało.

– Uklęknij, żebyś mogła unieść biodra – pouczył ją głosem schrypniętym z napięcia.

Przyjęła taką pozycję, wciągając dech, a on chwycił ją oburącz w pasie i przyciągnął do siebie. Poczuła powolny początek jego erekcji i to, jak wnikał w jej zwilgotniałe wnętrze, lecz nagle się zatrzymał.

– Coś jest nie tak? – spytała.

Zadrżał wewnątrz niej. Oczy rozjarzyły mu się gwałtownie, mięśnie napięły, jakby silił się, żeby coś w sobie opanować.

– Chcę, żeby tobie też było dobrze.

Wsunął dłoń pomiędzy ich ciała, poruszając palcami. Gładził ją nimi delikatnie, a w niej zaczęła się budzić błogość. Pochyliła się lekko. Sebastian dyszał ciężko, przytrzymując kurczowo jej biodra, póki zgodnie z jego żądaniem nie osunęła się powoli na jego wzniesioną męskość, czując w sobie gorącą pełnię.

Zajrzała mu w oczy i ujrzała w nich namiętność. Wiedziała, że dorównuje ona jej własnej potrzebie i uczuciom. Chwyciła za jego szerokie ramiona, ścisnęła wewnętrzne mięśnie i zaczęła jazdę. Z początku trochę niezręcznie, niemal z wahaniem, ale Sebastian zachęcał ją, szepcząc przewrotne pouczenia gardłowym, zmysłowym tonem, który przejął ją dreszczem.

Wydawał się zadowolony z tego, że pozwolił, by to ona nadawała wszystkiemu tempo i rytm. Eleonora uznała to za zachwycające. Poddawała próbie jego wytrzymałość, podniecając go zmysłowymi ruchami, gdy nagle wydał zdławiony jęk i chwycił jej pośladki. Trzymając je mocno, poruszał się mocno i szybko, podrzucając ją ku górze, póki obydwoje nie dotarli na szczyt.

Kilka godzin później pocałunki, którymi ją obsypywał, stopniowo wybudziły ją z głębokiego snu i na nowo rozpaliły podniecenie.

Nie protestowała, gdy odwrócił ją tak, by uklękła. Trzymając ją mocno za biodra, wszedł w nią od tyłu, wyginając jej ciało tak, że przyjęła go w siebie całego.

Potem zaczął się w niej poruszać, a każdy jego ruch sprawiał, że jęczała z rozkoszy. Zatonęła w ciemności, otoczył ją żar promieniujący od jego ciała. Uniosła głowę, wstrząsając włosami, i krzyknęła, gdy potarł palcem śliskie miejsce pomiędzy jej udami.

Próbowała sprostać jego oczekiwaniom, wychodząc mu naprzeciw. Męskość Sebastiana twardniała, a ona niemal szlochała, czując, jak całkowicie ją wypełnia.

Sebastian bez wytchnienia wykonywał coraz mocniejsze i coraz szybsze ruchy, póki błogość nie targnęła jej ciałem, które osunęło się w ekstazie. Sebastian dyszał ciężko prosto w jej kark. Jak przez mgłę wyczuła spazm, który nim wstrząsnął. Gardłowym głosem wykrzyknął jej imię, zagłębiając się w nią.

Przepełniło ją niewiarygodne, przemożne poczucie szczęścia. Było to coś więcej, znacznie więcej niż się spodziewała. Gładził jej włosy, ciepło jego ciała uspokajało ją, a serce nieodwołalnie należało do niego.

Następnego ranka obudził ją ostry blask słońca. Leżała we własnym łóżku. Sama. Czuła pustkę w ramionach, które już nie obejmowały Sebastiana. Ciało miała chłodne. Ukryła swoje rozczarowanie na widok Lucy, kiedy pokojówka przyniosła jej filiżankę gorącej czekolady, a potem gawędziła z nią przyjaźnie, pomagając jej umyć się i ubrać.

Kiedy weszła do jadalni, Sebastian siedział już przy stole. Stał przed nim talerz z nietkniętym jedzeniem. Spojrzeli na siebie. Eleonora jakimś cudem zdołała się nie zaczerwienić. Wstał uprzejmie i odprawił służbę, kiedy siadła. Na widok jego przygnębionej i śmiertelnie poważnej twarzy poczuła nagły, bolesny skurcz żołądka.

– Musimy porozmawiać – oznajmił.

Skinęła głową na znak zgody, ale przerwał im Higgins, przepraszając, że przeszkadza. Z największym wysiłkiem zdołała nie upuścić filiżanki z herbatą, gdy kamerdyner przekazał zdumiewającą wiadomość: hrabia Hetfield właśnie przyjechał i czeka w salonie.

– Mój ojciec? – Twarz Eleonory zbladła. – Co on tu robi?

Sebastian podniósł się gwałtownie i odprawił Higginsa energicznym gestem. Niech to diabli porwą! Właśnie zamierzał wszystko wyjaśnić Eleonorze, ale było już za późno.

– Myślę, że hrabia przybył po ciebie.

– A skąd wiedział, gdzie mnie znaleźć? – spytała podniesionym głosem.

– Nim opuściliśmy Londyn, kazałem mu doręczyć list, a w nim wyjaśniłem, że wyjechałaś ze mną.

Spojrzała na niego. W jej wzroku dojrzał pytanie, na które nie zamierzał odpowiadać.

– Powinieneś był mnie wpierw zapytać – upomniała go spokojnie.

– Przepraszam cię – rzekł Sebastian. – Uznałem, że lepiej będzie, gdy spotkam się z hrabią w cztery oczy. Miałem posłać Higginsa po ciebie, kiedy wszystko ustalimy.

I niemal wybiegł z jadalni. Zdumienie Eleonory sprawiło, że serce mu się krajało, ale nie mógł pozwolić, by go to odwiodło od powziętego postanowienia. Musiał zebrać wszystkie siły, by stanąć oko w oko z hrabią.

Gdy usłyszał o przybyciu Hetfielda, chęć zemsty, od której zaczęło się całe to szaleńcze przedsięwzięcie, ogarnęła go znowu. Dotarł do salonu, kipiąc ze złości.

Kiedy Sebastian stanął w drzwiach, hrabia obrzucił go chłodnym spojrzeniem. Hetfield w jasnobrunatnych, obcisłych spodniach, tabaczkowej kamizelce i ciemnozielonym surducie wyglądał elegancko i bez zarzutu. Jego fryzura była nieskazitelna. Najwyraźniej nie spieszyło mu się zbytnio, żeby przybyć córce na pomoc.

– Po co mnie wzywałeś, Bentonie? – spytał. – Eleonoro, o co, do diabła ciężkiego, chodzi?

Sebastian spojrzał przez ramię. Niech to licho! Czemu go nie posłuchała? Powiedział przecież, żeby czekała na niego w jadalni, chciał jej oszczędzić tej sceny. Teraz już nic nie można było poradzić. Sam musiał rozegrać tę partię. Przez chwilę miał wrażenie, że podłoga kołysze się pod jego stopami. Jednakże podszedł do Eleonory i poufałym gestem objął ją w pasie.

– Ona jest tu ze mną – oświadczył z satysfakcją.

Hrabia spojrzał na nich zwężonymi oczami. Musiałby być ostatnim głupcem, by nie rozumieć, co Sebastian ma na myśli.

– Co? Spędziłaś tutaj noc bez przyzwoitki?

– Spędziliśmy ją – potwierdził Sebastian.

Eleonora stłumiła jęk. Spojrzała na Sebastiana z niemą prośbą. Nie patrzył na nią.

– Nie jest tak źle, jak mogłoby się wydawać – powiedziała, niejako w swej obronie, zwracając się do ojca.

Hrabia zacisnął wargi.

– Uważam, że to skandal – odparł. – Jeśli ktoś się dowie, reputacja Eleonory będzie zrujnowana. Jeśli mnie tu wezwałeś, żebym był świadkiem tej skandalicznej sytuacji, to rozumiem, że zamierzasz ją poślubić. Natychmiast.

– Przypuszczenia często bywają błędnie, Hetfieldzie.

Ojciec Eleonory zesztywniał.

– Coś ty powiedział?

Sebastian puścił Eleonorę, zaśmiał się krótko, bez śladu wesołości, i podszedł do kominka.

– Nie mam zamiaru żenić się z pańską córką ani teraz, ani kiedykolwiek.

Eleonora wydała jakiś zduszony, nieartykułowany dźwięk, a potem zamilkła. Sebastian dojrzał kątem oka, że cała się skuliła, krzyżując ręce na piersi. Odwróciła od niego wzrok. Patrzyła w sufit.

Hrabia spytał przez zęby:

– Dlaczego pozbawiłeś ją czci?

– On nie...

– Milcz! – wrzasnął hrabia, a potem zwrócił się do Sebastiana: – Jej zadowolony wygląd mówi jasno, że spędziła noc w twoim łóżku, Bentonie. Czy to miał być jakiś żart? Przecież z pewnością ci się nie spodobała. Przypuszczam zatem, że chodzi o coś innego. Najpierw, podczas gry w karty na balu u księcia Warrena, oskarżyłeś mnie fałszywie o szachrowanie, a teraz znów ta niesłychana historia. O co ci chodzi, człowieku?

– O zemstę. – Sebastian wyrzucił z siebie to słowo z całą nienawiścią, jaką czuł w sobie.

– Za co?! Przecież wcale cię nie znam! – zaprotestował hrabia.

– Ale znałeś moją matkę – wycedził głucho Sebastian. – A może o tym zapomniałeś?

Zapadła na chwilę cisza. Hrabia skrzywił twarz, w jego oczach pojawił się błysk

– Przypominam sobie hrabinę. Może w to nie uwierzysz, ale zawsze żałowałem, że nasza znajomość tak źle się skończyła.

– Źle? Rzuciłeś ją bez serca i spowodowałeś jej śmierć. I teraz mi za to zapłacisz.

Hrabia nagle oprzytomniał i mruknął zmieszany:

– Jeśli masz zamiar wyzwać mnie na pojedynek, powinieneś był to zrobić wiele lat temu.

– Okoliczności mi na to nie pozwoliły. Poza tym nie chciałem splamić nieskazitelnej reputacji matki, ujawniając, w jaki sposób nadużyłeś jej zaufania.

Hrabia zaczął zdradzać niejakie zainteresowanie.

– Ach, a więc w rewanżu zrujnowałeś reputację mojej córki, żeby mnie zmusić do pojedynku? Sprytne!

Sebastian, który silił się, żeby nie ujawniać swych prawdziwych uczuć, słysząc to zwięzłe stwierdzenie, poczuł się jak ostatni łajdak. Chryste, nie jestem wcale od niego lepszy, pomyślał. Tak samo jak on nadużyłem uczuć bezbronnej kobiety.

Zmusił się, by spojrzeć na Eleonorę. Przerażenie malujące się na jej twarzy, zgroza w jej oczach dotknęły go głęboko, ale nie przejął się tym i ciągnął dalej, bowiem pragnienie zemsty przesłoniło mu wszystko:

– Reputacja lady Eleonory nie dozna uszczerbku, jeśli nikt się o niczym nie dowie. Proszę wybrać broń i sekundantów – rzekł, utkwiwszy wzrok w Hetfieldzie. – Jeśli spotkamy się jutro o świcie w Hampstead Heath, nikomu nawet nie wspomnę o tym, co tu zaszło. Przysięgam. Honor pańskiej rodziny zostanie uratowany, niezależnie od wyniku pojedynku.

Hrabiego nagle opuściła cała dotychczasowa nonszalancja.

– Nie mówisz chyba na serio?

Sebastian spojrzał na niego z obrzydzeniem.

– Jeśli nie jutro, to pojutrze. Na tyle jedynie mogę ustąpić.

– A jeśli odmówię udziału w tym małym melodramacie, który tak starannie uknułeś?

Na czole Sebastiana nabrzmiała żyła.

– Już wiesz, co się wtedy wydarzy.

– Och tak, rozpowiesz wszystkim o twojej skandalicznej aferze z moją niezamężną córką. – Hrabia szarpnął za mankiet żakietu, strząsając z rękawa drobny pyłek. – Idź, gdzie chcesz, i gadaj, co ci się podoba. Ogłoś to nawet w „Timesie", jeśli taka twoja wola.

Sebastian oniemiał.

– Mam w nosie twój blef – dorzucił Hetfield.

– Ja nie blefuję. – Sebastian zacisnął szczęki.

– Może i nie. – Hrabia wzruszył ramionami, najwyraźniej nie przejmując się niczym. – To nie ma dla mnie żadnego znaczenia. Jeśli zrujnujesz reputację Eleonory, wydziedziczę ją i wyrzucę z domu. Mnie skandal ominie. Natomiast jeżeli Waverly zbytnio się tym przejmie i rzuci Biankę, wydam ją za Farleya i dobrze wydę na tym kontrakcie. A jeśli nie rozgłosisz tej sprawy, zastanowię się, jak ukarać moją niezrównoważoną córkę Eleonorę. W każdym razie nie przyjmuję wyzwania. Nie będę się z tobą pojedynkował z żadnego powodu i w żadnych okolicznościach!

Przez chwilę Eleonora poczuła się zupełnie zdezorientowana. Z pewnością się przesłyszała. Musiała się przesłyszeć. Sebastian nigdy nie uknułby czegoś takiego, żeby się zemścić na hrabim. Nie, to niemożliwe.

Sebastian ją lubił. Jej bystry umysł, inteligentną konwersację, rozważne opinie. Troszczył się o nią. Zwracał uwagę na jej uczucia, życzenia, pragnienia. Chciał z nią przebywać. Dbać o nią, chronić ją, zapewniać jej bezpieczeństwo. Mieli się pobrać za specjalnym zezwoleniem, tu, w domu, gdzie spędził dzieciństwo. Ślubu miał im udzielić znajomy pastor.

Kochał się z nią zeszłej nocy. Wiele razy. A także rano. Czule, z oddaniem, z namiętnością, z miłością. Było to coś wspaniałego, cudownego, czego nigdy sobie nie wyobrażała, na co nigdy nie liczyła.

I wszystko to było kłamstwem. Okrutnym, zrodzonym z chęci zemsty kłamstwem.

Eleonora usiłowała skupić się na tym, co później mówiono, ale zaczęło jej dzwonić w uszach, kolana ugięły się pod nią i zrozumiała, że jeśli będzie dłużej tak stała, osunie się bezwładnie na podłogę. Powoli, czepiając się rękami kredensu, doszła do krytej brokatem sofy. Opadła na nią, starając się siedzieć prosto i próbując przezwyciężyć drętwotę ciała.

Napięcie w salonie było wręcz dławiące. Skrzyżowała ręce na piersi i zaczęła energicznie rozcierać ramiona. Spowodowane szokiem zimno przeniknęło ją do szpiku kości. Ciało miała obolałe, ale najwięcej cierpień przysparzało jej złamane, sponiewierane serce.

Kłamstwa. Wszystko to były kłamstwa.

Mężczyzna, który tyle razy kochał się z nią w nocy, który wręcz wielbił jej ciało swoim własnym, zdradził ją. Wszystko było rozmyślną manipulacją, podstępem umożliwiającym mu porachunki z jej ojcem.

Zostaw to! Wstań, odwróć się do drzwi i wyjdź stąd!

Ten nazkaz brzmiał w jej głowie, ale była jak sparaliżowana, przykuta do miejsca. Zmuszona przeżyć upokorzenie i pohańbienie, które zadały ostateczny cios jej dumie.

Co hrabia mówił? Mimo całego oszołomienia, Eleonora starała się słuchać i rozumieć.

Kłócili się. O nią. Nie, o pojedynek. Pojedynek, do którego ojciec nie chciał stanąć. W końcu jej honor nic dla niego nie znaczył. Podobnie jak ona sama.

Eleonora zatkała pięścią usta, żeby nie wydać z siebie żadnego dźwięku. Cierpienie rozdzierało jej serce na strzępy. Stłumiła wzbierający się szloch i przycisnęła dłoń do piersi, usiłując zdusić narastający ból.

Z niesłychanym wysiłkiem wstała z sofy. Nakazując sobie, że musi się ruszyć, z trudem zrobiła kilka kroków i opuściła salon.

Ani Sebastian, ani hrabia nie próbowali jej zatrzymać. Wątpiła, czy w ogóle zauważyli, że odeszła.

Pełen gniewu i bolesnego rozczarowania Sebastian patrzył, jak Hetfield powoli, z namaszczeniem naciąga skórzane rękawiczki. Zemsta, którą tak starannie zaplanował, tak drobiazgowo uknuł, rozpadła się w proch i nie mógł nic zrobić, by wziąć odwet na tym człowieku.

Trawiący go gniew szybko zmienił się w bezsilność. Hrabia zamierzał odejść. Co począć?

– Hetfieldzie!

Hrabia odwrócił się, na jego twarzy malował się wyraz znudzenia. Gniew Sebastiana zapłonął na nowo, rozżarzony do białości. Za to, że hrabia tak bezlitośnie potraktował jego matkę. Za pogardę, jaką okazywał Eleonorze. Za niegodziwość, która na zawsze pozostałaby bez kary.

– Wszystko skończone. Posłuchaj mojej rady: bądź dżentelmenem i zapomnij o tym – rzucił Hetfield z satysfakcją w głosie.

Słowa Hetfielda, wypowiedziane lekceważącym tonem, rozjuszyły Sebastiana. Rzucił się przed siebie i rąbnął go pięścią prosto w żołądek. Z ust hrabiego wydobył się zduszony jęk, a potem drugi, powietrze uciekało mu z płuc. Sebastian odczekał, aż Hetfield się wyprostuje, po czym prawą ręką grzmotnął go z rozmachem w szczękę.

Hrabia zatoczył się do tyłu i runął na posadzkę. Drzwi salonu otwarły się z trzaskiem i wbiegło dwóch przerażonych lokajów. Przez dłuższą chwilę spoglądali w zdumieniu to na leżącego na ziemi hrabiego, to na Sebastiana.

– Hrabia Hetfield odjeżdża – oznajmił Sebastian, rozprostowując palce, zaczerwienione i posiniaczone. – Odprowadźcie go do powozu.

Lokaje podbiegli, żeby pomóc Hetfieldowi wstać. Hrabia, gdy już zdołał się podnieść, odepchnął ich od siebie, a potem uniósł rękę, by otrzeć strumyczek krwi sączący się po jego policzku.

– Choć uważam, że nie zrobiłem niczego karygodnego, puszczam tę zniewagę płazem.

– Szkoda. Miałem nadzieję, że mi oddasz, a wtedy jeszcze raz bym cię powalił na ziemię – odparł lodowatym tonem Sebastian.

Twarz hrabiego zadrgała, ale nic już nie powiedział. Odwrócił się i stąpając niepewnym krokiem między odprowadzającymi go lokajami, wyszedł z salonu.

Sebastian został sam i ciężko padł na fotel. To, że sponiewierał Hetfielda, sprawiło mu ulgę, jednakże na krótko, po chwili satysfakcja osłabła, pozostawiając poczucie pustki, żalu i dojmujące poczucie klęski.

Hrabia okazał się złośliwym łajdakiem bez honoru i sumienia. Potraktował jego matkę w sposób niewybaczalny, ale on sam wcale nie lepiej potraktował jego córkę. Świadomość, jak bezwzględny okazał się dla niej ojciec, musiała być czymś strasznym, cierpieniem, na jakie z pewnością nie zasłużyła.

Och, Eleonoro! Pełen poczucia winy odwrócił się ku niej i dopiero wtedy zauważył, że zniknęła.

Zegar tykał głośno, a każda sekunda zdawała się godziną. Eleonora siedziała w milczeniu w swojej sypialni na wyścielanym fotelu. Spakowany sakwojaż stał u jej stóp. Odgłos kroków na korytarzu wyrwał ją jednak z odrętwienia. Gdy drzwi się otwarły, serce zabiło jej gwałtownie.

Mimo głębokiego bólu zdobyła się na odwagę i uniosła głowę. Sebastian stał przed nią i przyglądał się jej ze wzruszeniem, znużeniem i rozpaczą.

– Nie wiedziałem, gdzie cię szukać – powiedział cicho.

Zacisnęła dłonie, żeby powstrzymać drżenie.

– Czy hrabia odjechał?

– Tak.

– Czy pojedynek się odbędzie?

– Nie. Nie przyjął wyzwania.

Sebastian wyglądał na tak zgnębionego, że mogłaby mu nawet współczuć, gdyby nie ból z powodu jego zdrady.

214

– Ja również wkrótce stąd odjadę, ale nie mogę tego zrobić, nie zadając ci jednego pytanie. Dlaczego?

Na szczęście nie udawał, że jej nie zrozumiał.

– Hrabia miał romans z moją matką, zaraz po tym, jak został wdowcem. Zaszła z nim w ciążę, a on odmówił jej wszelkiej pomocy. Z rozpaczy się powiesiła. Ja pierwszy znalazłem jej zwłoki.

Eleonora się wzdrygnęła. To było jeszcze ohydniejsze, niż przypuszczała.

– Ile wtedy miałeś lat?

– Dwanaście.

– Byłeś więc za mały, żeby móc się mścić. Czemu jednak czekałeś tak długo?

– Przyrzekłem babce, że nie wystąpię przeciw niemu. Teraz, kiedy zmarła, poczułem, że wreszcie mogę wymierzyć sprawiedliwość.

– Chciałeś go zabić?

Sebastian wzruszył ramionami.

– W walce na szpady czy na pistolety zawsze istnieje możliwość, że ktoś odniesie śmiertelną ranę. Wyznam, że nie czułbym żadnych wyrzutów sumienia, gdybym go trafił.

Choć zważywszy na to, co zrobił jej ojciec, rozumiała tę potrzebę zemsty, nie była w stanie darować środków, jakimi do niej dążył.

– Niestety hrabia skutecznie pokrzyżował twoje sprytne plany. Teraz do mnie dotarło, że początkowo twoim celem była Bianka. Zamierzałeś zrujnować reputację mojej młodszej siostry, prawda?

Sebastian skinął głową.

– Wszystko mogłoby się skończyć inaczej – ciągnęła Eleonora – gdybyś posłużył się Bianką. Ojciec ma dla niej niewiele względów, ale jest dla niego dość cenna. Przywiózł ją do Londynu, żeby zawarła korzystne małżeństwo, a wmieszanie jej w brudny skandal wszystko by utrudniło. Ale i tak by ją poświęcił, tak jak zrobił ze mną. Gdyby wicehrabia Farley jej nie zechciał, znalazłby kogoś innego, kto chętnie zapłaciłby za przywilej poślubienia córki hrabiego. Mój ojciec nie uznaje żadnych reguł prócz własnych i ma za nic kodeks honorowy. Podobnie jak ty.

Wiedziała, że porównanie z wrogiem sprawi Sebastianowi ból, ale nie mogła się powstrzymać, by mu tego nie powiedzieć.

Odwrócił wzrok.

– Wiem, że mojego postępowania nie usprawiedliwia wydarzenie z przeszłości. Szczerze żałuję tego, co zrobiłem. Nie miałem zamiaru cię krzywdzić. Obiecuję, że zrobię wszystko, co w mojej mocy, aby chronić ciebie i twoją reputację.

Zaśmiała się głucho, zaciskając palce mocno, aż do bólu.

– Trochę za późno, milordzie.

Zaciął usta.

– Może nie. Tylko ty, ja i hrabia wiemy, że spędziłaś tu noc.

Do diabła z reputacją! Jej serce zostało złamane. Czyż tego nie widział?

– Nie dbam o to, co pomyśli o mnie towarzystwo – odparła wyniośle. – Martwię się tylko, że moja głupota może zaszkodzić Biance. Nigdy bym sobie nie darowała, gdyby miała cierpieć dlatego, że okazałam się głupia i łatwowierna, dałam się łatwo zwieść za pomocą garstki męskich względów i pochlebstw. Świetnie się musiałeś bawić, widząc, jak niemądra stara panna robi z siebie idiotkę, choć nie wiem doprawdy, jak się zdobyłeś na to, żeby mnie pocałować.

Sebastian skrzywił się boleśnie.

– Przeciwnie. Całowanie ciebie sprawiało mi największą przyjemność. – Pogładził rozburzone włosy Eleonory. – Wiem, że to zabrzmi dziwnie, ale uwierz mi: przysięgam, że choć próbowałem, nie potrafiłem ci się oprzeć.

Eleonora poczuła się winna. Nie tylko Sebastian ponosił odpowiedzialność za tę wspólnie spędzoną noc. Przecież zostawił ją wieczorem samą w sypialni. Właściwie ona go uwiodła.

– O tak, to ja sprawiłam, że nie byłeś w stanie mnie odepchnąć – przyznała z żalem. – Przychodząc wczorajszej nocy do ciebie, zachowałam się jak kurtyzana.

Rozgniewało go to wyraźnie.

– Na Boga, Eleonoro, wcale tak nie było.

Serce się jej ścisnęło, gdy wyczuła żal w jego głosie, choć przeklinała w myśli samą siebie za wyjątkową głupotę.

– Naprawdę?

– Nie, nigdy. Noc z tobą była pięknym, wspaniałym przeżyciem. Zachowam ją pamięci jako największy skarb, choć wiem dobrze, że nie mam do tego prawa.

Spojrzał na nią z takim żalem i czułością, że o mało nie straciła panowania nad sobą. Zranione serce bolało, ale wiedziała, że jeszcze nie wszystko stracone.

Wstała jednak pospiesznie.

– Odchodzę.

– Co zamierzasz teraz zrobić?

– Jeszcze nie wiem – szepnęła.

Ogarnęła ją fala rozmaitych obaw. Nie mogła przecież jechać teraz do Londynu, chyba raczej powinna wrócić na wieś, ale czy byłaby w stanie mieszkać w rodzinnym dworze, wiedząc, że hrabia w każdej chwili może się tam pojawić i kazać jej opuścić dom? Na koniec westchnęła głęboko i wyprostowała się z godnością.

– Wiem tylko tyle, że nie będę użalać się nad sobą i zadręczać się wyrzutami sumienia przez resztę życia. Nie jesteś tego wart.

– Pod tym względem stanowczo się zgadzamy.

Spojrzała na niego gniewnie, po czym wzięła sakwojaż i ruszyła do drzwi.

– Żegnaj, milordzie.

– Stój! – zawołał ostro. – Gdzie się wybierasz?

Eleonora zesztywniała, ale zaraz spuściła głowę. Czuła się straszliwie znużona.

– Do mojej ciotecznej babki w Bath. Sądzę, że udzieli mi schronienia.

– Jesteś pewna? Czy nie powinnaś uprzedzić jej listownie i upewnić się, że przyjmie cię życzliwie?

Eleonora nie chciała o tym myśleć. Nie znosiła, gdy ktoś zawracał ją z obranej drogi.

– Ciotka Jane jest siostrą mojej babki ze strony matki. Nigdy nie wyszła za mąż, ale jest trzeźwo myślącą kobietą i zawsze nienawidziła hrabiego. Widziałam się z nią tylko dwa razy, ale kilka razy w roku wymieniamy korespondencję. Zapewni mi schronienie, póki się jakoś nie podźwignę.

Wypowiedzenie tych słów na głos dodało jej wiary w siebie, czego brakowało jej przedtem, i pomogło opanować ogarniające ją lęki i niepokoje. Patrzyła, jak Sebastian szuka czegoś w kieszeni, i nagle do niej dotarło, co oznacza ten gest.

– Przysięgam na wszystko, co najświętsze, że jeśli spróbujesz dać mi pieniądze, to dostaniesz ode mnie w twarz.

Sebastian znieruchomiał. Opuścił bezwładnie ręce.

– Skorzystaj chociaż z mojego powozu. Jest wygodny i bezpieczny. Nie możesz podróżować publicznym dyliżansem bez własnej pokojówki.

– Ach tak, znów chodzi o moją bezcenną reputację.

– Eleonoro, proszę cię, bądź rozsądna.

Choć była wściekła, że musi się z Sebastianem zgodzić, miał rację. Sprzeczanie się z nim tylko po to, żeby bronić swego zdania, było głupotą. Jak lubiła mawiać jej szkocka gospodyni: „Tylko głupia dziewczyna samej sobie robi na złość, żeby komuś drugiemu dokuczyć".

– Skorzystam z twojego powozu – odparła niechętnie. – Ale chcę odjechać natychmiast.

Zgodził się.

– Konie podjadą za kilka minut.

Eleonora odetchnęła z ulgą i zeszła na dół. Sebastian postępował tuż za nią. Oszczędziła sobie przykrości żegnania się z panią Florid i Higginsem. I tak mogła sobie wyobrazić, ile gadania będzie w izbie czeladnej.

Nerwowo krążyła po holu, podczas gdy Sebastian zajmował się przygotowaniami do podróży. Choć wydawało się jej, że nie ma go od paru godzin, wrócił już po kilku minutach. Podszedł do niej sztywno. Może ujrzał, a może wyczuł jej opory i nie podał jej ramienia. Idąc w pewnej odległości obok siebie, w pełnym napięcia milczeniu opuścili rezydencję frontowymi drzwiami.

Eleonora niezbyt zręcznie wdrapała się do powozu, wyraźnie nie licząc na pomoc Sebastiana, co go upewniło, że nie ma zamiaru się z nim pożegnać. Głośno i zdecydowanie zatrzasnęła drzwiczki. Była na skraju załamania nerwowego. Nie zniosłaby teraz jego słów, a nawet spojrzenia.

Słyszała, jak Sebastian wydaje polecenia stangretowi. Patrzyła prosto przed siebie i nie wyjrzała przez okienko, póki powóz nie opuścił podjazdu i nie wjechał na główny trakt.

Dopiero teraz zauważyła błękitne niebo i jasny, ciepły blask słońca. Dzień był piękny. Przy takiej pogodzie miło byłoby przejść się po ogrodzie lub poczytałać coś w cieniu wiązu.

Albo, co byłoby najlepsze ze wszystkiego, spędzić czas radośnie u boku Sebastiana i w jego ramionach.

Ale to się nigdy nie zdarzy! Eleonora przymknęła oczy, walcząc z bólem, próbując powstrzymać szloch. Wszystko na nic. Serce miała złamane, wszystkie marzenia legły w gruzach. Łzy płynęły jej po twarzy strumieniem. Płakała nie tylko nad tym, co utraciła, ale też nad tym, czego nigdy nie zazna – nie będzie miała kochającego męża, który by ją zrozumiał i szanował, a także dzieci, które mogłaby kochać i wychowywć.

Największą rozpacz budziło w niej jednak to, że wiedziała, iż mimo wszystko nigdy nie przestanie kochać Sebastiana.

16

Podczas jazdy powozem do Bath, o dziwo, nie wydarzyło się nic nadzwyczajnego. Stangret był zręczny i znał się na rzeczy, dwaj stajenni sprawni. Wybrali najczystszy i najbezpieczniejszy zajazd, a także zajęli się zamówieniem posiłków, wynajęciem pokojów i zmianą koni. Płacili też za wszystko bardzo dyskretnie, tak że Eleonora w ogóle tego nie widziała.

Traktowano ją z największą kurtuazją i respektem. Nawet pogoda dopisała, bo przez całą podróż świeciło słońce i nie padał deszcz. Były to przyjemne i sprzyjające okoliczności wyprawy, lecz Eleonora nie mogła zmienić tego, co zaszło, poniechać wspomnień, nie mogła też ignorować przyczyny, dla której jechała do Bath.

Jak Sebastian mógł tak postąpić? Te myśli nękały ją dniem i nocą, choć starała się panować nad sobą i nad całą sytuacją. Nie opuszczały jej rozgoryczenie, niepewność i smutek. Najczęściej jednak czuła gniew. Gniew na Sebastiana za to, że potraktował ją tak bezwzględnie. Gniew na siebie za to, że okazała się tak nie-mądra i naiwna. Gniew na ojca za to, że tak okrutnie traktował wszystkie kobiety.

Dotarła do domu ciotki całkiem odrętwiała i była w stanie działać tylko dzięki sile woli. Zgodziła się, by jeden ze stajennych podprowadził ją do tarasu przed wejściem i zastukał do drzwi. Nie protestowała, by powiedział kamerdynerowi, kim jest i z kim się chce widzieć.

Ciotecznej babce Jane wystarczyło jedno spojrzenie na znękaną twarz podróżniczki, by pospiesznie zaprosiła ją do środka. Eleonora była jej za to głęboko wdzięczna. Zaprowadzono ją do najlepszego pokoju gościnnego w domu, ładnego i przestronnego, utrzymanego w przyjemnym kremowym odcieniu i umeblowanego eleganckimi francuskimi meblami, nadającymi wnętrzu bardzo kobiecy charakter.

Po ciepłej kąpieli i filiżance mocnej herbaty Eleonora położyła się w wielkim łóżku wspartym na czterech kolumnach, nakryła bladożółtą atłasową kołdrą i przestała myśleć o czymkolwiek.

Przeleżała w łóżku dwa dni, z trudem przełknęła parę kęsów jedzenia, jakie co jakiś czas przynosiła jej na tacy służąca o śmiertelnie poważnym wyrazie twarzy. Powtarzała sobie, że wkrótce ociężałość i znużenie ustąpią, a ona będzie mogła wstać.

Rankiem trzeciego dnia, wyrzucając sobie gnuśność, z trudem wstała z łóżka i udała się do gotowalni. Siedziała apatycznie, gdy pokojówka układała jej włosy, a potem pomagała włożyć prostą, codzienną suknię z wysokim stanem. Po tych wszystkich zabiegach Eleonora przeszła w końcu do jadalni, nadal nie mając pewności, co właściwie powie ciotce Jane.

– Cieszę się, że nareszcie widzę cię na nogach, Eleonoro.

Ciotka Jane była niewysoką, szczupłą kobietą o srebrzystych włosach i przenikliwych, rozumnych niebieskich oczach. Uśmiechnęła się, a potem uniosła do oczu lorgnon, które nosiła zawieszone na szyi na srebrnym łańcuszku.

– Czy czujesz się już lepiej?

– Trochę.

Ciotka Jane kiwnęła głową.

– Usiądź. Kiedy zjesz coś ciepłego, wrócą ci rumieńce.

Eleonora podziękowała z uśmiechem lokajowi, który podsunął jej krzesło. Przyznawała w duchu, że rada ciotki była słuszna, ale ogóle nie była głodna. Spojrzała obojętnie na talerz, który przed nią postawiono. Zrozumiała jednak, że nie powinna zachowywać się jak niewdzięcznica. Pospiesznie więc sięgnęła po widelec i spróbowała coś zjeść.

– Czytałam wczoraj „Timesa" – powiedziała ciotka Jane, gdy lokaj nalał jej kawy.

Widelec Eleonory zazgrzytał głośno na jej wciąż pełnym jedzenia talerzu.

– Tak?

– Nic tam o tobie nie piszą. – Ciotka zaszeleściła składaną gazetą i skinęła na służbę, by się usunęła. – Myślę, że to dobry znak. Jak sądzisz?

– Istotnie – wyszeptała Eleonora. – Ale coś jeszcze mogą napisać. Myślę, że powinnam cię o tym uprzedzić.

– Jestem przyzwoitą kobietą, Eleonoro, przyjmowaną we wszystkich porządnych domach. Wielu uważa mnie – wybacz mi tę szczerość – za podporę naszej blisko ze sobą powiązanej społeczności. Nie jestem jednak pruderyjna. – Ciotka Jane poklepała Eleonorę po ręce. – Przypuszczam, że ojciec porzucił cię w trudnej sytuacji?

Eleonora poczuła, że dławi ją w gardle.

– Zraził się do mnie i wszystko zdaje się wskazywać, że będzie to ostateczne rozstanie.

– Z wielką szkodą. Dla niego. – Ciotka Jane odsunęła pusty talerz. – A teraz mam nadzieję, że usłyszę od ciebie jakieś szczegóły. Hrabiego zawsze uważałam za łajdaka. – Eleonora miała niewesołą minę, ale ciotka Jane ciągnęła: – Jeśli zechcesz mi opowiedzieć, co się wydarzyło, wysłucham cię, a potem wyrażę swoje zdanie i postaram się ci doradzić.

– Wybacz mi, ciociu, ja... ja jeszcze teraz nie mogę tego zrobić.

– Znakomicie – stwierdziła łagodnym tonem ciotka. – Dzięki zapobiegliwości mojej matki mam się z czego utrzymać. Skoro hrabia już się tobą dłużej nie zajmuje, możesz zamieszkać u mnie na tak długo, jak zechcesz.

Eleonora przyjęła jej słowa z wyraźną ulgą.

– Nie chciałabym się narzucać, ale jeśli nie masz damy do towarzystwa, może mogłabym się na coś przydać.

Ciotka Jane skrzywiła się z niechęcią.

– Jesteś córką hrabiego, Eleonoro, damą z urodzenia i wychowania. Nie próbuj obniżyć swojej pozycji, zabierając się do pracy.

– Nie przywykłam próżnować, ciociu. Zrobię, jak sobie życzysz, ale stanowczo wolałabym być użyteczna.

Rysy ciotki Jane złagodniały.

– Cieszę się, że mnie odwiedziłaś, Eleonoro. Z niewyjaśnionych przyczyn hrabia zawsze trzymał ciebie i twoją siostrę z dala ode mnie. Zawsze chciałam poznać was bliżej i bardzo żałowałam, że nie okazałam się pod tym względem bardziej stanowcza. Niestety, kobiety niewiele mogą zdziałać w świecie zdominowanym przez mężczyzn. Nie wolno nam marnować sił, musimy używać ich rozumnie. Choć smutno mi, że znalazłaś się w tak przykrych okolicznościach, cieszę się, że mogę ci pomóc. Zawsze bardzo sobie ceniłam twoje listy, zwłaszcza że nie mam żadnej innej rodziny.

Eleonora chrząknęła.

– Ciociu, jestem ci wdzięczna, bardziej niż mogę wyrazić. Gdyby nie ty, nie wiem, gdzie bym się podziała i co by się ze mną stało. – Choć starała się panować nad sobą, przy ostatnich słowach głos jej zadrżał.

– Głowa do góry, Eleonoro – odrzekła stanowczo ciotka. – Za wcześnie dziś na biadania. A teraz, jeśli już skończyłaś grzebać widelcem w talerzu, chciałabym ci pokazać nasz dom.

Eleonorę ścisnęło w gardle. Czuła, że oczy zachodzą jej łzami, i nie potrafiła pohamować krótkiego szlochu. Ciotka Jane zachowała spokój, choć oczy jej podejrzanie zalśniły.

– No, dziewczyno, wypłacz się jak należy. A potem otrzyj łzy i poślij do diabła wszystkich, którzy ściągnęli na ciebie nieszczęście.

Przez następne dwa tygodnie Eleonora wiodła uregulowane, choć nieco osobliwe życie. Najpierw jadła z ciotką śniadanie, przy którym żywo rozprawiały o tym, co było w gazetach. Resztę przedpołudnia zabierała jej korespondencja, choć Eleonora mogła pisać tylko do Bianki i nie otrzymywała żadnych odpowiedzi. Przygnębiało ją to ogromnie, ale nie dziwiło. Z pewnością jej listy do siostry przejmował hrabia.

Po załatwieniu korespondencji czytała zazwyczaj lub haftowała, a ciotka Jane zajmowała się sprawami domowymi. Po lekkim lunchu składały wizyty, zaglądały do sklepów, a jeśli pogoda pozwalała, szły na spacer po parku. Wieczorami udawały się na proszone obiady, partyjki kart, koncerty, czasami zaś na jakieś większe zgromadzenia. Dzięki wpływom ciotki Jane Eleonorę szybko zaakceptowano w niewielkim kręgu mieszkańców Bath, a jeśli nawet snuto jakieś przypuszczenia dotyczące jej nagłego przyjazdu, nigdy nie doszło to do jej uszu.

Nie było tu londyńskiego gwarnego tłumu podczas sezonu, ale nie brakowało sposobności do zajęcia się czymś. Większość przyjaciół i znajomych ciotki Jane była ludźmi podstarzałymi, ale Eleonora spotykała też osoby bliższe jej wiekiem. Zawsze przyjmowano ją uprzejmie i z delikatnością w tutejszej socjecie, wśród której – za co była niezmiernie wdzięczna losowi – nie zetknęła się z nikim poznanym wcześniej w Londynie.

Wiodła proste, nieskomplikowane życie wysoko urodzonej damy, pod pewnymi względami ograniczone, pod innymi swobodne, jako że prowadziły wyłącznie kobiecy dom. Eleonora nieustannie powtarzała sobie, że się w końcu przyzwyczai, przystosuje i polubi tę niezbyt urozmaiconą egzystencję, która najpewniej będzie jej udziałem przez resztę życia.

Zważywszy na wszystko, co zaszło, Eleonora zdawała sobie sprawę, że powinna się uważać za bardzo szczęśliwą, nawet jeśli nie zawsze tak się czuła.

Na tym wygnaniu najbardziej doskwierał jej brak wiadomości od siostry. Ogromnie odczuwała nieobecność Bianki, często zamartwiała się, co hrabia naopowiadał po jej nagłym zniknięciu z Londynu. Pamiętała, że ślub Bianki ma się odbyć już za parę tygodni. Kiedy zwierzyła się z tej troski ciotce Jane, stara dama była zdania, że należy zachować ostrożność, ponieważ Bianka wciąż jeszcze pozostawała pod władzą ojca i musiała ulegać jego kaprysom.

Jednak gdy wyjdzie za mąż, nawiązanie kontaktu między nimi będzie dużo łatwiejsze. Co zaś do uroczystości ślubnych, ciotka Jane z całą stanowczością stwierdziła, że wezmą w nich udział, zaproszone czy nie.

Minęły już dwa tygodnie od przyjazdu Eleonory do Bath. Tego dnia właśnie siedziała w salonie z książką w ręku, a ciotka Jane ustalała jadłospis na następny tydzień. W domu panowała spokojna, miła atmosfera. Podobnie jak wielu starszych ludzi, ciotka Jane miała oczywiście pewne ustalone nawyki, ale Eleonora uważała, że bardzo dobrze im się żyje razem.

Ciotka Jane nigdy jej natrętnie nie wypytywała, gdy Eleonora na śniadaniu pojawiała się apatyczna, z oczami zaczerwienionymi po przykrej nocy, nigdy też nie przymuszała jej do uczestniczenia w zebraniach towarzyskich, jeśli wolała zostać w domu. Eleonora była jej niezmiernie wdzięczna za życzliwość i zrozumienie. Bez nich chyba postradałaby zmysły.

– Przyszedł jakiś mężczyzna, madame – oświadczył kamerdyner, wchodząc do salonu, i podał kartę wizytową na srebrnej tacy.

– O tej porze? Jest o wiele za wcześnie na wizyty – zauważyła ciotka Jane, sięgając po nieodłączne lorgnon. Uniosła szkła do oczu i spojrzała na bilet wizytowy.

– Czy jesteś pewien, że ten dżentelmen chciał się widzieć ze mną, a nie z lady Eleonorą?

– On pragnie mówić z panią, madame – potwierdził kamerdyner.

Eleonora uniosła wzrok znad książki i drgnęła. Kamerdyner ciotki Jane był wiekowy, wzrok miał bardzo osłabiony, a kolana zreumatyzowane. Sztywna postawa była u niego raczej rezultatem fizycznych ograniczeń niż zachowania. Od dawna już powinien odejść na emeryturę, upierał się jednak, że praca daje mu cel w życiu, ciotka zachowała go więc na służbie.

– Najwyraźniej ten dżentelmen pomylił adres – fuknęła ciotka Jane. – Nie znam ani jego, ani tej rodziny.

– Jak on się nazywa, ciociu? – spytała nagle Eleonora.

Ciotka zmarszczyła nos i spojrzała ponownie na bilet.

– Wicehrabia Benton.

Książka wypadła z rąk Eleonory. Powoli zaczynała zapominać o swoim cierpieniu, lecz świadomość, że Sebastian stoi za drzwiami, odnowiła brutalnie cały ból.

Kamerdyner popatrzył na Eleonorę, a potem znów na ciotkę Jane.

– Czy mam powiedzieć, że pani nie ma w domu?

– Eleonoro?

– Odeślij go stąd – wychrypiała ze skurczonym żołądkiem.

Kamerdyner skłonił się i odszedł. Eleonora podniosła upuszczoną książkę i położyła ją na kolanach. Serce jej waliło jak młotem, w głowie czuła zamęt. Dlaczego tu przyjechał? Czego chciał?

Nieważne. Między nimi nie było już nic prócz kłamstwa i zdrady. Nie miała najmniejszej ochoty go widzieć ani po raz drugi wysłuchiwać jego łgarstw.

Kilka minut później ostrożnie zapukano do drzwi salonu i ponownie wszedł tam kamerdyner.

– Proszę mi wybaczyć, że powtórnie paniom przerywam, ale wicehrabia dał mi wyraźnie do zrozumienia, że nie odejdzie stąd, póki się bezpośrednio z panią nie rozmówi.

– Ależ ma tupet! – Ciotka Jane wstała. – Powiedz Harry'emu i George'owi, aby go usunęli siłą.

– Poczekaj! – zawołała Eleonora. Choć z satysfakcją ujrzałaby, jak Sebastiana wyrzucają stąd przemocą, wiedziała, że podstarzali słudzy nie mają dosyć sił, by sobie z nim poradzić. – Jak się zapewne domyślasz, znam wicehrabiego. Uważam, że w sumie lepiej się zgodzić na jego wizytę. Nie wiem, jak by się zachował, gdybyśmy nadal mu jej odmawiały.

– Cenię sobie twoją wiedzę w tej materii – odparła ciotka Jane. – Choć nie powiem, żeby mi się podobała.

Kilka minut później kamerdyner wrócił, a za nim weszła do salonu znana jej dobrze postać. Eleonora przyglądała mu się bez słowa. Wyglądał o wiele posępniej niż przedtem. Nie uśmiechał się, zniknął gdzieś cały jego urok. Nadal był przystojny i świetnie ubrany, ale patrzył jakoś inaczej. Zmienił się w sposób, którego nie potrafiłaby ująć słowami. A może po prostu ona w końcu trzeźwiej go teraz osądzała?

– Wicehrabia Benton – zaanonsował gościa kamerdyner, nie ukrywając irytacji.

– Witam panie. – Sebastian złożył im ukłon.

– Zgodziłam się na pańską wizytę, ponieważ moja wnuczka uważa, że to jedyny sposób, by się pana pozbyć – oznajmiła ciotka, przypuszczając na niego atak, nim jeszcze wicehrabia zdołał się wyprostować. – Ale nie podoba mi się to. Ani trochę! Nie lubię, gdy ktoś mnie nachodzi w moim własnym domu, milordzie. Można by sądzić, że ktoś tak wysoko urodzony ma lepsze maniery.

– Żałuję, że moje zachowanie sprawiło pani przykrość, madame – odparł. – Byłem jednak pewien, że lady Eleonora nie przyjmie mnie, jeśli nie będę nalegał. W przeciwnym razie mógłbym tak uczynić tylko w publicznym miejscu, a obawiałem się, że mogłoby to stać się przyczyną jeszcze większych niedogodności.

– Proszę nie próbować przedstawiać się w lepszym świetle, sir – odparła głucho Eleonora. – Obydwoje wiemy, że nigdy nie brał pan pod uwagę moich uczuć w swoich knowaniach.

Uniosła głowę. Przez moment patrzyli na siebie, Eleonora mogłaby przysiąć, że jej serce na chwilę przestało bić.

– Eleonoro, proszę cię – zaczął. – Musimy porozmawiać.

– Nie mam panu nic do powiedzenia.

Oczy mu błysnęły i po raz pierwszy zrozumiała, że jest równie przejęty, jak ona.

– W takim razie wystarczy mnie jedynie wysłuchać.

– Nie wiem, czy zdołam – szepnęła.

– Dziesięć minut.

Dziesięć minut! Wydało się jej, że to cała wieczność. Czy wytrwa w jego obecności tak długo i nie załamie się, tracąc całe opanowanie wraz z szacunkiem dla siebie?

– Dziesięć minut i ani chwili dłużej – zgodziła się, unikając jego wzroku. – Ciociu, czy moglibyśmy porozmawiać w cztery oczy?

Ciotka, przyjmując sztywną postawę odparła:

– Będę czekać pod drzwiami salonu. Wraz z moimi najmocniejszymi lokajami. Jeśli usłyszę choć jeden krzyk, znajdziemy się tu w ciągu sekundy.

Gdy ciotka odeszła, Eleonora odetchnęła głośno, chcąc się uspokoić, i usiłowała zebrać wszystkie siły. Wystarczy, że wytrzyma te dziesięć minut, a Sebastian zniknie z jej życia na zawsze. Może wtedy uwolni się wreszcie od tego koszmaru.

Nie powinien się tu pojawiać. Ale jak miał tego nie zrobić?

Wprawdzie po wejściu do salonu zwrócił się do starszej damy, to jednak patrzył bez przerwy na Eleonorę, siedzącą na sofie pod oknem. Wyglądała ładniej, niż zapamiętał. Cerę miała gładką jak porcelana, a starannie upięte włosy lśniły w porannym świetle.

Była tak urocza, tak delikatna i tak pełna smutku, że jej widok sprawił mu ból. Wiedział, że nie ucieszy się, gdy go zobaczy, spodziewał się wrogości, gniewu, niechęci. Mógłby nawet spełnić jej życzenie i odejść, gdyby nie łzy w jej oczach.

Przejął się do głębi. Serce ścisnęło mu się w piersi, potwierdzając to, czego się w duchu obawiał, ale z czym nie potrafił się pogodzić. Przepaść, jaka powstała między nimi, wydawała się niemożliwa do pokonania. Ale jednak postanowił spróbować.

– Przywiozłem ci list od Bianki – powiedział, sięgając do wewnętrznej kieszeni płaszcza.

Wyciągnęła po niego pospiesznie rękę.

– Czy ona wie o wszystkim? Co jej powiedział hrabia?

Sebastian siadł na skraju sofy, dbając, by zachować stosowną odległość.

– Najwyraźniej twój ojciec nie powiedział jej nic. Mówiłem z Waverlym, gdy tylko wróciłem do Londynu, bo uznałem, że jedynie w ten sposób uda mi się zamienić z Bianką kilka słów. Wręcz odchodziła od zmysłów, kiedy odkryła, że cię nie ma.

– Napisałam do niej natychmiast, żeby ją uspokoić – wyjaśniła zgnębiona – ale hrabia musiał przejąć listy.

– Sądzę, że tak właśnie było.

Eleonora zesztywniała i odwróciła wzrok.

– A co powiedziałeś Waverly'emu? Jak mu wszystko wyjaśniłeś?

– Nie wdawałem się w szczegóły, tylko po prostu stwierdziłem, że z mojej winy musiałaś rozstać się z hrabią i udać się do babki ciotecznej w Bath, póki wszystko nie ucichnie.

Eleonora zarumieniła się nieznacznie.

– A więc oni nie znają prawdy?

– Nikt jej nie zna i nie wiąże w żaden sposób ze skandalem ani twego nazwiska, ani mojego. Twoja reputacja ocalała, Eleonoro.

– Ach, a więc mogę powrócić do tego, co było przedtem? – spytała, przeszywając go wzrokiem. – Proszę wybaczyć, ale nie jestem w stanie się zmusić do wyrażenia podziękowań za uratowanie mnie od ostatecznego upokorzenia.

Oschły i obojętny ton smagnął go jak bicz. Owszem, on do tego doprowadził. Dlatego Eleonora patrzy na niego tak gniewnie i z bólem.

Przeprosiny uwięzły mu w gardle. Powiedzenie „przepraszam" byłoby czymś gorszym od obelgi. Nie miał prawa okazywać jej współczucia, skoro ją zdradził.

Pragnął powiedzieć cokolwiek, co by wszystko naprawiło, wyjaśniło jak należy i zostało przez nią zrozumiane oraz przyjęte. Coś, co by ją ułagodziło i pocieszyło.

Tylko że takie słowa nie istniały.

– Mam jeszcze coś i chciałbym, żebyś to przeczytała. – Wyjął drugą kartkę.

Spojrzała na nią nieufnie, a potem ostrożnie wyciągnęła po nią rękę.

– Cóż to takiego?

– Ogłoszenie o naszym przyszłym ślubie. Poślę je do „Timesa", gdy tylko się zgodzisz.

– Żeby za ciebie wyjść?

Niedowierzanie w jej głosie ubodło go bardziej, niż chciałby przyznać. Wiedział, że kiedyś darzyła go uczuciem, może nawet się w nim zakochała. Teraz jednak czuła tylko wstręt i pogardę.

– Małżeństwo to jedyny sposób, w jaki mógłbym naprawić swój postępek wobec ciebie.

Zaparło jej dech ze zdumienia. Sebastian spodziewał się, że odmówi mu ze wzgardą. Eleonora natomiast przesłoniła usta dłonią, zupełnie jakby robiło się jej niedobrze. Na coś takiego nie zasłużył. To było dużo gorsze, niż sobie wyobrażał. Po chwili usłyszał, jak powoli zaczerpnęła powietrza. Zaległo między nimi milczenie.

– A więc najwyraźniej uważasz, że nie dosyć się nacierpiałam i nie dość surowo zostałam ukarana za grzechy mojego ojca? – spytała w końcu. – Albo też owładnęła tobą potrzeba zemsty tak silna, że straciłeś rozum.

Skrzyżował ręce na piersi.

– Choć wiem, że nie masz powodu mi ufać, wystąpiłem z tą propozycją w dobrej wierze. Nie jestem nadzwyczaj zamożny, ale stać mnie na całkiem przyzwoite życie. Chcę ci zaproponować dogodną umowę małżeńską. Jako moja żona miałabyś zagwarantowane bezpieczeństwo materialne, pozycję społeczną i całkowitą swobodę postępowania.

Eleonora szeroko otworzyła oczy. Teraz wreszcie do niej dotarło, że mówił poważnie.

– Żona jest zależna od woli męża. Podobna umowa nie zapewnia wolności.

– Możemy sporządzić dokumenty prawne zapewniające ci wszelkie żądane prawa. Prócz Chaswick Manor mam też mniejszą posiadłość na wybrzeżu. Moglibyśmy ją odwiedzić przed ślubem. Gdybyś chciała, mogłabyś tam osiąść.

Twarz jej uspokoiła się i wygładziła, ale była zupełnie pozbawiona wyrazu.

– Więc nie żylibyśmy razem?

Drgnął gwałtownie.

– Pragnąłbym żyć razem z tobą i być twoim mężem pod każdym względem, jednak zdaję sobie sprawę, jeśli byś się na to zgodziła, to dopiero po dłuższym czasie. Mogę poczekać. Przestawalibyśmy ze sobą w taki sposób, jaki by tobie odpowiadał. W kręgach arystokracji wiele małżeństw mieszka oddzielnie. Nie byłoby niczym dziwnym, gdybyśmy zaczęli nasz związek w taki sposób.

– Proponujesz mi małżeństwo z rozsądku, abyś mógł nadal prowadzić dotychczasowy tryb życia?

– Wiele się u mnie zmieniło. – Sebastian poruszył się niespokojnie. – Wierzę w świętość przysięgi małżeńskiej i jest to jeden z powodów, dla których się dotąd nie ożeniłem. Gdybyśmy się pobrali, dochowałbym ci wierności.

Ujrzał w jej oczach niedowierzanie, o co przecież nie mógł mieć pretensji. Wiedział, że to zdumiewająca obietnica, ale zdecydowany był jej dotrzymać. Gdyby tylko zechciała go za męża.

– Nie jesteś typem mężczyzny, który mógłby żyć w celibacie przez resztę życia.

– Istotnie. Dlatego właśnie zarezerwowałbym sobie prawo, bym po ślubie mógł próbować cię namówić, abyś dzieliła ze mną łoże. – W jej oczach ujrzał błysk nadziei, blade policzki Eleonory nagle okrył rumieniec. – Cokolwiek się między nami stało, nie zaprzeczysz, że łączyła nas wielka namiętność. To chyba dobra zapowiedź.

Pokręciła głową.

– Posłużyłeś się mną, żeby pognębić hrabiego.

– Najpierw chciałem się tylko zemścić, ale wzbudziłaś we mnie prawdziwe uczucie. Moje postępki były niemoralne i niewybaczalne, ale nie uczucia. Nigdy też nie udawałem pożądania. Zależało mi na tobie, Eleonoro. I nadal zależy.

Przyglądała mu się długo, z nieodgadnioną miną.

– Tak ci na mnie zależało, że mnie okłamywałeś, manipulowałeś mną i korzystałeś z mojej łatwowierności, żeby osiągnąć cel?

Oczywiście miała rację. Ale mimo że postępował nagannie, wzbudziła w nim miłość. Desperacko usiłował jej to wyjaśnić, sprawić, by go zrozumiała, ale nie mógł sobie poradzić z gmatwaniną uczuć ani znaleźć właściwych słów.

– Czy zechcesz przynajmniej rozważyć moją propozycję? – spytał, starając się mówić spokojnie.

– Nie mogę ci tego obiecać. Do małżeństwa trzeba czegoś więcej niż samej namiętności. Przyjaźni, życzliwości, szacunku, zaufania. Może traktowałbyś mnie uczciwie, może nawet żywisz do mnie jakieś uczucie, ale to nieistotne. Już za późno. Za dużo było między nami cierpienia. Tego nie da się naprawić – rzekła tonem pozbawiającym go złudzeń. – A poza tym nienawidzisz mego ojca.

– Ty również.

– Nie zapieram się tego, ale przecież krąży we mnie jego krew. Czuję wyraźnie, że gdybyśmy się pobrali, pewnego dnia mógłbyś sobie z tego zdać sprawę. A potem... przeżylibyśmy istne piekło.

– Eleonoro, słuchaj, moje uczucia...

– To, co czujesz do mnie, jest tylko obsesją – rzuciła gniewnie. – Jestem córką mojego ojca. Nie mogąc zemścić się na nim, brałbyś odwet na mnie.

Czy ona naprawdę tak myśli? Że nie darzy jej uczuciem, że nie ma dla niej żadnych względów, że jest bezwzględny i okrutny?

– O Boże, Eleonoro, co ja takiego zrobiłem?

– Złamałeś mi życie, milordzie. – Eleonora wstała. Łzy zalśniły w jej oczach. – Ale nie martw się, ja to przeżyję. A teraz odejdź. Dziesięć minut minęło.

Sebastian, rozczarowany i zgnębiony, po raz ostatni spojrzał na nią błagalnie.

– Przemyśl wszystko, o czym mówiłem – prosił. – A jeśli zmienisz zdanie, napisz tylko. Zjawię się natychmiast.

– Nie zmienię zdania.

Naprawdę tak myślała! Zaklął w duchu, zaczęła w nim narastać złość. Miał nadzieję, że będzie zdolna mu wybaczyć, że da ich przyszłości jakąś szansę, ale zrozumiał, że zranił ją zbyt głęboko. Najlepszą rzeczą, jaką teraz mógł zrobić, to zostawić ją w spokoju.

Zgnębiony, złożył ukłon, odwrócił się gwałtownie i opuścił salon. Kiedy szedł przed siebie w świetle poranka, uświadomił sobie, dlaczego nigdy nie chciał zanadto wiązać się z kobietami. Sprawiało to ogromny ból.

17

Sebastian po powrocie udał się prosto do eleganckiej rezydencji odziedziczonej po babce. Znalazłszy się tam, zaczął pić na umór. Po dwóch dniach takich ekscesów, rankiem trzeciego dnia na skutek nadużycia brandy stracił przytomność i zapadł w niebyt.

Ocknął się dopiero po dwudziestu czterech godzinach z przeraźliwym bólem głowy i krzywił się, otwierając zmętniałe oczy. Te dolegliwości najwyraźniej zakłóciły mu przytomność umysłu, bo choć rozglądał się po swoim dobrze urządzonym pokoju ze złocistymi jedwabnymi zasłonami i meblami z różanego drzewa, nie mógł pojąć, gdzie się właściwie znajduje. Leżał rozciągnięty na krytej złotym adamaszkiem sofie pobrudzonej zabłoconymi butami w sposób wykluczający jej oczyszczenie.

W ustach mu zaschło, język miał obrzmiały, a całe ciało zdrętwiałe i obolałe. Przesunął ręką po zmierzwionych włosach, usiłując sobie przypomnieć wydarzenia kilku ostatnich dni, ale jedynym rezultatem okazał się przeraźliwy łomot w głębi czaszki, który za nic nie chciał ustać. Dopiero po kilku minutach zrozumiał, że ktoś dobija się do drzwi.

– Proszę wejść! – jęknął donośnie, co sprawiło, że ból w głowie i żołądku tylko się nasilił.

Sebastian usiadł pospiesznie, pocierając skronie i czekając, aż pokój przestanie wirować wokół niego. Służący otworzył drzwi i spojrzawszy przed siebie, zatrzymał się raptownie w progu. Cztery puste kryształowe kieliszki i mnóstwo pustych flaszek poniewierało się na podłodze wraz z rozmaitymi częściami garderoby Sebastiana.

– Przepraszam, że przeszkadzam, milordzie – powiedział sługa, którego głos zabrzmiał dziwnie donośnie – ale ma pan gościa. Przyszła pewna dama.

Czyżby Eleonora? Błysk radości zgasł, gdy Sebastian przypomniał sobie jakże przykrą wizytę w Bath. Eleonora go nienawidziła, nie przyszłaby tu z wizytą. Nigdy. Niezależnie od okoliczności.

– Kim jesteś? – parsknął, spoglądając zezem na służącego.

Przez chwilę sługa patrzył na niego w zdumieniu.

– To ja, Bennington, milordzie. Kamerdyner zmarłej hrabiny Marchdale. Pańskiej babki.

Sebastian przez dłuższą chwilę wodził wzrokiem po pokoju, marszcząc czoło, aż wreszcie dotarło do niego, gdzie się znajduje. Jasne, wszystko w porządku. Wracając do Londynu, postanowił zapomnieć o Eleonorze i zacząć nowe życie. Przede wszystkim zająć się majątkiem odziedziczonym po babce. Kiedy jednak zobaczył, jak wygląda salon, uznał, że zrobił fatalny początek.

Widok był doprawdy przerażający: przewrócony fotel, zdjęty ze ściany obraz stojący obok pustego kominka, na którym wcale nie płonął ogień, znieruchomiały zegar z pozłacanego brązu, któremu odłamano wskazówki. Sterczały teraz ze starożytnej wazy jak dwa suche, pokryte złotem patyki. Czy to wszystko było jego dziełem? Zapewne tak, choć niczego sobie nie przypominał.

– Przynieś mi kawę, Bennington – odezwał się schrypniętym głosem. – Duży dzbanek mocnej, gorącej, czarnej kawy.

– Tylko kawę, milordzie?

Na samą myśl o jedzeniu skręciło go w żołądku, a żołądek podszedł do gardła.

– Tylko kawę.

– A pański gość?

Sebastian zawahał się przez moment, po czym sięgnął po bilet wizytowy leżący na srebrnej tacy: „Panna Emma Ellingham".

Emma. Droga Emma.

– Proszę ją zaraz wprowadzić. Dama nigdy nie powinna czekać, to nie jest w dobrym stylu.

– Sądzi pan, że to właściwa decyzja, milordzie? – spytał kamerdyner, patrząc na niego dość wymownie.

Sebastian spojrzał po sobie: miał rozpiętą do pasa koszulę, kamizelka zwisała mu z ramion, żakiet i halsztuk leżały na podłodze. Ostrożnie pomacał podbródek porośnięty szorstką szczeciną.

– Chyba istotnie nie powinienem się teraz pokazywać damie.

– Musi pan wziąć kąpiel, milordzie. A potem ogolić się, zmienić ubranie i zjeść solidny posiłek.

– Z kawą – upierał się Sebastian, ściskając skronie kciukiem i środkowym palcem prawej ręki.

– Doskonale, milordzie. Powiem tej damie, żeby przyszła kiedy indziej.

– Nie, zaczekaj. Powiedz jej, żeby wróciła za godzinę. – Sebastian podniósł się chwiejnie i z wielkim trudem. Zaburczało mu w brzuchu. – Za dwie godziny.

Bennington nie był zachwycony, ale jako dobrze wyszkolony kamerdyner wiedział, że nie należy kwestionować postanowień chlebodawcy. Sebastian nie próbował nawet wsunąć koszuli w spodnie ani jakoś uporządkować stroju. Podchodząc do drzwi, zastanawiał się, czy dla złagodzenia przykrego stanu lepsza będzie gorąca kąpiel, czy też lodowata, która powinna uśmierzyć bolesny ucisk w głowie. Może powinien usiąść w wannie z gorącą wodą, a głowę zanurzyć w miednicy z zimną?

Zachwiał się tak mocno, że musiał się chwycić za kant sofy. Pokój wciąż wirował wokół niego, ale Sebastian wiedział, że nie ma na to rady.

– Milordzie – odezwał się Bennington – nie wygląda pan najlepiej. Mógłbym w czymś pomóc?

– Nie zbliżaj się do mnie – warknął Sebastian, usiłując jak najprędzej dotrzeć w drugi koniec pokoju. Zdążył schwycić wazę z wetkniętymi do środka wskazówkami zegara, nim żołądek odmówił mu posłuszeństwa. Bennington przyglądał się tej scenie z dezaprobatą, co jeszcze pogłębiło upokorzenie Sebastiana.

– Powiem tej damie, żeby wróciła za trzy godziny – oznajmił kamerdyner i się wycofał.

Sebastian nie miał ani siły, ani ochoty, żeby mu się sprzeciwić.

Emma czekała już, gdy trzy godziny później Sebastian wszedł do pokoju śniadaniowego. Z uroczym uśmiechem na swej ładnej twarzyczce podbiegła, żeby uściskać go serdecznie.

– Już myślałam, że nie poradzę sobie ze smokami, które strzegą dostępu do twego zamku. Gdybym cię lepiej nie znała, pomyślałabym, że mnie unikasz.

– Nigdy w życiu! – oznajmił, witając Emmę mocnym uściskiem. Włosy jej pachniały świeżością i cytryną, a także lekko terpentyną. Był to kojący i dobrze mu znany zapach.

– Po prostu byłem zajęty, to wszystko.

– Zajęty brandy.

Odwrócił się pospiesznie, bo głowę przeszył mu tak dojmujący ból, że się skrzywił.

– Skąd wiesz? Czy wyglądam na kogoś, kto ma kaca?

Ujęła go za rękę.

– Służba plotkuje, Sebastianie. Wiem, że zalewałeś robaka przez ostatnie pięć dni i osuszyłeś sporo butelek.

235

– Rzeczywiście musiało ich być dużo, skoro się znalazłem w podobnym stanie – przyznał.

Emma zmarszczyła pięknie zarysowane brwi.

– Dlaczego musiałeś tak zrobić?

– Nie potrafię ci wyjaśnić.

Zmarszczyła czoło.

– To taki głupi męski zwyczaj – odparł Sebastian z poczuciem winy.

Emma ścisnęła go za rękę.

– Mnie możesz powiedzieć wszystko, Sebastianie – oznajmiła ze spokojem. – Nigdy cię nie osądzam. Nigdy nie słucham plotek o tobie. Ani o lady Eleonorze.

Sebastian spojrzał na nią podejrzliwie. A myślał, że był taki ostrożny.

– Co słyszałaś?

– O lady Eleonorze? Nie za wiele. Nie zwróciła na siebie szczególnej uwagi towarzystwa, ale moja siostra uznała, że dobrze byłoby się z nią zaprzyjaźnić, i ona pierwsza dostrzegła jej nieobecność. Kiedy Dorota wybrała się do niej w odwiedziny, zawrócono ją od progu bez żadnego wyjaśnienia. Oczywiście, to stało się powodem różnych przypuszczeń co do jej nagłego zniknięcia.

– Ona nie zniknęła. Pojechała do Bath, żeby dotrzymać towarzystwa ciotce w podeszłym wieku.

– Skąd wiesz?

– Tydzień temu spotkałem w klubie Waverly'ego – odparł gładko Sebastian. – On mi o tym powiedział. – Choć umysł miał jeszcze nieco zamroczony, to jakaś jego część funkcjonowała. Wraz ze szczerą chęcią chronienia Eleonory.

Emma nie wygląda na przekonaną i nie był pewien, co mógłby powiedzieć, gdyby zaczęła drążyć tę kwestię.

– Mam nadzieję, że przeniesiesz się na stałe do tego domu – rzekła. – Bardzo bym chciała, żebyś zamieszkał blisko, bo wtedy mogłabym cię często odwiedzać.

Sebastian z zadowoleniem przyjął zmianę tematu. Porozmawiali z Emmą trochę o niektórych sąsiadach, potem o siostrach Emmy i ich rodzinach. Opowiedziała mu zabawną historyjkę o swoim szwagrze, Jazonie Barringtonie, a potem nieprzyjemną, tyczącą siostry Doroty.

A jednak, mimo okazywanej wesołości i częstych uśmiechów, Sebastian czuł, że coś ją gnębi. Mówiła z lekkim wahaniem, gestykulowała nerwowo, a z całej rozmowy przebijał niepokój.

Podano herbatę. Emma napełniła obie filiżanki, ale obie stygły pełne, a ciasteczka i kanapki pozostały nietknięte.

– Nie mogę już dłużej tego wytrzymać, Sebastianie – rzuciła w końcu, odsuwając z hałasem filiżankę. – Co myślisz o twoim portrecie? Podoba ci się?

Z trudem przypomniał sobie o wizerunku zamówionym u Emmy przez babkę niedługo przed jej śmiercią. O portrecie, którego jeszcze w ogóle nie widział.

– A więc chodźmy obejrzeć go razem. – Wstał, wyciągając do niej rękę. Emma schwyciła ją mocno, choć – jak mu się wydało – trochę drżącą dłonią.

Idąc obok siebie, udali się obydwoje do długiej galerii. Nie była to siedziba rodzinna, toteż wisiały tam zarówno pejzaże, sceny rodzajowe, jak i portrety. Sebastian najbardziej lubił obrazek z czasów Karola II przedstawiający dwa spaniele. Psy siedziały przy kępie rozkwitłych hiacyntów, spoglądając rzewnie i z zadowoleniem swymi brązowymi ślepiami.

Zatrzymali się przed portretem Bentona. Emma ścisnęła go mocno za rękę, a potem cofnęła się lekko. Sebastian uśmiechnął się w duchu, trochę rozbawiony jej nerwowym napięciem. A potem spojrzał na obraz.

Poczuł raptowne zakłopotanie. Czyżby to był rezultat przepicia? A może słońce zbyt jaskrawo oświetlało obraz?

Nie był nigdy człowiekiem próżnym. Owszem, wiedział, że jest przystojny i podoba się kobietom. Jednakże pamiętał, że portret malowany przez Emmę nie miał mu schlebiać. A jednak artystka nie tylko ukryła wady, ale też podkreśliła każdy atrakcyjny rys. Była to wizja mężczyzny doskonałego.

Nie miał wcale tak przenikliwego ani tak posępnego spojrzenia, równie szerokich ramion ani zdecydowanego podbródka. To był wizerunek Adonisa, mężczyzny wręcz boskiego, bez defektów, bez słabości. Autorka nie tylko swobodnie potraktowała modela, ale nasyciła płótno własnymi uczuciami.

Głębokimi, szczerymi uczuciami. Miłością do niego.

– Muszę powiedzieć Atwoodowi, żeby ci kupił dobre okulary – wykrztusił z trudem, usiłując oswoić się z tym niewiarygodnym faktem. Przecież Emma nie mogła się w nim zakochać.

– Okulary niczego nie zmienią – zażartowała, widząc jego spojrzenie, ale jej mina zdradzała rozczarowanie. – Tak cię właśnie widzę, Sebastianie.

– Och, Emmo – powiedział zdławionym szeptem.

– Czy to naprawdę coś tak okropnego? – Emma zesztywniała.

– Portret?

– Nie. Moja miłość do ciebie.

Do diabła. Przyznała się. Choć, prawdę mówiąc, wcale tego nie kryła. Wystarczyło spojrzeć na portret. Jej uczucie było widoczne w każdym pociągnięciu pędzla. Jak mógł tego nie zauważyć? Jak mógł o tym nie wiedzieć?

– Jesteś jeszcze za młoda, żeby mówić o miłości – skarcił ją łagodnie.

– Nie jestem dzieckiem, Sebastianie – odparła tonem urażonej godności.

– Ale kobietą też nie.

– Prawie – odparła wyzywająco.

– Ledwo, ledwo – upierał się.

Nie odpowiedziała.

Najdelikatniej, jak tylko mógł, pogładził jej wilgotny policzek.

– Och Emmo, nie płacz. Nie jestem tego wart.

Wargi jej drżały. Potrząsnęła głową.

– Jesteś dla mnie wart wszystkiego, Sebastianie. Nie wiesz o tym?

Przymknął oczy. To, co czuła, było prawdziwe i szczere. Lekceważenie jej uczuć byłoby okrucieństwem.

– Ja też cię kocham, Emmo, ale nie na romantyczną modłę. Jesteś dla mnie jak siostra, której nigdy nie miałem, dobrą znajomą, życzliwą i wesołą, potrafisz mnie rozbawić, mówić mi prawdę, gdy powinienem ją usłyszeć, i godzić się z moją głupotą, którą często okazuję. Jesteś mi bardzo droga. Boli mnie sama myśl o tym, że mógłbym cię zranić, ale nie potrafię podtrzymywać fałszywych nadziei. Nie będzie żadnego romansu między nami.

– Nie mówisz tego serio.

– Obawiam się, że tak. Za parę lat, kiedy będziesz starsza i dorośniesz, z pewnością kogoś spotkasz...

– Dość! – krzyknęła i spojrzała na niego z gniewem. – Nie obrażaj mnie tymi banałami i bzdurami. Zasługuję na coś lepszego!

Czuł się okropnie. Rozpacz i ból Emmy przejęły go do głębi, co jednak niczego nie zmieniało. To, czego tak rozpaczliwie pragnęła, nie mogło się urzeczywistnić.

– Masz rację. Chciałem tymi słowami pocieszyć siebie samego, a nie ciebie. Przepraszam.

Objął ją, ale Emma zesztywniała. Bardzo delikatnie, po bratersku pogładził ją po ramieniu, co – jak sądził – powinno ją pocieszyć. Trwali tak przez dłuższą chwilę, ale napięcie między nimi nadal rosło.

– Myślę, że cię teraz znienawidzę, Sebastianie, i to na długo – wyszeptała przez łzy.

– Wiem, moja droga – westchnął. – Będzie mi ciebie brakowało bardziej, niż potrafię to wyrazić słowami.

Emma wyrwała mu się, zebrała suknię i odbiegła korytarzem. Z tupotem jest stóp zmieszał się szloch. Sebastian chciał pobiec za nią, ale zrozumiał, że sprawiłby jej jeszcze większy ból.

Doprawdy, ten tydzień nie mógł być gorszy!

Sebastian zaklął głośno i powoli ruszył wzdłuż galerii, głowiąc się, jak to możliwe, że po tylu latach uganiania się za różnymi niewiastami i sypiania z nimi prawie nic nie wiedział o kobiecym sercu i umyśle.

– Ogłaszam was mężem i żoną. Co więc Bóg złączył, niech człowiek nie rozdziela. – Pastor się uśmiechnął. – Możesz teraz pocałować żonę, milordzie.

Rozległy się dyskretne śmiechy, a potem coraz głośniejszy aplauz, gdy lord Waverly pochylił się i zrobił to, co rzekł pastor. Ręce Bianki spoczęły na ramionach świeżo poślubionego małżonka, a on pocałował ją jeszcze mocniej. Przywarli do siebie ustami. Kilku młodzieńców w tłumie wypełniającym rodzinną kaplicę zaczęło gwizdać, a wtedy państwo młodzi odsunęli się od siebie.

Bianka, zarumieniona z zakłopotania, wyglądała wprost anielsko. Miała na sobie bladoróżową suknię, a rozpuszczone włosy spływały z ramion w miękkich falach, nakryte dobranym do koloru kapelusikiem z żółtym welonem. Była wręcz uosobieniem szczęśliwej panny młodej.

Przystojny i elegancki w swoim wytwornym stroju Waverly robił imponujące wrażenie jako pan młody: rumieniec na jego policzkach wyraźnie zdradzał, jakie wrażenie zrobił na nim ten pocałunek.

Kaplica znajdująca się w jego posiadłości była wprawdzie nieduża, ale odznaczała się pięknym wystrojem: zbudowana z szarego kamienia, miała w oknach barwne witraże. Bukiety wiosennych kwiatów przewiązane białymi wstążkami i blask świec płonących w mosiężnych świecznikach podkreślały romantyczny nastrój ceremonii.

Eleonora siedziała w drugim rzędzie, obok ciotki Jane. W oczach miała łzy radości. Przynajmniej jedna dobra rzecz wynikła z tego katastrofalnego sezonu londyńskiego. Bianka wyszła za mąż, poślubiła kochanego mężczyznę, który najwyraźniej również darzył ją uczuciem. Eleonora złożyła ręce i odmówiła krótką modlitwę w intencji długiego i szczęśliwego wspólnego życia tej pary.

Po życzeniach i gratulacjach nowożeńcy przeszli wzdłuż nawy, a kościelne dzwony biły radośnie. Po wyjściu wsiedli do otwartego powozu przystrojonego wstążkami, kwiatami i tiulem. Przed kościołem zebrał się już tłum mieszkańców zarówno z majątku

Waverly'ego, jak i pobliskiej wioski, pragnących zobaczyć państwa młodych. Rozległ się krzyk radości, gdy Waverly wstał, ucałował dłoń żony, a potem rzucił w powietrze kilka garści monet. Dzieci z głośnym śmiechem rzuciły się, żeby nimi napełnić kieszenie. Powóz ruszył, torując sobie powoli drogę wśród ciżby. Wierni wysypali się z kaplicy, a zaproszeni goście podążyli w stronę dworu.

Bianka promiennym uśmiechem pozdrawiała wszystkich, którzy podchodzili, by składać życzenia. Gdy nadeszła jej kolej, Eleonora uściskała ją mocno, a potem z podziwem przyjrzała się ślubnemu pierścieniowi z diamentów i szafirów na palcu siostry.

– Wyjeżdżamy w podróż poślubną po Europie – zwierzyła się jej siostra podnieconym głosem. – Włochy, Francja, może nawet Rosja. Ale kiedy wrócimy, musisz przyjechać z długą wizytą.

– Sprawi mi to ogromną przyjemność – odparła Eleonora całkiem szczerze. Przez ostatnie kilka tygodni boleśnie odczuwała brak kontaktu z Bianką. Miała nadzieję, że towarzystwo siostry złagodzi tępy ból, który nadal tkwił w jej sercu.

Podano mrożony szampan w długich kryształowych kieliszkach i goście zasiedli do starannie przygotowanej uczty weselnej. Podano szynkę, langusty, cienkie plastry wołowiny, jajka przepiórcze, ciastka z kremem migdałowym i truskawki z tutejszej cieplarni.

Wznoszono toasty za zdrowie nowożeńców, ciesząc się ich szczęściem. Pito coraz więcej szampana, więc sypały się życzenia, zaczęto też napomykać panu młodemu, w dość rubaszny sposób, o nocy poślubnej. Uwagi te witano wybuchami hałaśliwego śmiechu i Eleonora z zadowoleniem przekonała się, że lord Waverly przyjmuje je z prostotą i bezpośredniością.

Gdy goście weselni bawili się w najlepsze, Eleonora zapragnęła wyjść na chwilę na świeże powietrze. Powiedziała o tym ciotce Jane i dyskretnie wyślizgnęła się na taras. Stojąc przy balustradzie, objęła wzrokiem rozległy trawnik i starannie utrzymany ogród, ciesząc się, że Bianka jest teraz panią tego pięknego ziemskiego majątku i ma zapewnioną przyszłość.

A co z jej własną przyszłością?

Zadając sobie to przykre pytanie, ujrzała w wyobraźni długi szereg czekających ją bezbarwnych szarych lat . Wiedziała, że postąpiła słusznie, odrzucając ofertę Sebastiana i każąc mu odjechać. Teraz, mimo że upłynęło przecież kilka tygodni, wciąż nie mogła pogodzić się z tym, że nadal go kocha. Było to niemądre, wręcz śmieszne uczucie, zważywszy, jak głęboko ją zranił. Jednakże trwało, nieustannie przypominając Eleonorze, jak mogłoby wyglądać jej życie. Kochała Sebastiana i zapewne będzie go kochać do śmierci. Doprawdy, wspaniała perspektywa.

Te rozmyślania przerwał odgłos czyichś kroków. Eleonora odwróciła się, wzrok jej padł na grupę weselnych gości zebranych koło francuskiego okna. Najwidoczniej również zamierzali wyjść na taras. Zmrużyła oczy, oślepiona słonecznym blaskiem, mając nadzieję, że się myli, ale wkrótce zdała sobie sprawę, że to była prawda. Stał wśród nich hrabia Hetfield.

Przez cały ten dzień starannie unikała spotkania z ojcem. Najchętniej zapadłaby się pod ziemię, wkrótce jednak duma wzięła górę. Nie miała powodu, żeby się czuć zażenowana. Nie było jej winy w tym, że uciekła z Sebastianem. Stała się ofiarą i jako taka zasługiwała na współczucie, nie na potępienie.

Gdy otwarto francuskie okno, głosy zabrzmiały donośniej. Eleonorze zaschło w ustach, a serce zaczęło bić wolniej. Nie chciała mówić z hrabią. Był jednak jej ojcem. Nie musiała urządzać sceny, nie było też powodu, by przez kilka minut nie mogli oboje zachowywać się przyzwoicie wobec siebie. W końcu był to dzień ślubu Bianki.

Ostrożnie zbliżyła się do Hetfielda – wyprostowana, z wysoko uniesioną głową. Gdy wzrok hrabiego spoczął na niej, dostrzegła w jego oczach błysk świadczący o tym, że ją rozpoznał. W następnej chwili twarz mu stężała i całkiem świadomie odwrócił głowę w inną stronę. Minął Eleonorę, jakby była powietrzem.

To oznaczało całkowite zerwanie. Przez moment stała bez ruchu, oszołomiona, nie bardzo wiedząc, co zrobić. Nie doceniła go. Był bardziej okrutny, niż sądziła, najwyraźniej zamierzał potraktować Eleonorę z całą bezwzględnością. Policzki zaczęły ją palić. Miała świadomość, że osoby stojące w pobliżu widziały, jak się zachował, i bez wątpienia były zdziwione, że hrabia rozmyślnie stroni od starszej córki.

Poczuła się upokorzona i uznała, że źle oceniła samą siebie. Sądziła, że uwolniła się od potrzeby ojcowskiej aprobaty, zwłaszcza że hrabia zawsze okazywał jej obojętność, a czasami wręcz jawną pogardę.

Nie wszystko mogłaby wybaczyć mu i zapomnieć, nawet gdyby teraz przywitał się z nią jak z córką. Ale mógłby to być początek zmian w ich relacji. Natomiast on wolał się jej publicznie zaprzeć, niszcząc wszelką szansę na pojednanie.

Odwróciła wzrok, by nie patrzeć na otaczających go ludzi, gdy wtem poczuła, że ktoś do niej podchodzi.

– To był twój ojciec? – spytała ciotka Jane z troską w głosie, jakby chcąc okazać jej współczucie.

– Nie, ciociu, ktoś obcy.

Powrót do Bath był jak powrót do domu. Służba uśmiechała się do Eleonory życzliwie, a zżyta tutejsza społeczność wchłonęła ją skwapliwie. Znajoma i wygodna sypialnia wydała jej się miejscem bezpiecznym, co musiała docenić jako kobieta pozbawiona nagle dachu nad głową i własnego otoczenia.

Ciotka Jane była dla niej prawdziwą deską ratunku, rozumiała ją i nadal służyła jej wsparciem, a Eleonora każdego dnia dziękowała Bogu za to, że mogła spotkać na swej drodze tę starą damę. Przychodziły serdeczne listy od Bianki, która opisywała ze szczegółami cudowne widoki oraz wszystkie wspaniałe miejsca, które razem z Waverlym zwiedzali.

Życie było przyjemne, nawet jeśli nieco nudnawe. Eleonora miała też nadzieję, że dręczące ją chwilami poczucie osamotnienia z czasem przygaśnie. Może zresztą nauczy się łatwiej je znosić.

Niestety, jej pogmatwane uczucia zaczęły się też przejawiać w sposób czysto fizyczny. Nieznaczne początkowo zmiany w jej ciele stopniowo zaczęły stawać się coraz bardziej wyraźne. Piersi nabrzmiały i stały się wrażliwe na lekki nawet dotyk. Popołudniami ogarniało ją niekiedy takie znużenie, że musiała uciąć sobie krótką drzemkę. W różnych porach dnia żołądek nagle się buntował, a zapach niektórych potraw wywoływał nudności.

Chcąc się uporać z tymi dolegliwościami, Eleonora przestała cokolwiek robić po południu, kładła się do łóżka coraz wcześniej, a wstawała coraz później. Próbowała rozsądnej diety i przeszła na proste potrawy, poniechała wszelkich słodyczy, jadała dużo świeżych warzyw, nie piła wina. A jednak przykre objawy się utrzymywały.

Starała się ukryć swoje złe samopoczucie przed ciotką Jane, przekonana, że wkrótce poczuje się lepiej. Miała nadzieję, że gdy minie upalne lato, wszystko wróci do normy.

Pewnego ranka, gdy siedziała w salonie, o mało nie zemdlała, wstając z fotela. Zakręciło się jej w głowie tak mocno, że musiała schwycić za oparcie, żeby nie upaść.

– Wezwę lekarza – oświadczyła ciotka Jane, marszcząc z troską siwe brwi.

– Och, ciociu, czy koniecznie? – zaprotestowała Eleonora. – To tylko zawrót głowy, nic więcej.

Ale ciotka Jane nie dała się przekonać i Eleonora wkrótce już leżała w łóżku, badana przez miejscowego doktora. Ten poważny mężczyzna w średnim wieku z obojętną miną wysłuchał jej odpowiedzi na najbardziej kłopotliwe pytania dotyczące kwestii czysto osobistych.

Eleonora nie miała wiele do czynienia z lekarzami, ponieważ zarówno w dzieciństwie, jak też gdy była już dorosła, cieszyła się dobrym zdrowiem. Widząc nieprzeniknioną twarz medyka, doszła do wniosku, że nie wiadomo, czy cierpi na coś poważnego, czy też jej dolegliwości, jak miała nadzieję, są skutkiem niedawnej rozpaczy.

Po badaniu doktor zebrał swoje instrumenty, włożył je do torby i wyszedł bez słowa. Eleonora rozmyślała więc gorączkowo, a jej nastrój pogorszył się, gdy przy łóżku stanęła, nagle posmutniała, ciotka Jane.

– Czy doktor już poszedł? – spytała Eleonora, a jej strach wzrósł. – Nie powiedział, co mi jest. Ciociu Jane, czy to coś poważnego?

– Uznał, że w tych okolicznościach najlepiej, gdy ja ci to powiem. – Ciotka Jane usiadła na łóżku i ujęła ją za rękę. – Okazuje się, Eleonoro, że na początku przyszłego roku urodzisz dziecko.

18

Sebastian spoglądał smętnie na zakurzoną, pustą dróżkę, zastanawiając się, czy słusznie wybrał ten kierunek. Przez ostatnie dwie godziny nie widział nic prócz ptaków, które od czasu do czasu pojawiały się na niebie, i królików skaczących po rozległych łąkach. Zaskoczył go brak śladów cywilizacji w tej okolicy. Sądził, że już dawno powinien napotkać farmę, wiejską chatę czy jakąkolwiek ludzką siedzibę, której mieszkańcy przyszliby mu z pomocą.

Z westchnieniem spojrzał w czyste jesienne niebo, chcąc ustalić porę dnia. Gdy rano w pośpiechu opuszczał zajazd, zapomniał nakręcić zegarek, toteż musiał rozpoznać godzinę po słońcu.

Uśmiech zamarł mu na wargach, gdy ujrzał szybko napływające kłębiaste, białe chmury. Po chwili zakryły słońce, nie był w stanie przewidzieć pogody. Wiedział jedynie, że z pewnością jest jeszcze dzień, i mimo że się ochłodziło, było mu wciąż gorąco. A także nękało go pragnienie.

Nieważne. Zamierzał jechać konno, póki nie znajdzie wsparcia. Była to wyważona, logiczna decyzja w związku z dylematem, jakiego bez wątpienia uniknąłby kilka miesięcy temu.

Niemożność dokonania zemsty na Hetfieldzie, a potem zdrada, jakiej dopuścił się względem Eleonory, zmusiły Sebastiana do oceny dotychczasowego życia. I wniosek, do jakiego doszedł, nie był zbyt przyjemny. Toteż uznał, że stanowczo musi coś zrobić ze swoim życiem, i właśnie dlatego podjął obowiązki para królestwa.

Ostatnie miesiące zmieniły go. Nie zarywał już nocy, rzadko grywał w karty, nie pił mocnych trunków, najwyżej kieliszek wina do kolacji. Po raz pierwszy w życiu zajął się swoimi ziemskimi majątkami i pracami w należących do niego posiadłościach. Regularnie brał udział w posiedzeniach Izby Lordów i poważnie zastanawiał się nad poparciem ustawy dotyczącej wyższych świadczeń dla weteranów wojen z Napoleonem. Zaczął nawet przebąkiwać o małżeństwie, choć serce go bolało na myśl o spędzeniu reszty życia z kobietą inną niż Eleonora.

Najbliżsi przyjaciele, Atwood i Dawson, żartowali, że ledwie mogą go poznać, a Sebastian przyznawał, że sam się sobie wydaje inny.

Jedną z najważniejszych zmian było coś, czego w ogóle się nie spodziewał. Otrzymał tytuł. Z powodu przedwczesnej śmierci dalekiego kuzyna, ponieważ nie było innych męskich krewnych z tej linii, Sebastian został hrabią Tinsdale. Z tytułem wiązały się niewielkie pieniądze i spora posiadłość w odległej części Yorkshire. Jechał, żeby ją dokładnie obejrzeć. I w trakcie podróży jego koń okulał.

Szybko się zorientował, że wierzchowiec zgubił podkowę z tylnej lewej nogi. Ponieważ ostatnie domostwo, jakie minął, znajdowało się w odległości dobrych pięciu mil, uznał, że lepiej ruszyć przed siebie. Zeskoczył z siodła na ziemię i ruszył pieszo. Koń posłusznie szedł za nim, więc Sebastian miał nadzieję, że bez jeźdźca zdoła przebyć dłuższą trasę również bez podkowy.

Droga skręcała w prawo i Sebastian spostrzegł dużego kota wygrzewającego się spokojnie w słońcu na podniszczonej kamiennej bramie. Nabrał nadziei. Kot był zbyt wypasiony jak na zdziczałe zwierzę, a więc farma czy chatka, gdzie go żywiono, musiała znajdować się w pobliżu.

Minął gęstą kępę drzew. Przypomniało mu to spacer z Eleonorą podczas garden party u Ashfieldów. Wszystko mu zresztą wciąż przypominało Eleonorę, i chociaż się starał, nie mógł usunąć jej ani ze swych myśli, ani z serca.

Okazał się głupcem, bowiem powodowany chęcią zemsty zniszczył ich wzajemne relacje. Dopiero teraz, po paru miesiącach zrozumiał, że babka miała słuszność, żądając, by się wyrzekł odwetu. Przecież nawet gdyby dokonał zemsty, nie zmieniłby przeszłości. A najgorsze ze wszystkiego było to, że niesłusznie zranił Eleonorę.

W ostatnich miesiącach wielokrotnie sięgał po papier i pióro, pragnąc naprawić swój błąd. Wiedział jednak, że jest to niemożliwe, wyrządził jej zbyt dużą krzywdę. Mógł co najwyżej mieć nadzieję, że z czasem rzadziej będzie ją wspominał.

Gdy dotarł na pobliski pagórek, zobaczył solidny, obrośnięty dzikim winem domek z pięterkiem, stojący niżej w dolinie. Z komina wydobywał się dym. Sebastian poczuł ulgę. Nareszcie pomoc była w zasięgu ręki. Przyspieszył kroku.

Postawny mężczyzna w zakurzonym ubiorze pozdrowił go z życzliwym uśmiechem.

– Wezwę wiejskiego kowala, sir – powiedział, gdy Sebastian wyjaśnił, co go spotkało. – Zaraz doprowadzi do porządku pańskiego konika.

– Cenię sobie pana życzliwość – odparł Sebastian. – Mam nadzieję, że pryncypał nie będzie narzekał, że odrywam jego pracownika od roboty.

– Pani Stewart nie będzie miała nic przeciw temu, żeby pomóc dżentelmenowi w potrzebie – mruknął do niego po cichu służący.

– Mimo wszystko wolałbym najpierw uzyskać jej pozwolenie. – Sebastian wyjął z wewnętrznej kieszeni płaszcza złocone pudełeczko i wyciągnął z niego bilet wizytowy. – Proszę jej to zanieść.

Mężczyzna wkrótce powrócił.

– Pani Stewart powiada, że miło by jej było, gdyby pan, czekając na kowala, wypił z nią w salonie herbatę.

Po uzyskaniu obietnicy, że zawołają go, nim kowal zacznie swoją pracę, Sebastian się zgodził. Dziewczyna do wszystkiego dygnęła przed nim w drzwiach wejściowych, kiedy wchodził do środka. Wytrzeszczone oczy i nerwowe zachowanie służącej dowodziły, że rzadko zachodził tu z wizytą ktoś utytułowany. Miał nadzieję, że pani Stewart nie będzie równie przejęta. Uczyniłoby to oczekiwanie na podkucie konia czymś bardzo męczącym.

Wnętrze niewielkiego domku było umeblowane ze smakiem i wyraźnie kobiecą dłonią, o czym świadczyły ryciny, kwiaty, pastelowe barwy i wytworne bibeloty. Niektóre ze sprzętów były mocno zużyte, inne wyglądały na nowe. Wszystko wskazywało, że ten zamożny dom jest siedzibą dżentelmena.

Poszedł do salonu za służącą, która zamiast go zaanonsować, poczerwieniała, znowu dygnęła i pospiesznie się wycofała. Sebastian zatrzymał się przed otwartymi drzwiami, zajrzał do środka i spostrzegł, że przy oknie stoi jakaś dama. Była odwrócona do niego plecami, ale coś w niej wydało mu się tak znajome, że poczuł dziwne mrowienie wzdłuż grzbietu.

Podszedł o krok bliżej, żeby się upewnić, czy wzrok go nie myli. Zamrugał oczami kilka razy. Czyżby myślał o Eleonorze tak często, że gotów jest dopatrywać się podobieństwa do niej w każdej kobiecie?

– Eleonoro?

Na dźwięk jego głosu kobieta odwróciła się. O Boże wszechmogący! Była Eleonorą, bez wątpienia. Przez chwilę patrzyli na siebie w osłupieniu. Twarz miała bladą, oczy szeroko otwarte. Te piękne oczy, rozumne i ufne, teraz pełne zaskoczenia i czegoś jeszcze. Strachu? Ubodła go głęboko świadomość, że bała się spotkać go ponownie.

Ubrana była w muślinową suknię bursztynowego koloru, wykończoną brązowym jedwabiem. Wysoki stan podkreślał jej słuszny wzrost, smukłość i grację, a gdy ruszyła z miejsca, fałdy muślinu miękko ułożyły się na jej figurze. Sebastian znów zamrugał oczami.

Wyglądała inaczej niż przedtem. Piersi miała pełniejsze, ale uwagę Sebastiana przykuł jej brzuch. Nie był płaski jak przedtem, lecz krągły i dość wypukły. Dopiero po chwili zrozumiał, co to oznacza.

– Do licha ciężkiego, jesteś w odmiennym stanie! – rzucił gwałtownie.

Fala emocji przeszła po jej twarzy, a dłoń osunęła się w dół, okrywając łono obronnym gestem.

– Ja... cóż, zaszłam w ciążę. – Jej policzki poczerwieniały i rozmowa się urwała.

Zapadła kłopotliwa cisza.

Odetchnęła głęboko, powoli, a potem siadła na sofie.

– A co ty tu robisz? – spytała, unosząc trzymany w dłoni bilet wizytowy. – Na karcie, którą przyniósł Robert, napisano „hrabia Tinsdale".

– Ostatnio odziedziczyłem tytuł po dalekim krewnym. Jadę do Yorkshire, żeby obejrzeć posiadłość i dwór, które – jak mi powiedziano – są bardzo zaniedbane. Mój koń zgubił podkowę, musiałem się więc zatrzymać i prosić o pomoc.

Spojrzała na niego z niedowierzaniem.

– Naprawdę znalazłeś się tutaj przypadkiem?

– Jak najbardziej. – Odwrócił wzrok od jej pełnych niepokoju oczu, spoglądając na jej zaokrąglone łono. – Może los tak chciał.

Oddech jej stał się przyspieszony. Przez chwilę patrzyła na niego, jakby nie wierząc własnym oczom.

– Fatalny los – mruknęła.

Sebastian poczuł bolesny ucisk w sercu. Przez całe miesiące marzył, żeby ją znów zobaczyć i żeby mu wybaczyła. Tak bardzo chciał naprawić swój błąd. Teraz było za późno. Należała do innego mężczyzny.

– Twój mąż musi się bardzo cieszyć z dziecka – rzekł. – Czy jest tutaj? Jeśli nie masz nic przeciwko temu, chciałbym go poznać i złożyć mu gratulacje.

Otworzyła ze zdumienia usta.

– Mój mąż?

– Pan Stewart. Służący powiedział, że to dom pani Stewart.

Przez chwilę patrzyła tępo przed siebie, nie odrywając dłoni od brzucha. Potem uniosła podbródek nieco wyżej.

– Nie ma żadnego pana Stewarta. I nigdy nie było – odrzekła stanowczym tonem, patrząc na niego ze smutkiem. – Z oczywistych powodów uchodzę tu za wdowę.

Sebastianowi nagle zrobiło się duszno. Spojrzał na jej zaokrąglony brzuch. Zaczęło go dławić w gardle ze zdumienia i niedowierzania.

– Co ty mówisz, Eleonoro?

– Jestem w piątym miesiącu – odparła po chwili. – Dziecko urodzi się w przyszłym roku, najpewniej pod koniec lutego.

Cały zesztywniał, gdy zaczął w duchu robić obliczenia, choć nie było to właściwie potrzebne. Była dziewicą, gdy przyszła do niego do łóżka, a sądząc po przygnębieniu, w jakim się rozstali, wydawało się nieprawdopodobne, by związała się z innym mężczyzną. Dziecko było niewątpliwie jego. Ogarnęła go fala niezwykłych emocji.

– Czemu nie napisałaś ani słowa?

– Nie sądziłam, aby cię to mogło zainteresować.

Nie miał sił, by się z nią spierać. Jego zachowanie wobec Eleonory usprawiedliwiało to jej przekonanie, nawet jeśli było niesłuszne. Sebastian podszedł do okna po przeciwnej stronie pokoju i spojrzał na łańcuch wzgórz ciągnących się aż po horyzont.

– Załatwię w Londynie specjalne zezwolenie i wrócę tu za kilka dni. Pobierzemy się pod koniec tygodnia. – Po tych słowach odwrócił się, chcąc poznać jej reakcję.

Eleonora wstała, krzyżując ręce na piersi.

– Dziwne, że po tak długim czasie potrafisz mnie jeszcze czymś zaskoczyć, Sebastianie. Nigdy nie sądziłam, że zaproponujesz mi małżeństwo. – Przez dłuższą chwilę wpatrywała się w niego uważnie. – Domyślam się, że honor, który w tobie drzemie, od czasu do czasu daje znać o swoim istnieniu. Cóż, zrobiłeś, co do ciebie należało, chcąc teraz wziąć na siebie odpowiedzialność za dziecko. Sądzę, że powinnam ci być wdzięczna, ale, szczerze mówiąc, powinieneś był zrobić przynajmniej tyle.

Skinął głową, czując się słusznie ukarany.

– Kiedy się pobierzemy? Niezręcznie byłoby robić to tutaj, skoro wszyscy sądzą, że jesteś wdową. I to świeżą, zważywszy twój stan.

– Nigdy nie powiedziałam, że za ciebie wyjdę.

– Ależ musisz! Nosisz w łonie moje dziecko.

– Sebastianie, proszę cię, bądźże rozsądny. Wydarzenia z przeszłości sprawiają, że małżeństwo między nami nie jest możliwe – rzuciła stanowczym tonem.

– Masz wszelkie prawo gardzić mną, Eleonoro, ale okoliczności nakazują zmianę zdania. Musimy się pobrać ze względu na dobro dziecka.

Powoli pokręciła głową.

– Osiadłam tutaj, podając się za wdowę, i za taką zostałam uznana. Gdy dziecko przyjdzie na świat, nie będzie na nim ciążyło piętno nieprawego urodzenia. Nie będzie bękartem. Ciotka Jane jest dobrze sytuowana i traktuje mnie zarówno z dobrocią, jak i szczodrością. Dziecku niczego nie zabraknie.

– Chcę, żeby nosiło moje nazwisko – upierał się.

– Chcę, żeby rosło otoczone miłością i szacunkiem – odparowała Eleonora.

Gwałtownie zaczerpnął powietrza.

– Powinnaś zrobić to, co najlepsze dla dziecka. Dotąd mogłaś grać wymyśloną rolę, ale wcześniej czy później pojawi się tu ktoś, kto zna prawdę, a wtedy za to zapłacisz, podobnie jak i dziecko. – Eleonora zbladła, a on wiedział, że trafił w jej czuły punkt. – Jedynym rozwiązaniem jest małżeństwo. Dobrze o tym wiesz, Eleonoro.

– Masz wszelkie prawo czuć głęboką urazę do mego ojca za to, co zrobił twojej matce i tobie – rzekła, patrząc mu prosto w oczy. – Moje dziecko będzie z nim związane więzami krwi. Jakże mógłbyś, patrząc na nie, nie pamiętać, jak bardzo pogardzasz jego dziadkiem? Czy zdołasz się przekonać do niewiniątka, które wkroczy w twoje życie?

Sebastian uznał, że ma słuszność, rzekł więc spokojniejszym tonem:

– Przyznaję, nie przyjdzie mi to łatwo, co nie znaczy, że nie będę próbował.

Jego dziecko powinno się wychowywać otoczone wszelkimi przywilejami, jakie daje bogactwo. Nie mógł jednak ręczyć za swoje uczucia, nie wiedział, czy zdoła przezwyciężyć niechęć wynikającą ze świadomości, że Hetfield jest jego dziadkiem. Eleonora potrząsnęła głową, a jemu żołądek skręcił się w supeł. Powinien był powiedzieć to, co chciała usłyszeć, ale nie chciał kłamać. Nigdy więcej.

– Wyrosłam w domu człowieka, który mnie nie kochał i który mnie zaniedbywał – powiedziała. – Nigdy nie pozwolę, żeby moje dziecko spotkał podobny los.

– Choć hrabia jest ostatnią osobą, której bym sobie życzył jako dziadka moich dzieci, zapewniam cię, że nigdy nie potraktuję mojego dziecka w taki sposób jak on ciebie – powiedział żywo Sebastian.

Ujrzał w jej oczach niepewność, co go jeszcze bardziej rozgniewało. Jeśli nie zdoła jej przekonać, wszystko będzie stracone. Chyba że zmusi ją do małżeństwa. Czy będzie umiał to zrobić? Zdawał sobie sprawę, że jest słaba, i dokładnie wiedział, jak ją skłonić do zmiany zdania.

– Nie mogę cię poślubić, Sebastianie.

Te słowa go zdruzgotały. Wiedział, że teraz już nie ma wyboru, podszedł do niej bliżej i zajrzał jej w oczy.

– Podejrzewam, że serdeczne przyjęcie, z jakim się spotkałaś, zmieni się raptownie, kiedy odkryją, że nie jesteś wdową, tylko niezamężną przyszłą matką.

– Nie możesz... – wyszeptała, pełna zgrozy.

– Nie chciałbym tego rozgłaszać – uściślił. – Co nie oznacza, że nie mógłbym tego zrobić. Proszę, nie zmuszaj mnie, Eleonoro.

Skamieniała w bezruchu. Serce mu się ścisnęło na widok przerażenia w jej oczach, ale nie miał wyboru. Jej reputacja była jedynym atutem, jakim dysponował, i w razie konieczności posłużyłby się nim.

– Czy chciałbyś uczynić swoje dziecko bękartem, pogardzanym i wyśmiewanym, na całe życie obciążonym niesławą? – spytała.

– Przeciwnie, jak najbardziej chcę je chronić. Właśnie dlatego musimy zawrzeć małżeństwo – odparł w nadziei, że jego szczerość udobrucha ją na tyle, że zacznie myśleć rozsądnie.

– I grożąc, zamierzasz uzyskać moją zgodę? Dziwne.

Uśmiechnął się. Widocznie gniew Eleonory zaczął słabnąć, skoro wróciła jej zdolność do sarkastycznych uwag. A może pocałunek zmieniłby nastawienie i przypieczętował zgodę?

Eleonora widziała, jak Sebastian zaciska wargi, i zdawała się dokładnie odgadywać kierunek jego myśli. Zamierzał ją pocałować. Cóż, niech próbuje!

Przybrała najbardziej srogi wyraz twarzy, na jaki mogła się zdobyć, ale Sebastian tylko uśmiechnął się szerzej. Eleonora miała wrażenie, że swą obecnością wypełnia cały pokój, każdy zakamarek tego kobiecego schronienia, jakie stworzyły z ciotką Jane.

Nie, to niemożliwe! Wiele tygodni zajęło im wyszukanie tego domku i prawie dwa miesiące, nim zdołały zakorzenić się wśród tutejszych mieszkańców jako dwie godne szacunku kobiety z wyższej sfery. Sebastian był dla niej teraz zagrożeniem: jeśli nie zgodzi się wyjść za niego, zostanie uznana za niezamężną kobietę spodziewającą się dziecka.

Głęboko zaczerpnęła powietrza w płuca. Ogarnął ją nagły gniew. Owszem, znalazła się na jego łasce, ale nie była już dłużej bezbronną ofiarą. Jeśli zdecyduje się poślubić Sebastiana, to tylko dlatego, że uzna takie wyjście za najlepsze, a nie dlatego, że on ją do tego przymusi.

Rozważała taką możliwość, mimo że właśnie przed chwilą odrzuciła jego propozycję małżeństwa. Przypuszczała, że jego oświadczyny częściowo wynikały z poczucia winy, ale nie przejęła się tym zbytnio. Mogło jej się to nie podobać, lecz przytoczone przez Sebastiana argumenty miały swoją wagę. Istniały praktyczne powody, by jego oferty z miejsca nie odrzucać.

A prócz powodów praktycznych istniały też uczuciowe. Gdy minął szok, jakiego doznała w pierwszej chwili, widząc Sebastiana wchodzącego do saloniku, poczuła zaskakujący przypływ euforii, a potem przemożnej tęsknoty.

Dotkliwe poczucie krzywdy i gniew z powodu zdrady, jakie w niej budził, przygasły z upływem czasu, a blakły, odkąd wiedziała, że nosi w sobie jego dziecko. Była nieufna i czujna, ale tego należało się przecież spodziewać. Gdy jednak spojrzała mu w oczy, nadzieja na to, co mogłoby się zdarzyć, gdyby nie odrzuciła tej szansy i wyszła za niego, stanowiła prawdziwą pokusę.

Nadal go bardzo kochała, więc logika nie mogła odgrywać w tym większej roli. Miłości nie można kontrolować. Należy ją albo odrzucić, albo przyjąć.

Czy zdoła się oprzeć swoim głębokim pragnieniom? Czy potrafi chronić swoje nienarodzone dziecko przed ojcem, który w przyszłości mógłby je traktować niechętnie lub go nie lubić?

Przymknęła oczy. Nie mogła spokojnie rozważyć tych kwestii i przemyśleć ich, póki Sebastian stał przed nią i działał na jej zmysły. A jeśli ją pocałuje? O Boże! Wtedy rozsądek całkowicie ją opuści.

– Przyznaję, że twoja propozycja wymaga rozważenia – odezwała się, unosząc powieki. – Nie chcę jednak, byś do jej przyjęcia zmuszał mnie ty lub ktokolwiek inny. Potrzebuję czasu, by się nad nią zastanowić.

Jego wzrok przez krótką chwilę spoczął na jej wargach, po czym Sebastian skinął głową.

– W porządku. Poczekam, jeśli mi obiecasz, że poważnie rozważysz moją ofertę. Ale nie namyślaj się zbyt długo, Eleonoro. Aby dziecko nie było nieprawego pochodzenia, musimy się pobrać przed jego urodzeniem.

Cztery dni! Przez cztery dni Sebastian tkwił w miejscowej oberży. Mimo wygodnej izby, doskonałej obsługi i smacznego jadła czuł się fatalnie. Szybko bowiem rozeszły się wieści, że w zajeździe przebywa jakiś hrabia i miejscowa elita zasypywała go zaproszeniami. Uprzejmie odmawiał jednak ich przyjęcia, obawiając się, że sprawiłby tym kłopot Eleonorze.

Niestety, jego powściągliwość budziła tylko coraz większe zaciekawienie. Postanowił nie wychodzić ze swego pokoju, ale zaczęła mu doskwierać nuda do tego stopnia, że w końcu musiał go opuścić. A wtedy niemal wszyscy zaczęli mu się przyglądać, szepcząc coś sobie na ucho. Istna groteska!

Eleonora milczała, a to, że wzbudzał niezwykłe zainteresowanie otoczenia, uniemożliwiało mu odwiedzenie jej lub choćby napisanie listu, bo nikt by go zapewne nie doręczył, nie rozpowiadając o tym naokoło. Brak łączności z nią był przygnębiający i rosła w nim obawa, że Eleonora ignoruje go świadomie, czekając, by odjechał, a tym samym po prostu zniknął z jej życia. Nie poprawiało mu to nastroju.

Wieczorem piątego dnia oczekiwania, które uznał za częściową pokutę, Sebastian postanowił, że ma dosyć. Zapragnął dosiąść konia, odbyć długą przejażdżkę, a potem skierować się ku domkowi Eleonory. Zamierzał to zrobić niepostrzeżenie, ale jeśli go zauważą, to trudno.

Powziąwszy ten plan, udał się energicznym krokiem do stajni, gdzie trzymano jego wierzchowca. Mijając pospiesznie sklepy na głównej ulicy, zauważył grupę kobiet skupionych przy kontuarze. Wśród nich była Eleonora.

Ten widok zrobił na nim piorunujące wrażenie. Wyglądała promiennie, a fałdy ubioru prawie w zupełności maskowały jej stan. A więc nadarzała się doskonała sposobność, po prostu szczęśliwe zrządzenie losu. Co prawda, obiecał, że da jej czas do namysłu, ale już upłynęło kilka dni.

Pchnął drzwi i wszedł do środka. Przywitała go zaskakująca cisza.

– Dobry wieczór paniom – powiedział, uniósł kapelusz i się ukłonił.

Eleonora szeroko otworzyła oczy. Ciotka Jane zacisnęła wargi z dezaprobatą. Zauważył, że jedna z kobiet pospiesznie poprawia kapelusz, a druga szczypie się w policzki, żeby nabrały rumieńca.

– Witamy, lordzie Tinsdale.

Matrona o ostrych rysach, wystrojona w wyjątkowo niegustowną, jaskrawopomarańczową suknię, złożyła mu niezręczny ukłon. Inne szybko zrobiły to samo, z wyjątkiem Eleonory i ciotki Jane.

Sebastian się uśmiechnął.

– Proszę mi wybaczyć najście, lecz kiedy dojrzałem panie przez okno wystawowe, uznałem, że nie mogę stąd odejść, nie wchodząc do wnętrza i nie pozdrawiając mojej dobrej znajomej.

Zaskoczone panie zaczęły między sobą szeptać. Sądząc z tego, jak niespokojnie na siebie spoglądały, było jasne, że zaskoczyły je te słowa.

– Nie wiedziałyśmy, że jedna spośród nas jest pańską znajomą – przyznała matrona, patrząc ostro na pozostałe, najwyraźniej w poszukiwaniu tej, która ośmieliła się być celem tak śmiałego stwierdzenia.

Sebastian rzucił okiem na Eleonorę. Milczała, wpatrując się w niego tak uparcie, jakby chciała spojrzeniem wypalić dziurę w jego surducie.

– Jakże się pani dzisiaj miewa, pani Stewart?

Jak się spodziewał, po jego słowach zapadła głucha cisza.

Matrona nie wytrzymała i rzuciła sceptycznym tonem:

– Pani Stewart? Mój Boże, kto by się spodziewał? Przebywa pan tutaj tyle czasu, milordzie, a ona nie pisnęła nam ani słówka! Proszę nam powiedzieć, pani Stewart, gdzie pani spotkała jego lordowską mość?

Eleonora zgrzytnęła zębami, po czym mruknęła pod nosem:

– W Londynie.

Matrona poczerwieniała, co sprawiło, że barwa jej sukni wydała się jeszcze jaskrawsza.

– Cóż to za powściągliwość, moja droga. Nie miałyśmy pojęcia, że obracała się pani w tak wysokich sferach!

Kobiety przytaknęły skwapliwie, z oskarżycielskimi minami. Z twarzy Eleonory odpłynęła krew. Spoglądała bezradnie to na grupę niewiast, to na Sebastiana. Otwarła drżące usta, jakby chciała coś powiedzieć, i znowu je zamknęła, westchnąwszy z rezygnacją.

Powie im to! Zdradzi jej prawdziwe nazwisko, pozycję społeczną i odsłoni kłamstwo. Dla jej dobra. A także dla własnego. Sebastian uśmiechnął się dyskretnie, wyobrażając sobie Eleonorę jako swoją żonę. Potem zaś pomyślał o jej smutku i o upokorzeniu, jakie by przeżyła, gdyby wobec tych kobiet ujawnił prawdę. Jego uśmiech zbladł.

– Właściwie lepiej znałem pana Stewarta – odezwał się i położył łagodnie dłoń na ramieniu Eleonory, pragnąc, by przestała drżeć. – Jego przedwczesna śmierć była dotkliwym ciosem dla tych, którzy mieli szczęście go znać. Był człowiekiem honoru, kimś wyjątkowym, kimś, kogo z dumą można było nazwać swoim przyjacielem.

– O tak, pan Stewart był mężczyzną nieposzlakowanej cnoty – wtrąciła się żywo ciotka Jane. – Smutno nam i ciężko bez niego.

Odciągnęła na bok Eleonorę, by Sebastian nie mógł jej już dotykać. Pożegnała się szybko i wyszła z nią ze sklepu, rzucając go na pastwę tysięcznych pytań spragnionych plotek kobiet.

Gdy zdołał się im wreszcie wyrwać, poczuł, że chwyta go ból głowy. Na szczęście świeże powietrze przyniosło mu pewną ulgę. Chcąc z niego lepiej skorzystać, skierował się ku stajniom. Ledwie skręcił za róg, gdy usłyszał, że ktoś go woła.

Wzdrygnął się, widząc, że w jego stronę biegnie Eleonora. Bez wątpienia chciała mu podziękować. I pożegnać się z nim. Była to gorzka pigułka do przełknięcia.

– Nie mogłeś tego zrobić – powiedziała bez tchu, a oczy jej błyszczały. – Nie byłeś w stanie powiedzieć im prawdy o mnie.

– Tak. – Oddychał z trudem, nękało go poczucie klęski. – Ale to nie znaczy, że zamierzam porzucić ciebie i nasze dziecko. Będę ci przysyłał pieniądze i od czasu do czasu cię odwiedzę, żeby się upewnić, że...

– Zrobię to – przerwała mu. – Wyjdę za ciebie.

Sebastian zamilkł, sądząc, że się przesłyszał.

– Powiedz to jeszcze raz.

– Wyjdę za ciebie – powtórzyła, nie spuszczając z niego wzroku.

– Ależ twój sekret nie zostanie zdradzony, a twoja sytuacja jako wdowy Stewart tylko się umocni dzięki kłamstwu wygłoszonemu przeze mnie, czyli przez hrabiego – zapewnił z krzywym uśmieszkiem.

Eleonora, co go całkowicie zaskoczyło, skinęła głową.

– Owszem, na paniach zrobiło to ogromne wrażenie. Całkiem zapomniałam, że potrafisz być uroczy, kiedy sobie coś mocno postanowisz.

– A więc mój urok cię w końcu przekonał? – spytał żartobliwie.

– Nie – Eleonora potrząsnęła głową. – Ta scena nie mogłaby zrobić większego wrażenia nawet w teatrze! Prawie wszystkie kobiety, które tu coś znaczą, były obecne w sklepie. Łatwo by ci przyszło, bez najmniejszego wysiłku, powiedzieć im prawdę. Ale nie chciałeś zdradzić mojej tajemnicy, Sebastianie. – Spojrzała na niego ze wzruszeniem. – I to sprawiło, że poczułam nadzieję.

19

*P*obrali się trzy dni później za specjalnym zezwoleniem, po skromnej ceremonii kościelnej, w drodze do Yorkshire. Ciotka Jane, ze łzami w oczach, i żona pastora były świadkami. Eleonora miała na sobie bladoniebieską muślinową suknię uszytą wiele miesięcy temu w Londynie przez madame Claudette, nieco rozpuszczoną w szwach, żeby pasowała do jej pełniejszej teraz figury.

Oczywiście stan jej był już wyraźnie widoczny, ale ani pastor, ani jego żona nie powiedzieli nic, co by wskazywało, że mają jakieś podejrzenia. Eleonora uznała, że należy im hojnie zapłacić za serdeczne i życzliwe spełnienie obowiązku jedynie na podstawie zwięzłego zezwolenia.

Podczas całej ceremonii Eleonora dotykalnie wręcz czuła przy sobie obecność stojącego obok przystojnego pana młodego. Zapewne wiele kobiet zazdrościło jej, że złowiła na męża tak imponującego mężczyznę, ale jej odczucia wcale nie były jednoznaczne.

Incydent w sklepie przywrócił jej wiarę w charakter Sebastiana i dał jej nadzieję na przyszłość, ale dobrze sobie zdawała sprawę z podjętego ryzyka. Jeśli się myliła, ją i w większym jeszcze stopniu to nienarodzone dziecko czekał żałosny los.

Pastor urwał i spojrzał na nią wyczekująco. Był jeszcze czas, żeby się cofnąć. Eleonora poczuła ucisk w gardle i nagły przypływ lęku. Zadrżała.

– Teraz twoja kolej na przysięgę małżeńską – powiedział cicho Sebastian równym, spokojnym głosem.

Odwagi, Eleonoro! Przygryzła wargę, chcąc się uspokoić, a potem ostrożnie powiedziała, co trzeba, wiążąc się na całe życie, teraźniejsze i przyszłe, z mężczyzną, który kochał ją całym sercem. Z mężczyzną, którego nie była pewna.

Sebastian wyjął pierścionek z brylancikiem i wsunął jej na palec. A więc stało się. Zostali małżeństwem. Przyjęli gratulacje od pastora i jego żony. Ciotka Jane uścisnęła mocno Eleonorę, a potem zwróciła się do Sebastiana:

– Uznałam pana za najgorszego franta, kiedy wszedł pan tak nagle do mego salonu, milordzie – oznajmiła. – Wnuczka zapewnia mnie jednak, że ma pan dobry charakter. Muszę uwierzyć jej sądowi, ale dopiero czas pokaże, czy moje pierwsze wrażenie zniknie.

Po tej surowej uwadze opuścili kościół i weszli do pobliskiej oberży, gdzie Sebastian zaprosił wszystkich na małe weselne przyjęcie. Towarzyszyła im ciotka Jane, a Eleonora cieszyła się z jej obecności. Jeszcze nie była gotowa, żeby zostać sam na sam z nowo poślubionym małżonkiem.

Choć potrawy były urozmaicone i dobrze przyrządzone, mało jadła, podobnie jak Sebastian. Zauważyła, że wypił tylko jeden kieliszek wina. Ciotka Jane wysuszyła zaś do dna butelkę i kiedy wniesiono deser, pochrapywała spokojnie w swoim fotelu.

– Przygotowano dla nas pokoje – powiedział Sebastian, spoglądając na wyborne słodycze, których żadne z nich nie tknęło. – Możesz się położyć, jeśli chcesz.

– Myślę, że zaraz pójdę. To był długi dzień.

Dotknęła ramienia ciotki. Stara dama powoli się ocknęła, ale nie była jeszcze całkiem przytomna. Żona oberżysty wskazała jej drogę do sypialni, a potem wróciła, by odprowadzić Eleonorę.

– To nasz najlepszy pokój – oznajmiła z dumą, wprowadzając ją przez małą bawialnię do obszernej sypialni.

Eleonora wybąkała słowa uznania, starając się pohamować mdłości, i nawet nie spojrzała na ogromne łoże, które zajmowało tu większą część pomieszczenia. Stało przy ścianie na podwyższeniu, róg kołdry był lekko odwinięty, zasłony z zielonego aksamitu wystarczyło tylko zaciągnąć.

Eleonora rozebrała się z pomocą pokojówki, umyła, i włożyła swoją zwykłą koszulę nocną. Ponieważ miała to być noc poślubna, narzuciła na siebie jaskrawoczerwony szlafrok, prezent od ciotki Jane. Jego fałdy maskowały jej wydatny już brzuch.

Gdy pokojówka odeszła, usiadła w fotelu przy oknie. Zamierzała wyjąć z sakwojażu książkę, ale wiedziała, że nie zdoła skupić uwagi na lekturze. Była zbyt zdenerwowana.

Nie mogła myśleć ani o dniu, który minął, ani o nachodzącej nocy. Starała się myśleć o czymś miłym, jak szczenięta czy pączki wiosennych kwiatów, i niemal zdążyła się uspokoić, gdy drzwi się otwarły.

Wszedł Sebastian w szafirowym szlafroku, jego pierś była obnażona. Eleonora dostrzegła jednak, że miał na sobie szare spodnie. Poczuła lekki dreszcz.

Musiał się przebrać w bawialni, ale była tak rozstrojona, że nie usłyszała, kiedy tam wszedł. Patrzyła w milczeniu, jak zamyka za sobą drzwi na klucz, a potem podchodzi do kominka i porusza płonące polana pogrzebaczem.

– Jest tu zimno. Czy nie marzniesz? – spytał.

Eleonora spuściła oczy. Teraz powinien uśmiechnąć się do niej, mrużąc powieki, i zrobić jakąś znaczącą uwagę, że postara się, by jej było ciepło przez całą noc, nawet jeśli będzie bardzo chłodna. Odruchowo owinęła się mocniej szlafrokiem, zawiązując go tak, by nic nie było spod niego widać. Uznała, że niepotrzebnie się denerwowała swoją nocą poślubną.

Choć Sebastian nie ukrywał, że jej pragnie, i nie udawał niczego, wciąż nie miała pod tym względem pewności. Kilka miesięcy temu zapragnęłaby go może podniecić, starając się wyglądać interesująco. Ale teraz? Ciąża bardzo zmieniła jej ciało. Jakże mężczyzna mógł ją dziś uznać za atrakcyjną, a zwłaszcza ktoś z doświadczeniem Sebastiana?

– Kominek daje dosyć ciepła – odpowiedziała w końcu na jego pytanie – a pokój jest dobrze nagrzany.

Sebastian odstawił pogrzebacz i podszedł ku niej, z nieprzeniknioną twarzą i przymkniętymi oczami. Zerwała się na nogi. Nie chciała, żeby na nią teraz patrzył. Zrobiła to pospiesznie i niezręcznie, o mało nie tracąc równowagi.

Ujął jej ręce.

– No i mam cię – powiedział z uśmiechem.

Ale czy jej pragnął? Jego słowa zabrzmiały echem w głowie Eleonory. Szczerze chciała, żeby tego po niej nie poznał. Pociągał ją, jak zawsze – czułaby się upokorzona, gdyby z nim działo się inaczej.

Wzrok Sebastiana zatrzymał się na jej talii. Kiedy wstała, jedwabny szlafrok rozchylił się, ukazując nocną koszulę i krągłość łona.

– Nawet sobie nie zdawałem sprawy, że jest taki duży – powiedział z przejęciem. – Nie widać go pod twoim strojem.

– Czy uważasz, że wyglądam szkaradnie?

– Nie! Tylko... dziwnie intrygująco. – Położył dłoń na jej biodrze. Potem powiódł nią po jej brzuchu, powoli podążając za jego kształtem.

– Musiał to być dla ciebie przeraźliwy szok, kiedy odkryłaś swój stan. Co wtedy zrobiłaś? Co czułaś?

– Wyłącznie okropny strach – wyznała. – Gdyby nie dobroć i zrozumienie ciotki Jane, chyba postradałabym zmysły.

– Powiedz mi o wszystkim – powiedział.

Już chciała zaprotestować, ale coś w jego spojrzeniu skłoniło ją do mówienia. Z początku opowiadała zwięźle i powoli, potem jednak, gdy zaczęła sobie wszystko przypominać i gdy ożyły wspomnienia, słowa popłynęły wartkim strumieniem. Nie zataiła przed nim niczego, mówiła o swoim lęku, gniewie, zgryzocie i rozpaczy, a także o tym, jak te uczucia stopniowo przerodziły się w akceptację i wreszcie w oczekiwanie.

Sebastian słuchał, a jego dłoń wędrowała po jej łonie, jakby chciał nawiązać łączność z nienarodzonym dzieckiem. Było to wrażenie dziwne i dodające otuchy, ale też podniecające.

– Żałuję, że nie byłem z tobą od samego początku – przyznał.

– O tym zadecydowałam ja – powiedziała, odetchnąwszy gwałtownie. – Czy żałujesz, że będziesz miał dziecko?

– Niezupełnie.

Nie była to zbyt budująca odpowiedź, ale przynajmniej uczciwa. Zapragnęła wysondować go jeszcze głębiej, dowiedzieć się więcej o tym, co myślał i czuł, ale dziecko nagle drgnęło wewnątrz niej.

Sebastian natychmiast cofnął dłoń.

– Ono się poruszyło!

– Tak – odparła z uśmiechem. – Coraz częściej się to zdarza.

– Czy to nie boli? – spytał z przejęciem.

Pokręciła przecząco głową.

– To mnie uspokaja. Doktor powiedział mi, że to dobry znak, jeśli zdrowy płód się porusza.

– Hmm... – mruknął i kark mu się zaczerwienił.

– Czyżbyś był tym zakłopotany? – spytała ze śmiechem.

– Jeśli już musisz wiedzieć, czuję się trochę jak lubieżnik – odparł z dość dziwną miną.

– Dlaczego?

– Jesteś przy nadziei! To przecież ryzykowny stan, a ja myślę tylko o tym, aby się z tobą kochać.

– Naprawdę?

– Dobry Boże! – jęknął. – Eleonoro, nigdy nie przestałem cię pragnąć, a moje pragnienie wcale nie osłabło przez te wszystkie miesiące, kiedy byliśmy rozdzieleni. – I żeby udowodnić swoje słowa, dał jej wyraźnie poznać, jak bardzo.

Zawahał się, a ona zrozumiała, że czeka, by powiedziała to samo. Spojrzała na niego bezradnie. Z jednej strony ulżyła jej świadomość, że nadal go pociąga, ale czy gotowa była przyjąć go jako kochanka? Czy już teraz mogła mu ufać?

W końcu przecież go poślubiła.

– Powiedziałeś kiedyś, że będziesz mi wierny. Czy to prawda?

– Będę.

– Nawet gdybyśmy nie żyli ze sobą bardzo długo, a może nigdy?

Oczy mu błysnęły.

– Dochowam ci wierności. Nigdy w życiu nie zmusiłem kobiety, żeby mi się oddała. A tym bardziej nie postąpię tak z tobą, moją żoną, kobietą, którą szanuję nad wszystkie inne.

Była to dobra, szczera odpowiedź i Eleonora uwierzyła. Spuściła oczy, przypominając sobie, jak się ze sobą kochali. Mocne pocałunki, radość, jaką jej dawał jego dotyk, potęgę namiętności.

– Moje pragnienia nie są tak widoczne, jak twoje, ale równie mocne. Nie będziesz musiał używać siły.

– Eleonoro... – szepnął stłumionym głosem.

Poddała się jego uściskowi bez namysłu, przepełniona pragnieniem. Długo trwali tak w swoich objęciach, próbując nawiązać wzajemne porozumienie. Nie chciała myśleć o krzywdzie, jaką jej wyrządził w przeszłości, ani o tym, że już nic nie będzie jej chroniło, gdy ponownie mu ulegnie. Chciała uwierzyć w jego dobroć, w jego oddanie, w obietnicę wierności.

Usta ich się spotkały i Eleonora przywarła do niego, pragnąc czegoś więcej. Wydawało im się, że czas stanął w miejscu podczas ich gorących, długich pocałunków. Poczuła, że piersi jej twardnieją, a ciało płonie. Sebastian przesuwał dłonią po jej plecach, a ona wtuliła się mocno, chcąc być jak najbliżej niego.

Delikatnym ruchem rozchylił szlafrok i koszulę, ściągając je z jej piersi. Bielizna osuwała się coraz bardziej, w końcu opadła do kostek.

– Moja najdroższa Eleonoro – szepnął pełen zachwytu. – Jakże jesteś piękna!

Zaczerwieniła się, słysząc to pochlebstwo. Wiedziała, że w gruncie rzeczy wygląda pospolicie, ale w tej chwili czuła się piękna i pożądana. Drżała w oczekiwaniu na to, co miało nastąpić, gdy Sebastian całował jej podbródek i szyję, aż dotarł do piersi. Z jękiem uchwycił sutek wargami, a ona o mało nie osunęła się na ziemię.

Nie ustawał, póki nie zaczęła jęczeć, z palcami wplecionymi w jego włosy. Wspięła się na palce, przywierając do niego i ciężko dysząc.

– Byłoby nam dużo wygodniej w łóżku – wymamrotał, unosząc ją w ramionach.

Nie powiedziała słowa, kiedy ją tam zaniósł i umieścił na świeżej pościeli. Ściągnął z siebie ubranie, a potem położył się na niej, wspierając się na łokciach. Dotyk jego ciepłego, nagiego ciała był czymś tak cudownym, że jęknęła z pożądania.

Znów zaczął ją całować tak, że zadrżała. Wyginała się w łuk pod nim, czując na sobie jego gorącą skórę i oznaki podniecenia. Sięgnęła, żeby pogładzić jego ciało, przyciągnęła go z całej siły ku sobie.

– Proszę cię – jęknęła. – Potrzeba mi ciebie!

– Czego tylko pani sobie życzy – mruknął z wargami tuż przy jej ustach.

Znowu ją pocałował, szybko i mocno, a potem zajrzał jej w oczy. Eleonora poczuła, że silnymi udami próbuje rozsunąć jej nogi. W końcu rozdzielił je dłonią i wniknął w nią. Jęknęła, czując go w sobie, zgięła kolana i oplotła go łydkami, pozwalając mu tym samym wsunąć się jeszcze głębiej.

Jęknął donośnie, wydając chrapliwy dźwięk, oznakę męskiej satysfakcji, i zaczął się rytmicznie poruszać pod takim kątem, by zapewnić jej jak najwięcej błogości, póki obydwoje nie krzyknęli głośno. Ogarnęło ją przemożne poczucie spełnienia, ale najbardziej nieodparte okazało się otwarcie jej serca, i to ono dało jej najwięcej radości.

Owszem, skrzywdził ją poprzednio, ale bez niego czuła wewnętrzną pustkę, i to właśnie sprawiło, że zamknęła się w sobie, by już nic nie mogło jej dotknąć ani zranić. Teraz jęknęła z zachwytu i chwyciła kurczowo za pościel, żeby nie spaść z łóżka.

Czuła, że jego podniecenie rośnie. Całował ją coraz gwałtowniej, a ona oddawała pocałunki z równym zapałem. Nieustannie, coraz prędzej dążył do spełnienia, a ona przyjmowała to chętnie, ściskając go mocno i napinając wewnętrzne mięśnie, żeby mógł osiągnąć szczyt.

W pewnej chwili zamarł w bezruchu, zesztywniał, a Eleonorę wypełnił płynny żar. Stopniowo drżenie jego ciała ustąpiło. Westchnął głośno, a potem osunął się, kładąc głowę na piersiach Eleonory, jego włosy połaskotały jej szyję.

Zawahała się nieco, ale potem objęła go mocno ramionami.

– Czy cię nie gniotę? – spytał sennym głosem.

– Trochę.

Sebastian mruknął coś pod nosem i przesunął się lekko.

– Czy nie robiłem tego zbyt gwałtownie? Uraziłem cię może?

Uniosła nieznacznie brwi.

– W porządku, mój drogi. Nie ma powodu do paniki.

Sebastian przypatrzył się jej z uwagą, chcąc się upewnić, że jego gwałtowne poczynania nie miały żadnych złych skutków. Eleonora patrzyła na niego spokojnie, oddychała równo, nic nie świadczyło, by doznała bólu. Gdy zrozumiał, że nic jej nie jest, opadł na poduszki obok niej. Usłyszał szmer pościeli, którą okryła ich oboje.

– Śpij dobrze – powiedział, mając nadzieję, że się do niego odwróci twarzą.

– Ty też.

Patrzył, jak się mości na łóżku, poczuł żywe rozczarowanie, gdy ułożyła się plecami do niego i wkrótce zasnęła. Przez kilka minut czekał, czy się nie obudzi.

Kiedy już się przekonał, że śpi, zmienił pozycję ciała i objął ją. I tak spędził resztę nocy, bo pragnienie posiadania zdominowało wszystkie inne uczucia.

Jakże dobrze mu było przygarnąć ją znów do siebie, słyszeć, jak głęboko i równo oddycha, patrzeć, jak śpi. Nie nękały go już dłużej żal i zwątpienie, nie zastanawiał się, gdzie jest Eleonora i co robi.

Stopniowo i on zaczął się odprężać. Zbladła zgryzota, w jakiej żył przez ostatnie kilka miesięcy. Zastąpił ją promyk nadziei. Teraz, w bezpiecznej otoczce mroku, nie nękały ich już wspomnienia przeszłości i wszystko wydawało się możliwe. Łącznie z tym, że będą żyli razem i szczęśliwie.

Dotknął delikatnie jej policzka, a potem ucałował skroń.

– Kocham cię, Eleonoro – szepnął.

Po raz pierwszy wypowiedział te słowa na głos, a choć nie mogła ich słyszeć, czuł, że wyrażają wszystko, co przepełniało jego serce.

Wszystko. W tym także nadzieję. Nie był to zły początek, zważywszy na ich burzliwą przeszłość, która mogła podzielić ich tak, że nigdy nie uwolniliby się spod jej brzemienia. Jednak bardziej niż kiedykolwiek Sebastian czuł, że zdoła temu zapobiec – i całym sobą pragnął, by mu się to powiodło.

Następnego ranka ruszyli w dalszą podróż na północ, do nowej posiadłości Sebastiana. Ciotka Jane postanowiła wrócić do Bath. Sebastianowi ulżyło. Miał wystarczająco dużo niepokojów związanych z ponownym nawiązywaniem bliskości z Eleonorą, a obecność krytycznie nastawionego obserwatora mogła wywoływać komplikacje, czego sobie nie życzył.

Skutkiem choroby lokomocyjnej nie mógł towarzyszyć Eleonorze w powozie wynajętym na tę podróż, ale jechał obok, sumiennie trzymając się, jeśli tylko szerokość drogi na to pozwalała, blisko okienka. Eleonora mogła je otworzyć i zamienić z nim kilka słów, ale trudno było im prowadzić w tej sytuacji jakąś poważniejszą rozmowę.

Panowało między nimi jakieś skrywane napięcie, które wzmogło się z nadejściem nocy. Choć pragnienie kochania się z Eleonorą wcale go nie opuszczało, uznał za przedwczesne przypuszczenie, że Eleonora chętnie by go ujrzała w swoim łóżku. Tak więc nakazał poczynić pewne przygotowania w bawialni.

Na szczęście nie musiał z tych rozwiązań korzystać i spędził noc z żoną, tak bardzo usiłując zacieśnić więź między nimi, że chwilami przyszło mu ją uznać za zbyt bliską. Choć namiętna i pełna entuzjazmu, Eleonora jakby ukrywała coś, czym nie chciała się z nim dzielić.

Każdej nocy czekał, aż osunie się wyczerpana i nasycona w sen, kołysząc go przedtem z oddaniem w ramionach. Dopiero wtedy mógł zasnąć.

Wciąż sobie powtarzał, że nie jest to zły początek. Byli dla siebie mili, uprzejmi i pełni względów. Eleonora śmiała się z jego żarcików, okazywała zainteresowanie jego planami dotyczącymi różnych majątków ziemskich, była mu wdzięczna, że dbał o jej wygodę i potrzeby.

W tych właśnie chwilach uspokajał się i uważał, że między nim a świeżo poślubioną żoną wszystko się ułoży, że przeminie okazywana przez nią ostrożna rezerwa.

Po południu czwartego dnia przybyli do celu. Sebastian zsiadł z konia koło powozu i obydwoje minęli wysoką bramę z kutego żelaza.

Słysząc, że Eleonora, zaskoczona, wciągnęła gwałtownie powietrze, podążył za jej spojrzeniem. Budowla pochodząca z czasów Henryka VIII, miała mnóstwo kominów, daszków i tyle pokoi, że trudno byłoby je zliczyć.

Uroczą, romantyczną fasadę z kamienia wieńczyły w narożnikach blanki, ale gdy podeszli bliżej, widoczne stało się zaniedbanie całej posiadłości. Podjazd był zachwaszczony, a okna złożone z małych szybek pokrywał brud i kurz.

– Czy służba wie o naszym przybyciu? – spytała Eleonora.

– Wysłałem list z wiadomością, więc trudno uznać, że nie została uprzedzona – odparł Sebastian niepokojem w głosie. Nie tak chciał wprowadzić żonę do ich nowego domu.

Kiedy powóz zajechał przed front, wszystko zaczęło wyglądać jeszcze gorzej, bo nikt nie wyszedł, żeby ich przywitać. Sebastian zsiadł z konia i powierzył go opiece forysia, a potem pomógł wysiąść Eleonorze z karety. Już się zastanawiał, czy mają zastukać w masywne dębowe drzwi, żeby ich wpuszczono, gdy się otwarły i wyszła z nich drobna, siwowłosa kobietka.

– Dobry wieczór – powiedziała, z ciekawością czekając na rozwój sytuacji.

– Czy może mam przyjemność z panią Ellis? – spytał Sebastian, rad, że zapamiętał nazwisko gospodyni. Wspomniano o nim w jednym listów, jakie wymienił z radcą prawnym na temat majątku.

– Owszem, to ja. A pan pewnie jest nowym hrabią? – odpowiedziała, składając mu dość niedbały ukłon. – Z przykrością muszę powiedzieć, że nie mogę państwa za dobrze przyjąć, ale się postaram.

– Czy nikogo tu nie ma prócz pani?

– Prawie nikogo. Od lat brakowało służby. Hrabia uważał, że nie ma sensu płacić ludziom, skoro tu nie mieszka, więc ci, których wynajmowano, rzadko otrzymywali wynagrodzenie i nie było ono zbyt wysokie. Jak pan widzi, dom jest bardzo duży. Starałam się, jak mogłam, ale bez pomocy... – Tu zawiesiła głos, a potem wzruszyła ramionami bez poczucia winy.

– Jakoś nie widać tych starań, pani Ellis – rzekł sucho Sebastian.

– Ale z pewnością będzie lepiej, gdy zajmie się tym wyszkolona służba – przerwała mu Eleonora, wysuwając się naprzód. – Miło mi panią poznać. Jestem lady Tinsdale.

Gospodyni wręcz oniemiała.

– Nie powiadomiono mnie o przyjeździe hrabiny – odparła sztywno. – Dwór nie nadaje się do tego, żeby zamieszkali w nim wielcy państwo, a już na pewno nie dama, zwłaszcza w pani stanie.

– Proszę się nie martwić. Jestem odporniejsza, niż się wydaje – odparła gładko Eleonora, biorąc mężą pod rękę.

Sebastian się uśmiechnął. Dobrze było mieć ją przy sobie.

– Proszę nam teraz podać herbatę w salonie, a potem zrobimy obchód – rzekł stanowczym, władczym tonem. – Niech nam pani wskaże drogę.

Kiedy minęli dębowe drzwi, poczuł, że Eleonora ściska go za ramię.

– Trzymaj się – szepnęła. – Wyrachowana mina pani Ellis daje mi wiele do myślenia. Chyba sobie to powitanie starannie zaplanowała.

Gdy tylko weszli do domu, Sebastian przekonał się, że Eleonora miała rację. Z ozdobnych sztukaterii w westybulu zwisała pajęczyna. Ściany były w jednych miejscach pociemniałe, w innych jaśniejsze, ukazując puste prostokąty po malowidłach lub tkaninach, które tam niegdyś wisiały. Zniszczenia w kilku skąpo umeblowanych pokojach, przez które przeszli, okazały się jeszcze większe, nim wreszcie doszli do salonu, gdzie wyraźnie poczuli stęchliznę.

Ujrzeli wprawdzie ślady pospiesznie czynionych porządków, ale srebra nie były wyczyszczone, przetarty dywan miał brudne plamy, a w kominku nie napalono. Chcąc, żeby nieprzyjemna woń wywietrzała, Sebastian rozsunął aksamitne zasłony. W powietrze wzbił się tuman kurzu, a roje moli zaczęły w promieniach słońca trzepotać przed szybami dwudzielnych okien niby płatki szarego śniegu.

Sebastian z ponurą miną zwrócił się do Eleonory, która zaczęła gwałtownie kichać.

– Czy powinniśmy wyrzucić panią Ellis z posady zaraz, kiedy tylko wróci? – spytał, podając żonie chusteczkę.

– Nie. Poczekajmy i zobaczmy, jak szybko sobie poradzi – odparła Eleonora, wycierając załzawione oczy. – Prawdę mówiąc, jestem pewna, że poprzedni hrabia nie dbał zbytnio o tę siedzibę. Nie sposób prowadzić tak dużego domu bez fachowej, dobrze wyszkolonej i dobrze opłacanej służby. Z pewnością demonstracja pani Ellis miała cię o tym dobitnie przekonać.

– I tak się właśnie stało – przyznał Sebastian, gdy zatrzeszczało krzesło, na którym usiadł.

Herbatę przyniósł szczerbaty młodzieniec, który uśmiechał się nerwowo. Sebastianowi poprawił się humor, gdy Eleonora napełniła jego filiżankę. Choć zgłodniał po podróży, nie od razu wziął do ust ciastko, w obawie, że pani Ellis mogła posunąć się zbyt daleko i dosypać coś do jedzenia.

– Ciasto i kanapki wyglądają smacznie – stwierdziła Eleonora. – Jednakże spróbuję ich dopiero, gdy ty zjesz swoją porcję.

Sebastian zaśmiał się z całego serca.

– Zawsze byłaś inteligentną kobietą.

– Myślę, że porcelana, gdzie każda sztuka jest inna, ma pewien urok – zauważyła Eleonora, dolewając herbaty.

– Szczególnie ustawiona na wystrzępionym obrusie – stwierdził Sebastian, unosząc rąbek.

Zdał sobie sprawę, że wpadłby we wściekłość, gdyby nie spokój Eleonory, która łagodziła nastrój. Zresztą teraz były znacznie ważniejsze rzeczy niż zaniedbany i źle zarządzany majątek. Na przykład zdobycie zaufania żony.

Do salonu weszła pani Ellis, minę nadal miała markotną.

– Czy chce pan teraz dokonać obchodu, milordzie?

– Nie. Obawiam się, że brud i kurz rozstroją hrabinę, a mnie wprawią w przygnębienie – odparł nieco urażonym tonem. – Zrobimy to, gdy pani należycie cały dom wysprząta – dodał, nie zwracając uwagi na jej zduszone stęknięcie. – Proszę posłać do wsi po tylu służących, ilu trzeba. Oczekuję bowiem, że główne pokoje na parterze zostaną gruntownie wysprzątane do jutrzejszego popołudnia. Czy wyraziłem się jasno, pani Ellis?

– Tak, milordzie.

– Znakomicie.

– Ponieważ nie wiedziałam o przyjeździe lady Tinsdale, przygotowałam tylko sypialnię dla pana domu – rzekła pani Ellis, utkwiwszy wzrok w podłodze.

– Nieważne. Hrabina i ja przenocujemy w jednym pokoju – powiedział Sebastian. – To nam odpowiada.

Służąca, która zabierała tacę, aż pisnęła ze zdumienia i szybko podreptała do drzwi, a gospodyni w pospiechu za nią. Gdy obie już wyszły, po chwili milczenia Eleonora zaczęła chichotać.

– A to dobre! – rzuciła ze śmiechem. – Zgorszyliśmy służbę! I to w pierwszej godzinie naszego pobytu!

– Istny rekord – odparł Sebastian z rozbawieniem.

– Miejmy nadzieję, że nie ma tutaj fontanny. Gdybyś zaczął w niej pływać, przypieczętowałbyś w ten sposób swoją reputację.

– Ależ Eleonoro, służba lubi, gdy państwo zachowują się ekscentrycznie. Czuje wtedy swoją wyższość moralną.

– Mogło tak być w twoim dawniejszym życiu, milordzie. Teraz powinieneś starać się uchodzić za człowieka godnego szacunku.

– Czy podołam?

– Obawiam się, że możesz nie sprostać temu zadaniu – parsknęła i znów zaczęła chichotać.

Sebastian odruchowo sięgnął po jej dłoń i poczuł, że cały łagodnieje.

– Bardzo lubię słyszeć twój śmiech.

– To dobrze.

Uniósł ich splecione ręce do warg i ucałował jej nadgarstek. Uśmiechnęła się serdecznie, co go wzruszyło.

– Chodźmy zobaczyć sypialnię pana domu. Szczerze mówiąc, ogromnie jestem ciekaw kolejnych niespodzianek, jakie nas tu czekają.

20

Życie w pałacu unormowało się w ciągu następnych kilku tygodni, co Eleonora uznała za nadzwyczaj pocieszające. Pod czujnym okiem pani Ellis wszystkie pomieszczenia odczyszczono, stopniowo przywracając ład. Na strychu znaleziono cenne antyki, wprawdzie niektóre połamane i z pogryzionymi przez myszy tapiseriami.

Eleonora kazała znieść meble, które jej się spodobały, zostawić te, które mogły się jeszcze kiedyś przydać, a resztę wyrzucić. Wynajęła miejscowego rzemieślnika i odwiedziła wszystkie wiejskie sklepy w poszukiwaniu niezbędnych materiałów, zapewniając w ten sposób tutejszej gospodarce potrzebny zastrzyk energii. Choć Sebastian utrzymywał, że należy odłożyć sporo pieniędzy na polepszenie stanu gospodarstw dzierżawców i ziem należących do majątku, przeznaczał spore sumy na prowadzenie domu. Czuł, że odnowienie pokojów będzie miało wielkie znaczenie, bo Eleonora nareszcie stworzy dom należący wyłącznie do niej.

Za wspólnym milczącym porozumieniem starali się być wzorową parą małżeńską. Zwracali się do siebie uprzejmym tonem i zawsze zachowywali się stosownie zarówno publicznie, jak i gdy byli tylko we dwoje. Eleonora radziła się Sebastiana przy podejmowaniu ważniejszych decyzji dotyczących domu. On wysłuchiwał jej uwag co do zarządzania majątkiem. Składali wizyty sąsiadom i chodzili do kościoła w niedzielę. Eleonora odwiedzała farmy dzierżawców, w czym Sebastian jej towarzyszył.

Odnosił się do niej uprzejmie i z szacunkiem, zachęcał ją do wyrażania własnych opinii. Rozmawiali o sztuce, muzyce i książkach, zgadzali się co do zalet niektórych dzieł i toczyli ożywione dysputy co do innych. Przynajmniej raz w ciągu dnia prawił jej komplementy, mimo że lustro wyraźnie ukazywało jej zaokrąglające się kształty.

Każdego ranka w gotowalni czekała na nią biała róża. Czuła miłe wzruszenie za każdym razem, gdy udało się jej zaskoczyć Sebastiana wkładającego kwiat do srebrnego flakonu, a jej serce łagodniało coraz bardziej.

Dzielili łoże każdej prawie nocy. Sebastian nigdy nie zostawiał jej bez satysfakcji, sam zaś korzystał z odkrywanej przez siebie zmysłowości żony z namiętnością i zręcznością. Pożądanie łagodziło jej zahamowania, a jednak mimo wspólnych wysiłków istniała między nimi jakaś bariera i Eleonorę często ogarniała niepewność co do siły ich związku.

Westchnęła i sięgnęła po kartkę, żeby spisać propozycje jadłospisu na przyszły tydzień. Właśnie zastanawiała się, czy powinni we wtorek jeść jagnięcinę czy wołowinę, gdy za oknem usłyszała stłumione głosy.

Zaciekawiona, wstała od biureczka, żeby przekonać się, kto to może być. Przed domem zatrzymał się nieznany powóz, z którego powoli wysiedli podróżni. Dwóch mężczyzn na koniach towarzyszyło pojazdowi, a potem w polu widzenia ukazał się Sebastian.

Wysoki, szczupły, o szerokich ramionach, był bez płaszcza, w samej białej koszuli, obcisłych czarnych spodniach i butach do kolan. Patrzyła, jak bez wysiłku zeskakuje z konia, a następnie podchodzi do przybyłych, żeby się z nimi przywitać.

Serce zabiło jej mocniej. Widok męża zaparł jej dech w piersiach. Nie mogła oderwać od niego wzroku. Czemu tak na nią działał? Dlaczego, patrząc na Sebastiana, zachowywała się jak pensjonarka?

Jakby pod wpływem jej spojrzenia, Sebastian spojrzał w okno. Zastygła bez ruchu. Oczy ich się spotkały. Sebastian się uśmiechnął. Zrobiło się jej ciepło na sercu. Stanowczo, powinna poddać się temu uczuciu i odrzucić wszelkie wątpliwości. I wierzyć, że mogą spędzić życie oparte na fundamencie miłości.

Czy było to jednak możliwe? Pogrążona w myślach, które napłynęły tak raptownie, i zapatrzona w swego przystojnego męża, Eleonora nie zwróciła większej uwagi na osoby wysiadające z powozu.

Mimo wydatnego już łona, swobodnie stąpając po gładkiej posadzce, zeszła na dół, by powitać gości. Stanąwszy w progu salonu, ujrzała cztery osoby skupione przy kominku. Pragnęli się ogrzać, bowiem była późna jesień i na dworze panował chłód. Od razu dostrzegła wielebnego Chancellora, jego żonę oraz ich najbliższego sąsiada, sir Thomasa, ale czwarty gość wydał się jej nieznajomy.

Och, czy naprawdę? Średniego wzrostu, z jasnymi włosami i silnie zarysowanym podbródkiem, był dziwnie podobny do... Zaskoczyło ją to tak bardzo, że zaniemówiła. Niemożliwe! Przez dłuższą chwilę przyglądała się temu mężczyźnie, poznając rysy, które z upływem lat niewiele się zmieniły.

On także przypatrywał się jej bacznie.

– Lady Eleonora?...

To był on! Uśmiechnęła się z niedowierzaniem i ze szczerą radością uścisnęła wyciągniętą dłoń.

– Johnie Tanner, tak dawno pana nie widziałam! – rzekła, patrząc w zdumione oczy człowieka, którego namiętnie kochała jako młoda dziewczyna.

Sebastian, stojąc blisko drzwi, podejrzliwie patrzył na rozradowaną twarz Eleonory. Kim był dla niej ten mężczyzna? Najwyraźniej kimś, kogo dobrze znała.

Podszedł, żeby porozmawiać z sąsiadami, lecz nie spuszczał z oka żony siedzącej wygodnie przy nieznanym mu panu Tannerze.

– Niech mi pan powie, Thomasie, czy Tanner pochodzi z tych okolic? – spytał.

– Nie, wychował się chyba i dorastał gdzieś pod Londynem. Jako młodzieniec wyjechał z kraju szukać szczęścia w koloniach, a teraz wrócił, żeby kupić tu jakąś posiadłość.

Sebastianowi nie podobały się zamiary tego człowieka.

– Nie wie pan czasem, czym się zajmował, zanim opuścił Anglię?

– Otóż tak się składa, że wiem. Był stajennym. Chyba u jakiegoś hrabiego, choć nie przypominam sobie nazwiska. Mógł zbić majątek na kopalnictwie, ale wciąż go ciągnęło do koni.

Sir Thomas wziął kieliszek whisky, podany mu przez lokaja, dziękując skinieniem głowy. Sebastian odmówił, w głębi serca czując ukłucie zazdrości. Wiedział, że Eleonora kochała za młodu pewnego mężczyznę i z jakiegoś powodu uznała go za nieodpowiedniego. Stajenny z pewnością był kimś takim.

Chętnie zadałby więcej pytań sir Thomasowi, ale pastor i żona dołączyli do Eleonory i Tannera.

– Czy to nie zdumiewający zbieg okoliczności, milordzie? Lady Eleonora i pan Tanner znali się w młodości! – Pani Chancellor pociągnęła spory łyk madery i uśmiechnęła się serdecznie. – Założyłabym się, że mieli ze sobą wiele wspólnego.

Sebastian uśmiechnął się szeroko, co miało wyrażać uprzejme zdziwienie, ale krew pulsowała mu w żyłach i szumiała w uszach. Z oporami włączył się do rozmowy, wciąż spoglądając na Eleonorę. Pochyliła głowę ku Tannerowi, który coś do niej mówił z ożywieniem; oboje byli zatopieni w rozmowie, a ich widoczna zażyłość aż kłuła w oczy.

W pierwszej chwili Sebastian miał chęć podejść bliżej, zwalić Tannera z nóg i wyrzucić go za drzwi, ale zdołał się opanować. Nie powinien się zachowywać się po grubiańsku i sprawiać przykrości żonie w obecności gości, niezależnie od uczuć, jakie nim miotały.

Po dziesięciu minutach tych męczarni skierował wzrok na Eleonorę, pragnąc, by odwzajemniła spojrzenie. Na szczęście tak się właśnie stało. Ulżyło mu, gdy ich oczy się spotkały. Posłał jej uśmiech. Odpowiedziała, dyskretnie unosząc kaciki ust, potem jednak jej uwagę przykuł siedzący obok mężczyzna.

Sebastian poczuł gwałtowny ból w piersi. Starał się nie zdradzać swoich prawdziwych uczuć i jakimś cudem zdołał tego dokonać. Pohamował nurtującą go zazdrość, pokrywając te emocje pozorną uprzejmością. Gdy wizyta dobiegła końca, odprowadził gości do powozu, ukłonił się uprzejmie panu Chancellorowi, a pozostałych pożegnał uściskiem dłoni.

Zapłonęła w nim infantylna chęć, żeby zmiażdżyć dłoń Tannera, ale zmusił się, by cofnąć rękę, zanim w tamtym zbudziły się podejrzenia. Wprawdzie rozsądek mówił, że zachowałby się jak błazen, ale przebywając od kilku tygodni z żoną, nadal nie znał bliżej jej prawdziwych uczuć, a ta niepewność sprawiała, że nie był odporny na takie ciosy.

Sebastian zacisnął więc za plecami pięści i wrócił do salonu. Eleonora wciąż siedziała na sofie i patrzyła w okno. Zamyślonym wzrokiem odprowadzała odjeżdżający powóz. Czy marzyła o swoim młodym ukochanym?

– To był Tanner, prawda? – spytał Sebastian bez żadnych wstępów. – On był tym młodzieńcem o szlachetnym charakterze, którego pokochałaś jako młoda dziewczyna?

– Tak. – Uśmiechnęła się w dziwny, szczególny sposób, co ubodło go do żywego. – John był stajennym mojego ojca. Uprzejmym, delikatnym chłopcem, zawsze chętnie słuchającym o nadziejach i marzeniach samotnej dziewczyny. Byliśmy naiwni, ale pewni naszych uczuć. Wątpię, czy na tym świecie ktoś może mieć mniej rozsądku niż młodzi zakochani.

Sebastian zesztywniał, ale udał, jakby nie dosłyszał jej słów.

– Wygląda na to, że wyrobił sobie bardzo dobrą opinię w amerykańskich koloniach. Sir Thomas mówił, że dorobił się tam sporej fortuny.

– O tak, odniósł znaczny sukces.

Sebastian obracał w palcach srebrną spinkę przy mankiecie koszuli.

– Czy o tym rozmawialiście tak długo? O jego sukcesie?

– I o tym, i o innych rzeczach. Wiele się wydarzyło od czasu naszego ostatniego spotkania...

– Czy się ożenił?

– Nie. Choć ma nadzieję, że pewnego dnia tak się stanie. John zawsze sobie cenił rodzinę.

Rzeczywiście, istny wzór cnót! Sebastian prychnął nieuprzejmie.

– Czy zachęcałaś go do kupna ziemi w tych stronach? Sir Thomas mówił, że Tanner rozgląda się tu za jakąś posiadłością.

– John mówił, że chce znaleźć miejsce, gdzie mógłby zapuścić korzenie. Mam nadzieję, że tutaj zostanie. Jestem pewna, że byłby doskonałym sąsiadem. – Eleonora zamyśliła się. – Sebastianie, o co ci chodzi? Wyglądasz, jakby w ciebie piorun strzelił.

Sebastian z trudem przełknął ślinę i spojrzał na jej uroczą twarz. To było coś poważniejszego, niż sądził. Z całego serca pragnął, żeby nie okazać się egoistą, gotów był poświęcić swoje szczęście dla jej własnego, ale na samą myśl o utracie Eleonory oblewał się zimnym potem.

– Zasługujesz na szczęście, Eleonoro, a ja ponad wszystko chcę być wobec ciebie uczciwy. Widzę wyraźnie, że nadal kochasz tego człowieka, ale nalegam, abyś trzymała się z dala od niego. Skutki odnowienia tej znajomości byłyby czymś strasznym.

Otwarła usta ze zdumienia.

– Czy naprawdę tak myślisz? Że chciałabym romansować z Johnem?

– Wiem, że on ciebie pragnie.

– Och, doprawdy? Po niecałej godzinie od wznowienia znajomości? Nie mówiąc już o tym, że wyszłam za mąż, że noszę w sobie dziecko innego mężczyzny? Czyżbym miała z nim nawiązać występny romans? Twoje słowa uwłaczałyby mi, gdyby sama myśl nie była taka śmieszna!

– Cóż złego widzisz w swojej figurze? Jest wręcz zmysłowa. Cała promieniejesz. Oczywiście, że on cię pragnie! Każdy mężczyzna, który tego nie odczuwa, jest durniem! – Sebastian przysunął się bliżej do żony. – Tanner nadal cię kocha. Widać to w każdym jego spojrzeniu.

– Z pewnością mylisz się co do uczuć Johna. – Rumieniec wystąpił na jej policzki. – Nasz związek skończył się wiele lat temu.

– Istnieją porywy serca, których czas nie gasi.

– Bez wątpienia mówisz to na podstawie własnych doświadczeń – odparowała.

– W tej chwili istotnie. – Chwycił ją za rękę. – Moja miłość do ciebie nie zmieniła się przez wiele miesięcy, a nawet stała się mocniejsza, i dlatego nie pozwolę, żebyś odeszła. Szczerze mówiąc, będę walczył, żeby cię zatrzymać przy sobie.

– A więc tak bardzo mnie kochasz? – spytała szeptem.

– Z całego serca. Całym sobą. Ty chyba tego nie wiesz, Eleonoro! Czuję gwałtowną radość za każdym razem, kiedy cię widzę, kiedy słyszę twój głos. Moje serce wali jak młotem, kiedy trzymam cię w ramionach. Gdy się budzę rano, przekonuję się, że nawet robię to przez sen, tak bardzo pragnę cię dotykać, łączyć się z tobą. Wiem, że nie wszystko między nami układa się idealnie, ale wiem również, jak puste byłoby bez ciebie moje życie. – Ukląkł przed nią. – Dzięki tobie nauczyłem się wierzyć w siebie i w to, że mogę być człowiekiem wartym twojej miłości. Nie możesz oczekiwać, że poświęcę moje marzenie, że ono kiedyś zacznie blednąć. To zbyt okrutne.

– Nie żądam tego od ciebie, Sebastianie.

Poczuł tak wielką ulgę, że o mało nie upadł.

– A więc mogę jeszcze mieć nadzieję?

– Och, najdroższy, dużo więcej niż tylko nadzieję! Także miłość. – Uśmiechnęła się. – Jesteś zazdrosny!

– Cieszysz się z tego?!

– Jestem zachwycona! Och, ta podejrzliwa mina, ta namiętność w twoim głosie, gdy mówisz, że będziesz o mnie walczył! A więc naprawdę mnie kochasz?

– Bardziej niż kogokolwiek. Mam także nadzieję, że ty kiedyś pokochasz mnie.

Objęła go z całej siły za szyję.

– Ten dzień już nadszedł, Sebastianie. Kocham cię. Całym sercem, całą sobą. I sądzę, że zawsze tak będzie. Nawet gdy byłam zła i czułam się skrzywdzona, nigdy nie przestałam cię kochać. Tylko nie chciałam w to uwierzyć. Ale teraz już się tego nie obawiam.

– Och, Eleonoro!

Słowa żony chwyciły go za serce. Uniósłszy lekko podbródek, ostrożnie dotknął jej warg, a potem złożył na nich żarliwy pocałunek. Eleonora wstała z sofy, a on przytulił ją do piersi.

– A teraz chcę się tylko upewnić. Nie czujesz już skłonności do Tannera? – spytał po zakończeniu pocałunku.

– O Boże, żadnej! Ale zawsze będę ze wzruszeniem pamiętać, co nas kiedyś łączyło. Wtedy byłam młodą dziewczyną, teraz jestem kobietą. Wiem, że potrzebuję mężczyzny – powiedziała cicho, z oczyma pełnymi miłości. – A ty jesteś jedynym, którego pragnę.

Eleonora i Sebastian spędzili kilka następnych dni w sypialni pana domu, zapominając o całym świecie. Kochali się, spali, rozkoszowali się smakiem wspaniałych potraw, jakie przynosiły im na tacach zarumienione, trochę zażenowane służące, i rozmawiali. W tych właśnie dniach zrozumieli, że spokój i zadowolenie, tak upragnione, kryją się w ich wspólnej miłości.

Eleonora leżała w ramionach Sebastiana wśród rozrzuconej pościeli, delektując się jego silnym, umięśnionym ciałem. Jej własne było ciepłe i nasycone, a serce przepełniała radość. Chciała jednak ujrzeć go śpiącego, odwróciła więc głowę. A wtedy ujrzała dwoje wpatrzonych w nią szarych oczu.

– Och, zbudziłam cię!

Sebastian nachylił się, szukając jej ust. Przez długą chwilę Eleonora poddawała się jego zaproszeniu, otwierając się na nowe doznania. Oddychał ciężko i nierówno, kiedy się cofnęła, a wtedy usłyszała, jak szepnął:

– Kocham cię, Eleonoro.

– Powtórz to jeszcze raz – odparła, dotykając opuszkami palców jego ust, zachwycona pożądaniem malującym się na jego twarzy.

– Lady Tinsdale, mimo twego nowego, groteskowego tytułu... A nawiasem mówiąc, czy już ci wspominałem, jak bardzo go nie lubię? Zdecydowanie wolałem być Bentonem! Chciałem ci powiedzieć, że cię kocham. Uwielbiam cię. Twój bystry umysł, nieporównany urok, lojalne serce, godną naturę. Wielbię cię jako rzadki klejnot kobiecości, którym jesteś, a jeśli chcesz usłyszeć coś jeszcze, będę cię wychwalał pod niebiosa i nazywał swoją miłością, póki mi tylko starczy tchu.

– Myślę, że na dziś wystarczy, milordzie. – Eleonora z uśmiechem pogładziła jego policzek, wiedząc, że bez wątpienia jest najszczęśliwszą kobietą na świecie. Niepewność, która ją nękała, zniknęła w chwili, gdy zrozumiała, że Sebastian jest o nią zazdrosny. A wtedy zdała sobie sprawę, że miłość przepełniająca jej serce jest głęboka i prawdziwa.

Znów odnalazł jej usta, a ona w dotyku jego warg wyczuła zarówno czułość, jak i namiętność, i właśnie zaczęło się zapowiadać coś ciekawego, gdy ktoś głośno zastukał w drzwi ich sypialni.

– Milordzie, przepraszam, że przeszkadzam – rozległ się męski głos.

– Więc nie przeszkadzaj! – krzyknął na kamerdynera Sebastian – Idź precz!

Po krótkiej pauzie sługa odezwał się ponownie:

– Naturalnie, uczynię, jak pan sobie życzy, ale muszę wiedzieć, co zrobić z paczką, która właśnie nadeszła z Londynu.

Sebastian spojrzał na Eleonorę.

– Zamawiałaś coś w stolicy?

Zastanawiała się przez chwilę, ale potem pokręciła głową.

– Lady Tinsdale nie zamawiała niczego w Londynie! Odeślij paczkę, nieważne, co w niej jest.

Rozległ się odgłos kroków, a potem w szparę pod drzwiami sypialni wsunięto białą kartkę.

– Ten list towarzyszył przesyłce. Jeszcze tylko dodam, milordzie, że to bardzo długi list i wielka paczka.

Mrucząc pod nosem z irytacją, Sebastian zwlókł się z łóżka.

– Och, Boże, czy ja w tym domu muszę się naprawdę zajmować wszystkim?

Eleonora, przewróciwszy się na drugi bok, patrzyła, jak jej nagi mąż podnosi list, łamie pieczęć i zaczyna go czytać.

– To od Atwoodów. Najwyraźniej on i lady Dorota przysyłają nam ślubny prezent.

Eleonora siadła na łóżku i chwyciła prześcieradło, zakrywając swe pełne piersi.

– Czy musieli dołączać do niego list?

– I to bardzo długi, jeśli wierzyć kamerdynerowi – odparł z naciskiem Sebastian. – Chyba najlepiej jeśli zejdę na dół i sam wypytam służbę, inaczej nie da nam spokoju.

– Poczekaj, ja też idę. W końcu prezent ślubny należy się nam obojgu.

Sebastian szybko włożył spodnie, na ramiona narzucił koszulę, a Eleonora pospiesznie sięgnęła po swą codzienną suknię. Sebastian usłużnie zapiął jej haftki na plecach, przerywając co chwila tę czynność, by całować jej szyję i ramiona. Kiedy wreszcie się ubrali, zeszli razem po schodach. Gdy mijali hol, kierując się w stronę frontowych drzwi, cały czas czuła na plecach ciepłą dłoń Sebastiana.

Wyszli na zewnątrz, ale nie musieli iść daleko. Czekała na nich olbrzymia paka, którą pięciu mężczyzn ściągało właśnie z wozu stojącego na samym środku podjazdu. Eleonora patrzyła z rosnącą ciekawością, gdy zdjęto z niej opakowanie i na wszystkie strony posypała się słoma okrywająca jej zawartość.

– Do diabła ciężkiego! – wrzasnął Sebastian, zanosząc się śmiechem.

Eleonora podeszła bliżej i chcąc się lepiej temu prezentowi przyjrzeć, strząsnęła z niego resztę słomy.

– Czy to przypadkiem nie jest fontanna z ogrodu lorda Atwooda? – spytała.

– Właśnie ona – odparł Sebastian. – W dodatku wydaje mi się jeszcze obrzydliwsza niż przedtem.

Eleonora przechyliła głowę, przypatrując się bardzo uważnie, aby znaleźć jakiś szczegół godny pochwały. Ale było tam za dużo tryskających wodą figurek, kolumienek, muszli i pędów winorośli, zbyt wiele marmuru i w ogóle wszystkiego, co miało budzić podziw dla rzeźbiarza.

– Nie zdawałam sobie sprawy, że jest aż tak...

– Paskudna? Paradna? Olbrzymia? – Sebastian obszedł ją powoli z rozbawioną miną. – Kiedy pierwszy raz ujrzałem to monstrum, wiedziałem, że Atwood w końcu jakoś się jej pozbędzie. Nigdy jednak nie przypuszczałem, że w taki właśnie sposób. Chytra z niego sztuka!

– Cóż, musimy ją zatrzymać. Atwood jest jednym z twoich najbliższych przyjaciół. Na pewno odwiedzi nas kiedyś razem z lady Dorotą. Byłoby bardzo nieładnie, gdyby nigdzie nie zobaczyli swego prezentu ślubnego.

– Możemy powiedzieć, że fontanna pękła podczas transportu – podsunął jej Sebastian, biorąc młotek od jednego z lokajów.

– Poczekaj! – krzyknęła Eleonora, widząc, że już chce się zamierzyć. – Choć doceniam i uznaję twoją świeżo osiągniętą dojrzałość oraz poczucie odpowiedzialności, nie mogę dopuścić, by mówiono, że małżeństwo zrobiło z ciebie nudnego zarozumialca. Słyszałam wprawdzie o tym sporo od twoich przyjaciół, ale nigdy nie widziałam, jak bierzesz w fontannie jedną ze swoich osławionych kąpieli.

– I nie zobaczysz, przynajmniej póki się nie ocieli – odparł, opuszczając wzniesione ramię. – Obawiam się jednak, że usłyszysz głośne narzekania na twój brak gustu, jeśli ustawisz tę fontannę w widocznym miejscu.

Eleonora zaniosła się śmiechem.

– Posiadłość jest bardzo rozległa. Z pewnością znajdziemy jakiś cichy zakątek. A potem, gdy przyjdzie ci nagle ochota... – Zawiesiła głos i uniosła znacząco brew.

Zaśmiał się donośnie i objął ją ramionami.

– Jeśli pójdę w niej popływać, będziesz mi towarzyszyć – szepnął. – I to bez sukni...

Posłała mu wymowne spojrzenie, rumieniąc się z powodu jego uwagi. Życie z Sebastianem mogło wyglądać różne, ale nigdy nie było nudne.

– Uważam, mój drogi, że to wspaniały pomysł!

Epilog

Przeraźliwy krzyk rozdarł ciszę późnego popołudnia. Sebastian cały aż się skurczył. Ten dźwięk przeniknął go do szpiku kości. Z trudem nabrał powietrza w płuca, mocniej chwycił zgrzebło i dalej rytmicznymi ruchami przesuwał nim po końskim grzbiecie. Waverly zatrzymał się przy boksie, przygryzł dolną wargę, a potem znów zaczął krążyć po stajni.

Sebastian starał się o niczym nie myśleć i nie zwracać uwagi na to, co działo się w domostwie, w jego własnym łóżku. Wiedział, że jeśli zacznie sobie wyobrażać cierpienie Eleonory, z pewnością zwariuje. Dwanaście godzin! Przez dwanaście godzin leży w bólach, żeby wydać na świat ich dziecko, i wciąż bez rezultatu.

Dobry Boże, ile jeszcze wytrzyma? A ile wytrzyma on?

– Słyszałem, że podczas najbliższej sesji parlamentu. torysi zamierzają przeforsować ustawę o rolnictwie. Czy sądzisz, że powinniśmy się tym zainteresować? – spytał Waverly.

Sebastian spojrzał na niego ponuro. Waverly czynił heroiczne wysiłki, żeby zająć czymś myśli przyjaciela, ale żadne słowa nie mogły ukoić jego wzburzenia. A choć Sebastian doceniał te starania, od dłuższego czasu nie był w stanie zdobyć się na odpowiedź.

Był jednak zadowolony z jego towarzystwa, wiedział też, że Eleonora wdzięczna jest siostrze, że jest teraz przy niej. Początkowo protestowała, gdy Bianka oświadczyła, że chce asystować przy porodzie. Wprawdzie była już mężatką, lecz nie została jeszcze matką i Eleonora martwiła się, jak jej wrażliwa siostra zniesie nieznane jej jeszcze tajemnice porodu. Lord Waverly wyraził podobną troskę, zwłaszcza że oni również oczekiwali dziecka. Bianka jednak nie chciała o niczym słyszeć i nastawała tak długo, póki nie osiągnęła celu. Najwyraźniej słodka, nieśmiała uległa Bianka stała się upartą kobietą o silnej woli.

Rozległ się następny krzyk, głośniejszy, dłuższy i jeszcze bardziej przejmujący. Sebastian poczuł, że uginają się pod nim kolana. Dosyć tego! Nie bacząc, że zostanie wyrzucony za drzwi, jak się już zdarzyło trzy razy, Sebastian rzucił zgrzebło w kąt i pędem wybiegł ze stajni.

W sypialni były cztery kobiety – to znaczy pięć razem z Eleonorą. Służąca, położna, ciotka Jane i Bianka. Sebastian uznał, że nie jest mięczakiem i na pewno zdoła sobie utorować drogę między tymi niewiastami, nawet zważywszy na potężnie umięśnione ręce położnej.

– Poczekaj! – zawołał Waverly, przytrzymując go za ramię. – Polecono mi, żeby cię trzymać z dala od sypialni. Bianka głowę mi urwie, jeśli nie wypełnię tego zadania.

Sebastian zaklął i pogroził mu pięścią.

– Do diabła, Waverly, a co ty zrobisz, kiedy Bianka będzie rodzić dziecko?

Waverly zbladł i powoli rozluźnił chwyt.

– Więc może chociaż jej powiesz, że próbowałem cię zatrzymać...

Sebastian uśmiechnął się po raz pierwszy od wielu godzin.

– Powiem jej, że o mało nie wyłamałeś mi ramienia ze stawu.

Waverly kiwnął głową.

– Więc życzę powodzenia!

Sebastian, uwolniony z uścisku Wavely'ego, wpadł do dworu i popędził schodami, przeskakując po dwa stopnie. Minął po drodze kilku służących ze zmartwionymi twarzami. „Oni też ją kochają", pomyślał, w głębi serca wiedział, że nie powinno go to zaskoczyć.

Eleonora była życzliwą, dobrą panią domu i potrafiła docenić sumienną pracę. Przeobraziła zaniedbany majątek w Yorkshire w siedzibę, z której mogli być dumni.

Sebastian gwałtownym ruchem otworzył drzwi sypialni i wszedł do środka. Bianka odwróciła się do niego z radosnym uśmiechem na twarzy.

– Sebastianie! Właśnie miałyśmy posłać po ciebie. Spójrz, masz syna! Czy nie jest śliczny?

Z dumą pokazała mu dziecko, ale Sebastian ledwie rzucił na nie okiem i natychmiast podszedł do łóżka. Spojrzenie jego oczu spoczęło na Eleonorze. Leżała, blada i nieruchoma, z prześcieradłem podciągniętym pod samą szyję.

– Dlaczego się nie rusza? – wychrypiał, padając na kolana obok żony. Drżącymi palcami ujął jej dłoń i przycisnął do policzka.

– Jest wyczerpana, milordzie – rzekła położna. – Rodzenie to ciężka praca.

– Czy ona śpi? – pytał dalej, odgarniając pasmo zwilgotniałych od potu włosów z czoła Eleonory.

– Tak – odparła ciotka Jane. – To była dla niej bardzo długa, ciężka i męcząca praca. Powinieneś dać jej odpocząć.

Sebastian wiedział, że ciotka ma rację. Wiedział też jednak, że nie ma takiej siły, która mogłaby go odciągnąć od żony. Ucałował jej dłoń delikatnie. Równy, regularny puls uspokoił go, ale pragnął, by otworzyła oczy.

Całkiem jakby o tym wiedziała, Eleonora uniosła powieki, a potem z wolna spojrzała na niego.

– Sebastianie, gdzie jest dziecko? Gdzie nasz syn?

Po wielu godzinach krzyku głos miała schrypnięty. Boleśnie to odczuł. Skinął na szwagierkę i Bianka zbliżyła się, wkładając małe zawiniątko w ramiona Eleonory. Potem razem z innymi kobietami dyskretnie wyszła z pokoju, zostawiając świeżo upieczonych rodziców samych.

Eleonora spojrzała na dziecko, a Sebastian nadal patrzył na nią. Twarz miała bladą, niemal barwy popiołu, a pod oczami ciemne sińce. Znów poczuł, że dławi go w gardle. Wiedział, że mógł ją stracić, i zdał sobie sprawę, że nie potrafiłby żyć bez niej.

– Ma trochę ciemnych włosów na główce – wyszeptała z podziwem Eleonora. – I spójrz, jaki jest duży i jaki ma mocno zarysowany podbródek.

Sebastian głośno przełknął ślinę i spojrzał na niemowlę. Coś w rysach dziecka wydało mu się dziwnie znajome. Usiłował sobie gorączkowo przypomnieć, kogo mu ono przypomina. Noworodek wciągnął głośno powietrze i uniósł powieki.

Sebastian otworzył szeroko usta. Podobieństwo było niewątpliwe, wręcz rzucało się w oczy.

– Och, spójrz – krzyknęła Eleonora. – On wygląda całkiem jak...

– ...twój ojciec – dokończył Sebastian z ironicznym uśmiechem.

– Dobry Boże! – Eleonora uniosła się, opiekuńczym, macierzyńskim gestem przyciskając dziecko do piersi.

Sebastian zdumiał się, że los tak się na niego uwziął i by go pognębić, nieustannie wystawia na próbę jego wytrzymałość. Na koniec uznał, że kara za dawne grzechy może najwyraźniej przybierać różne formy.

Nie mógł jednak w żaden sposób zignorować pełnej obaw prośby w spojrzeniu Eleonory. Głęboko zaczerpnął tchu i jeszcze raz przyjrzał się dziecku, które nagle spojrzało mu prosto w oczy. Początkowy wstrząs zaczął mijać i Sebastian uczuł, że coś coraz mocniej chwyta go za serce. To dziecko było rzadkim, bezcennym cudem, istotką, którą należało karmić, pielęgnować i chronić.

– Chyba zakochałem się po raz drugi w życiu – wyszeptał głosem zdławionym od emocji.

Pogładził czoło Eleonory, a potem delikatnie dotknął policzka malca. Dziecko zamrugało w odpowiedzi i zaczęło wymachiwać piąstkami. Mało brakowało, a trafiłoby Sebastiana w podbródek.

– Zachowuj się właściwie, młodzieńcze! – zawołała Eleonora. – Powinieneś szanować swojego papę!

Papa. Sebastian przymknął oczy. Został ojcem!

– Kocham cię całym sercem, Eleonoro. Dziękuję ci za syna. Jest piękny.

– Wygląda wspaniale, prawda? – Eleonora pociągnęła nosem, po jej policzku spłynęła jedna jedyna łza.

– Po prostu cudownie – zawtórował jej Sebastian. – Och, moja droga, nie płacz.

– Jestem taka szczęśliwa, Sebastianie. I tak mi ulżyło.

Sebastian zrozumiał, co miała na myśli. Choć próbował nie okazywać tego podczas ostatnich miesięcy, również się martwił. Jak zareaguje na narodziny dziecka? Czy naprawdę będzie zdolny pokochać dziecko, w którym płynęła krew hrabiego?

– Nieważne, że przypomina twojego ojca – powiedział spokojnie. – Naprawdę. Mógłby nawet wyglądać jak mój koń, a ja bym go i tak kochał. Bo ty jesteś jego matką.

Eleonora uśmiechnęła się blado.

– Choć nie przeraża mnie jego podobieństwo do hrabiego, cieszę się jednak, że nie jest podobny do twojego konia! – Ucałowała niemowlę w czubek główki i przytuliła do swojej twarzy. – Ciotka Jane twierdzi, że dzieci rosnąc, bardzo się zmieniają. Może to podobieństwo zmniejszy się z czasem.

– Może. W każdym razie nie ma to znaczenia. – Sebastianowi spadł kamień z serca. Poczuł nagły przypływ otuchy. – On jest nasz, Eleonoro. Nasz pod każdym względem. Obydwoje będziemy go kochać, nauczymy go odróżniać dobro od zła, pokażemy mu, jak być silnym i godnym. Nie mam wątpliwości, że będzie dumą swojej matki.

– I ojca.

– O, tak. – Sebastian z uśmiechem nachylił się i przypieczętował tę obietnicę pocałunkiem, w którym zawarł całą swą radość i miłość.